PLANTAS E ALIMENTOS
que Curam

PLANTAS E ALIMENTOS
que Curam

A NATUREZA A SERVIÇO DE SUA SAÚDE

ENCONTRE MAIS
LIVROS COMO ESTE

Copyright © 2021 by Cida Barros e Daniella Barbosa Leal
Direitos reservados e protegidos pela lei 9.610 de 19.2.1998.
Nenhuma parte deste livro pode ser reproduzida, arquivada em sistema de busca ou transmitida por qualquer meio, seja ele eletrônico, xérox, gravação ou outros, sem prévia autorização do detentor dos direitos, e não pode circular encadernada ou encapada de maneira distinta daquela em que foi publicada, ou sem que as mesmas condições sejam impostas aos compradores subsequentes.
3ª Impressão | 2024

Presidente: Paulo Roberto Houch
MTB 0083982/SP

Coordenação Editorial: Priscilla Sipans
Coordenação de Arte: Rubens Martim
Colaboraram nesta edição: Editora Calmon (edição de textos e coordenação); Cida Barros e Daniella Barbosa Leal (pesquisas, textos e redação); Arlete Scantamburlo (projeto gráfico, diagramação e tratamento de imagens)
Imagens: Shutterstock

Vendas: Tel.: (11) 3393-7727 (comercial2@editoraonline.com.br)

Impresso na China.
Foi feito o depósito legal.

Dados Internacionais de Catalogação na Publicação (CIP)
de acordo com ISBD

C181p   Camelot Editora

Plantas e Alimentos que Curam / Camelot Editora. - Barueri : Camelot Editora, 2022.
176 p. ; 15,5cm x 23cm.

ISBN: 978-65-80921-26-3

1. Saúde. 2. Plantas. 3. Alimentos. 4. Curam. I. Título.

2022-3928   CDD 613
                                       CDU 613

Elaborado por Vagner Rodolfo da Silva - CRB-8/9410

Direitos reservados ao
IBC — Instituto Brasileiro de Cultura LTDA
CNPJ 04.207.648/0001-94
Avenida Juruá, 762 — Alphaville Industrial
CEP. 06455-010 — Barueri/SP
www.editoraonline.com.br

Sumário

Prefácio 09

Natureza: Alimento e Cura 11

Registros Entre as Civilizações.. 13
O uso no Brasil 15
Nossas plantas 17
Procurar orientação de um médico ou farmacêutico 20
Interações medicamentosas...20
Manipulação e extração 21
Efeitos colaterais 21

Natureza que Cura 23
Cozinha prática, saudável e colorida 24
Prática milenar... 24
Ritual de cura... 27
Sabor e saúde no dia a dia 29
Tempero, tempero meu! 31

Terapias Naturais Ganham o Ocidente................................. 37
Fitoterapia: o poder das plantas..40
Cura no Ocidente 42
Oito práticas da medicina tradicional chinesa....................44

502 Plantas e Alimentos Medicinais 49

Bibliografia...177

Prefácio

ESSA PLANTA É BOA PARA QUÊ?

Desde que o homem habita o planeta, ele busca na natureza o alimento, o abrigo, a energia e o medicamento. Com o passar do tempo, aprendemos a observar as variedades dos vegetais e os benefícios que eles proporcionam ao corpo e à saúde.

Acredita-se que os primeiros registros da manipulação de vegetais como remédio tenham surgido na China, há cerca de 5.000 anos. O imperador Shen Wung catalogou centenas de plantas asiáticas, descrevendo propriedades, indicação e a ação esperada no organismo. Esse documento, datado de 3.500 a. C., é a mais antiga farmacopeia conhecida até hoje.

Neste livro, você vai entender como as práticas milenares chinesas curam e ganham respaldo científico, além de conhecer 502 espécies, cada qual com os respectivos nomes científico e popular, assim como a região, as características, os usos e as propriedades.

Mas vale lembrar que as plantas possuem princípios ativos como qualquer outro medicamento. Na verdade, assim como trazem benefícios, alguns organismos podem reagir negativamente – seja por algum processo alérgico, alta dosagem ou exposição e uso prolongado. Por isso, nunca se deve manipular ou usar nenhuma parte da planta como remédio sem a receita e a orientação de um médico ou fitoterapeuta.

NATUREZA:
ALIMENTO E CURA

Entenda como as
civilizações observaram
e registraram a ação
medicinal das plantas
através dos tempos

O uso de plantas medicinais pelo homem data dos primórdios de sua própria história. Desde que passou a habitar a Terra, a espécie humana buscou, na natureza, maneiras de se alimentar, abrigar-se e até mesmo descobrir formas de cura. O relacionamento íntimo do ser humano com a natureza deu-se por meio de seu cultivo. Dessa forma, o homem aprendeu a observar as variedades dos vegetais e os benefícios que eles proporcionavam ao corpo e à saúde.

As plantas sempre serviram como alimento. Aos poucos, o homem foi observando a utilidade delas como matéria-prima na fabricação de roupas, ferramentas e outros objetos. É possível que a observação dos aspectos peculiares das espécies, como as modificações nas diversas estações do ano e o poder de regeneração tenham sido fatores que contribuíram de forma decisiva para o uso das plantas em rituais de cura.

Estudiosos acreditam que os primeiros registros de informações técnicas sobre manipulação de plantas tenham se originado há cerca de 5.000 anos, na China. Centenas de plantas asiáticas foram categorizadas pelo imperador Shen Wung, quem detalhou suas propriedades, além de indicações e ações estimadas no organismo humano. Datada de 3.500 anos a. C, trata-se da mais antiga farmacopeia conhecida.

No Egito, o estudo das plantas possibilitou o desenvolvimento de um sofisticado sistema de manutenção da saúde e cura, além de técnicas de conservação que permitiram o embalsamamento e a mumificação, preservando os corpos de faraós mortos até hoje.

Encontrado entre as pernas de uma múmia, o *Papiro de Ebers* compreende 110 páginas e guarda cerca de 700 fórmulas e remédios, sendo de longe o mais longo e um dos mais antigos documentos médicos. Por uma passagem em seu verso é possível identificar a data na qual foi confeccionado, por volta do nono ano do reino de Amenhotep I, ou 1534 a. C.

Na Universidade de Indiana (Indiana University, em inglês), nos Estados Unidos, o estudo *Medicina no Antigo Egito* relaciona as fórmulas encontradas no papiro com remédios contemporâneos e cita o uso do óleo de rícino, por exemplo, extraído das sementes da planta *Ricinus communis*, popularmente conhecida como mamona. Entre as indicações está a sua administração para curar distúrbios do intestino, sendo hoje usado como laxante.

"O papiro de Ebers consiste em uma coleção de textos médicos organizados em blocos, abordando doenças médicas e rituais de cura. A obra contém feitiços mágicos projetados para proteger o diagnóstico e o tratamento de intervenções sobrenaturais, além de preparados de plantas utilizados no tratamento de cada doença relatada", esclarece o estudo.

Registros entre as civilizações

A medicina Ayurveda, tradicional da Índia e muito utilizada ainda hoje como prática integrativa, foi registrada nos VEDAS, poemas épicos datados de 1500 a. C. que relatam o uso de alho, cúrcuma e gengibre.

Civilizações árabes também registraram seus conhecimentos em botânica por volta do ano 500 a. C. Plantas como alcaçuz, erva-doce, alecrim e açafrão já eram recorrentes no tratamento de dores e inflamações. O "Taxaraca-Samhita e Susruta-Samhita", tratados médicos árabes, são considerados precursores da medicina hipocrática grega, mãe da medicina ocidental.

Durante as civilizações clássicas – Grécia e Roma antigas –, as plantas começaram a ser catalogadas de forma sistemática. Pedânio Dioscórides, médico, farmacêutico e botânico grego escreveu *De Materia Medica* (*Sobre Material Médico*, em latim), farmacopeia de cinco volumes considerada a bíblia da medicina até a Idade Média. A enciclopédia cataloga e ilustra mais de 600 plantas e suas indicações no tratamento de doenças.

Hipócrates, considerado pai da medicina moderna e au-

Até os dias de hoje, o Juramento de Hipócrates é feito por todos os formandos em Medicina. O texto é considerado um grande guia da ética médica

Paracelso começou a estudar Medicina ainda jovem e desprezava o conhecimento acadêmico. Em suas pesquisas e expedições descobriu o princípio da quimioterapia, a cura a partir de pequenas doses de veneno

tor da fala "que seu alimento seja seu medicamento, que seu medicamento seja seu alimento", estudava as reações individuais de pacientes a uma determinada doença e ajustava o tratamento à necessidade de cada um deles. Hipócrates já pensava a Medicina de forma holística há quase 2500 anos, uma abordagem que só hoje ganha força no Ocidente com as práticas integrativas. Os tratamentos indicados por ele incluíam dieta, massagem, hidroterapia, repouso e preparações de plantas.

Na Idade Média, o médico e alquimista Paracelso percorreu a Europa e o Oriente Médio atrás de compostos que curassem o corpo e prolongassem a vida. Foi o primeiro a observar os efeitos do veneno em pequenas doses como remédio, utilizando enxofre, mercúrio, ferro e cobre. Dessa forma, antecipou em 500 anos a cura para a sífilis – doença venérea responsável pela morte de milhares de pessoas na Idade Média –, administrando pequenas doses de mercúrio. Em seus diários, ele dizia que "As universidades não ensinam tudo. Um médico deve procurar parteiras, ciganas, feiticeiros, andarilhos e ladrões para aprender com eles", daí sua natureza de andarilho.

Paracelso ficou famoso também por sua busca à Pedra Filosofal, objeto que tornaria imortal aquele que bebesse seu elixir, cujo poder transformaria qualquer metal em ouro. A empreitada não teve sucesso, mas ele deixou grandes legados para a medicina moderna, iniciando inclusive os estudos sobre quimioterapia.

No fim da Idade Média, a ânsia na busca de especiarias, ervas e raízes com propriedades medicinais, além de seu uso como tempero e matéria-prima para cosméticos, fizeram que os europeus chegassem às Américas e, assim, abrissem o "Novo Mundo" e suas infinitas possibilidades naturais.

O Brasil, com sua grande biodiversidade, abrigava milhares de espécies de plantas até então desconhecidas pelos europeus, que registraram o uso medicinal aprendido com os índios. O padre jesuíta José de Anchieta foi o primeiro boticário de São Paulo. No século 16, as drogas e os medicamentos só podiam ser vendidos nas "boticas" e eram recomendados pelos próprios farmacêuticos.

Na era moderna, as pesquisas de plantas medicinais avançaram a cada dia. Tornou-se possível isolar o princípio ativo das plantas e utilizá-lo na fabricação de medicamentos fitoterápicos, reproduzindo-o em medicamentos alopáticos. A aspirina, por exemplo, um remédio hoje comum para tratar dores, tem o princípio ativo extraído de uma planta, o salgueiro. No interior dele existe a molécula de ácido acetilsalicílico usado para produzir a aspirina de forma sintética. A diferença entre um e outro está no princípio ativo que, no caso do medicamento alopático, é criado de forma sintética e reproduzido, ainda que seja a partir da molécula de uma planta. O fitoterápico, por sua vez, é manipulado de forma a conservar suas propriedades naturais. Não há, portanto, interferência sintética, ou seja, nada é criado.

O uso no Brasil

Embora a fitoterapia tenha milhares de anos, somente no final da década de 1970 a Organização Mundial da Saúde (OMS) criou o Programa de

A observação da natureza levou o homem a descobrir as propriedades medicinais das plantas e seus benefícios

Medicina Tradicional, que incentiva os países membros a adotarem no sistema de saúde o uso de fitoterápicos e plantas medicinais. A medida também possibilitou maiores investimentos em pesquisa e registro de plantas visando a descoberta de novos tratamentos.

Em 2006 foi implantado no Sistema Único de Saúde (SUS) a Política Nacional de Plantas Medicinais e Fitoterápicos por meio do Decreto Nº 5.813, de 22 de junho do mesmo ano. Segundo o documento oficial do governo, o objetivo é "estabelecer diretrizes e linhas prioritárias para o desenvolvimento de ações pelos diversos parceiros em torno de objetivos comuns voltados à garantia do acesso seguro e uso racional de plantas medicinais e fitoterápicos no país, ao desenvolvimento de tecnologias e inovações, assim como ao fortalecimento das cadeias e dos arranjos produtivos, ao uso sustentável da biodiversidade brasileira e ao desenvolvimento do complexo Produtivo da Saúde".

Desde então, para doenças de menor gravidade, o SUS indica tratamentos a partir de plantas medicinais e os disponibiliza gratuitamente à população. Acompanhando o contexto terapêutico do SUS, o Ministério da Saúde publicou a Portaria nº 971/06 que estabelece a Política Nacional de Práticas Integrativas e Complementares (PNPIC). Ela inclui a utilização de fitoterápicos e plantas medicinais, além de outras terapias integrativas que visam o bem-estar do paciente a longo prazo, como ioga, acupuntura e massoterapia.

Em 2018, a Portaria nº 702 consolidou as PNPICS iniciadas em 2006, ampliando a oferta de tratamentos complementares que passaram a incluir mais dez recursos terapêuticos, entre os quais bioenergética, constelação familiar, cromoterapia, geoterapia, hipnoterapia, aromaterapia, imposição de mãos, terapia de florais, além de outras práticas.

Natureza: Alimento e Cura

Nossas plantas

A raiz indígena do Brasil carrega um profundo conhecimento e intimidade com as propriedades medicinais da flora brasileira. Esse saber ancestral é possível por causa da enorme biodiversidade concentrada nas florestas. Encontram-se na Amazônia plantas como graviola, que alivia dores reumáticas e artríticas; catuaba, potente estimulante do sistema nervoso central e conhecido afrodisíaco; guaco, largamente utilizado como expectorante no tratamento de gripes e doenças do pulmão; e a andiroba, cujos estudos *in vitro* a partir da casca mostraram atividade anticancerígena, pois inibe o crescimento de células cancerosas.

Apesar da diversidade de espécies existentes, o potencial de uso das plantas como fonte de medicamentos ainda é pouco aproveitado. O Ministério da Saúde calcula que, entre as 250 mil e 500 mil espécies estimadas no mundo, uma pequena porcentagem tem sido investigada de maneira fotoquímica e farmacológica. No Brasil, cerca de 0,4% das 55 mil espécies existentes foram estudadas nesse âmbito. Além disso, muitas espécies são usadas de maneira empírica, sem respaldo científico quanto à sua eficácia e segurança. Há, portanto, uma grande lacuna entre a oferta de plantas e a escassez de pesquisas.

Somente a partir de 2016, tratamentos complementares como arteterapia, reiki, meditação e biodança, além de outras dez práticas, começaram a ser oferecidos pelo SUS – Sistema Único de Saúde

Plantas e Alimentos que Curam

A grande maioria das plantas com potencial medicinal na Amazônia ainda não foi sequer explorada

A falta de respaldo científico não impede que as receitas caseiras e o saber empírico do uso de plantas medicinais continuem passando de geração em geração. Por falta de acesso à medicina convencional ou buscando tratamentos mais naturais, as pessoas acabam utilizando as plantas ou preparados, sem orientação.

Essa prática pode levar a um lado perigoso do uso de plantas medicinais, a chamada "automedicação natural", ocasionando reações tão graves quanto a automedicação alopática. É preciso desmistificar a ideia de que tudo o que é natural é seguro, já que qualquer produto, se usado incorretamente, pode causar danos à saúde.

Dessa maneira, a correta identificação, assim como o uso e o manejo adequados das espécies de plantas medicinais são de suma importância. Sabe-se que muitas maneiras de uso caem em conhecimento popular e oferecem "soluções milagrosas", no entanto, seus efeitos podem não ser benéficos e a maneira de uso, em certos casos, pode causar o agravamento dos problemas existentes. Qualquer tratamento, portanto, requer a indicação de um profissional de saúde.

Presente da natureza: uma única espécie de planta pode ter mais de uma ação terapêutica

Usar chás pode parecer inofensivo, mas é necessário ter cautela

Orientação médica e farmacêutica

Tomar um chá de erva-cidreira para dormir melhor ou um xarope de folhas de saião para curar uma gripe pode parecer inofensivo, mas o uso de plantas medicinais pede tanta cautela quanto o de medicamentos. Para consumir de forma segura, é recomendado ter alguns cuidados:

Procurar orientação de um médico ou farmacêutico

Assim como qualquer outro medicamento, as plantas possuem princípios ativos. Logo, não há remédio caseiro seguro se não houver uma receita para ele. É fácil cometer erros como aumentar ou diminuir a dosagem ideal a cada caso, usar o medicamento em locais perigosos – como a área dos olhos – ou ingerir um preparado com fim atópico (aplicação na pele), apenas. Um profissional poderá dar orientações adequadas quanto à quantidade, à manipulação, a dosagem e a aplicação corretas, evitando, dessa maneira, efeitos colaterais indesejados.

Interações medicamentosas

Muitos medicamentos fitoterápicos não têm boa interação com medicações alopáticas. O extrato de passiflora, da flor-de-maracujá, por exemplo – cujo chá é bastante utilizado como calmante a fim de aliviar o estresse ou combater a insônia – se associado ao consumo de algum benzodiazepínico (princípio ativo de medicamentos como o Rivotril e Diazepan, que são tranquilizantes potentes), pode causar uma série de efeitos colaterais indesejados. Existe a possibilidade de a pessoa dormir por dias seguidos ou ficar com a fala lenta, podendo até mesmo perder a fala. Pode-se citar, também, o Extrato de Guaco seco, comum no tratamento de gripes, capaz de anular o efeito de antibióticos se usado junto a medicamentos alopáticos.

Manipulação e extração

Há, ainda, o risco de manipulação ou extração errada. Além de cuidados como a higienização correta antes do uso da planta, é importante saber sua procedência. Existe a chance de a planta ter sido cultivada em ambientes impróprios, como um canteiro à beira de uma estrada por onde passam muitos carros e estar, portanto, repleta de toxinas que podem ser ingeridas. Além disso, se a extração não for feita corretamente, pode-se perder o efeito do princípio ativo. O Ginko biloba, uma espécie de planta bastante utilizada para o tratamento de labirintite, bem como para o controle da pressão alta e a melhora da memória e da circulação sanguínea, não deve ser consumida em forma de chá, já que perde a ação se for dissolvida em água. Para que tenha efeito, é necessária outra maneira de apresentação.

Efeitos colaterais

Vale lembrar que um composto natural pode gerar efeito colateral. Na verdade, assim como a planta traz benefícios em seus princípios ativos, alguns organismos podem reagir negativamente, seja por algum processo alérgico, alta dosagem ou exposição prolongada. O alcaçuz, cujo chá é indicado para o tratamento de tosses e dor de garganta, se usado de maneira prolongada, por mais de quatro semanas, pode apresentar efeitos colaterais semelhantes aos dos corticosteroides, que são hiperglicemia, hipertensão, úlceras, osteoporose, entre outros.

NATUREZA
QUE CURA

Como a utilização das plantas medicinais tem atravessado gerações e continua tratando enfermidades nas famílias brasileiras

Alho, limão, gengibre, mel, boldo, capim-santo, azeite de oliva... É só dar uma olhada rápida no armário da cozinha ou na geladeira que já dá para encontrar uma série de ingredientes que, além de deixarem as receitas gastronômicas mais saborosas, possuem funções terapêuticas e medicinais. Naturais, eles podem ser usados para prevenir o envelhecimento, fortalecer o sistema imunológico e tratar diversas doenças. Há quem busque tratamento natural para curar desde gripe até câncer.

Há comunidades formadas por pescadores e trabalhadores rurais que admitem a figura da curandeira ou benzedeira como a detentora do conhecimento para o uso das plantas medicinais, dando-lhe autoridade para fazer recomendações de acordo com os sintomas que o enfermo relata. Em muitos desses lugares, as plantas são cultivadas nos quintais ou encontradas nas ruas. Há casos em que o plantio se dá de maneira natural, como frutos da polinização feita por pássaros e insetos, como as abelhas, por exemplo.

Prática milenar

Não há novidade em retirar o medicamento da natureza. As raízes do povo indígena carregam um profundo conhecimento

COZINHA PRÁTICA, SAUDÁVEL E COLORIDA

Receitas que agregam mais cor, sabor e saúde ao dia a dia, assinadas pela Eco-Chef Monica Bull

MIX DE ERVAS PARA TEMPERO
Ingredientes
- 20 g alecrim
- 20 g manjericão
- 20 g orégano
- 1 colher (sopa) de sal marinho

Preparo
Em uma frigideira quente despeje o sal marinho para desumidificá-lo. No liquidificador, misture todas as especiarias ao sal e triture-os.

Recomendações
Sirva como tempero para aves, peixes e saladas. Essa receita é excelente para diminuir a pressão arterial e o colesterol.

SHAKE DETOX
Ingredientes
- 2 rodelas de abacaxi
- 1 folha de couve
- 1 cm de gengibre
- 250 ml de água de coco
- 1 colher (sopa) de clorofila
- 3 folhas de hortelã

Preparo
Bata tudo no liquidificador e sirva bem gelado.

Recomendações
A couve é anti-inflamatória, cicatrizante e ajuda a fixar o cálcio nos ossos, além de possuir benefícios estéticos: é ótima no combate à celulite, desintoxica e ajuda a eliminar a gordura. O gengibre é termogênico e acelera o metabolismo. Esse suco verde elimina gordura e queima calorias.

SALADA REFRESCANTE
Ingredientes
- 1 abacaxi cortado em cubinhos
- 1/2 repolho verde cortado em tiras finas
- 1 lata de creme de leite light ou iogurte (sem o soro)

Natureza que Cura

Chá feito a partir das folhas da planta parietária com propriedades diuréticas e anti-inflamatórias

- 1 colher (sopa) de vinagre de vinho branco
- 1 colher (sopa) de molho inglês
- Sal e pimenta-do-reino a gosto

Preparo
Em uma saladeira grande, misture o creme de leite light (ou iogurte), o vinagre e o molho inglês. Tempere com o sal e a pimenta-do-reino. Adicione os cubinhos de abacaxi e as tiras de repolho, misturando bem para envolvê-los uniformemente no molho. Leve à geladeira antes de servir.

Recomendações
Essa receita prática e saudável é indicada para quem tem uma rotina corrida e não dispõe de tempo para fazer pratos elaborados.

PÃO INTEGRAL
Ingredientes
- 400 g de farinha de trigo
- 400 g de farinha de trigo integral
- 100 g de gérmen de trigo
- 100 g de quinoa real em flocos
- 50 g de linhaça dourada
- 50 g de gergelim
- 50 g de semente de girassol
- 750 ml de água morna
- 1 colher (sobremesa) de sal
- 3 colheres (sobremesa) de açúcar mascavo
- 125 ml de óleo de milho
- 1 pacote de fermento em pó, para pão

Preparo
Misture a água, o sal, o açúcar, o óleo e o fermento em um recipiente. Junte os outros ingredientes mexendo até a mistura ficar uniforme. Lembre de guardar um pouco dos grãos para enfeitar o pão. A massa deve ficar com consistência de chiclete. Unte duas formas para pão. Divida a massa alisando-a bem e cobrindo com os grãos. Espere dobrar de volume e leve ao forno com temperatura de 180 graus por 40 minutos.

Recomendações
Aliado na perda de peso, o pão integral substitui o pão de farinha branca, que é pobre em vitaminas, fibras e minerais, por causa dos vários processos de refinamento da farinha. O pão integral é uma opção saborosa e rica em nutrientes.

Plantas e Alimentos que Curam

Alguns estudiosos acreditam que a energia das plantas também proporciona bem-estar

sobre a utilização das plantas para tratar doenças e o uso antigo inspira diversos estudos que buscam comprovar cientificamente sua eficácia.

Em estudo feito pelo Departamento de Ciências Biológicas da Universidade Estadual de Santa Cruz (UESC), na comunidade de Vila Cachoeira, foram listadas mais de 80 plantas usadas regularmente para tratar doenças simples, como desequilíbrios intestinais, estomacais, renais e hepáticos, além de dores no corpo, cabeça, coluna, garganta e ouvido. Esses compostos caseiros atuam como anti-inflamatórios, agem em doenças de pele e queimaduras e tratam até afecções de vias respiratórias, como gripe e bronquite.

Levando em consideração que o atendimento médico convencional pode ser, muitas vezes, escasso, quando a doença chega, vale procurar ajuda nos tratamentos naturais. Em alguns locais mais remotos, o uso das plantas medicinais é um dos únicos tratamentos acessíveis à população. Pode-se dizer, portanto, que a tradição, a facilidade de acesso e o baixo custo estão entre os principais motivos que levam ao uso de plantas, além do fator ritualístico.

Ritual de cura

Na sabedoria popular, as chamadas "doenças culturais" afetam a energia de uma pessoa causando enfermidades, seja ela própria a fonte do desequilíbrio ou o fruto da energia negativa de uma outra pessoa, geralmente motivada por inveja, ciúme, raiva ou outros sentimentos negativos. É o famoso "olho gordo" ou "mau-olhado". Isso pode causar sintomas físicos como cansaço, indisposição, dores pelo corpo e até vômitos e diarreias. Depressão e ansiedade muitas vezes são atribuídas a esse tipo de moléstia também.

Para esse tipo de enfermidade existe a benzedeira ou rezadeira, que atua como instrumento de cura. O tratamento é feito para reequilibrar as energias do doente por meio de cantos, rezas e do uso de plantas, que podem ser consumidas em forma de chá, banhos ou apenas reunidas em um pequeno ramalhete usado pela benzedeira para tocar o corpo do enfermo.

Espécies como pra-tudo (*Petiveria alliacea*), arruda (*Ruta graveolens*) e vassourinha (*Scoparia dulcis*) são as mais eficazes na arte de benzer para afastar o mal e curar. Muitas simbologias cerceiam as plantas ritualísticas. Grande parte das curandeiras acredita que se uma pessoa saudável for benzida apenas para proteção, e as plantas usadas murcharem, significa que a pessoa carrega um mau-olhado.

Esta prática tem raízes africanas e chegou ao Brasil por meio de religiões de matriz afro. Nesses rituais, o uso da planta representa a conexão do homem com a natureza, que é a fonte de toda cura. As espécies se relacionam com os elementos água, ar, terra e fogo e com os orixás, as divindades protetoras.

Constitui-se, portanto, o conceito de "Plantas do Poder", também presentes em rituais de cura. Elas trazem princí-

Plantas e Alimentos que Curam

O chá de louro pode ser usado para ajudar na digestão, no alívio de cólicas menstruais e até no tratamento de gripes e resfriados

pios psicotrópicos, presentes em rituais tribais e xamânicos e, através da ingestão de chás de Ayahuasca, Pariká, Coca, Jurema, Iboga e Cannabis, prometem um encontro do indivíduo com o mundo espiritual e a cura, realizada a partir desse evento. No Brasil, tribos indígenas da Amazônia ainda realizam cerimônias religiosas com ervas, mas não é somente em comunidades afastadas e em rituais religiosos que a energia das plantas é explorada.

A fitoenergética também utiliza esse recurso valendo-se de tratamentos que tiram proveito da energia das plantas, que possuem um campo energético invisível, saudável e vitalizante que, se aplicado de maneira correta, é capaz de proporcionar benefícios a seres humanos, animais e, até mesmo, objetos.

É uma abordagem holística que olha o enfermo como um todo, e não apenas os sintomas físicos, uma vez que existe a crença de que boa parte das doenças se desenvolva a partir do emocional. A proposta é reequilibrar os chakras – pontos de energia presentes no corpo e estudados pela medicina oriental – e realizar uma cura por inteiro. Trata-se, dessa forma, o doente e não a doença. Nesse tipo de abordagem, em vez de destinar receitas prontas de plantas específicas para problemas específicos, são observadas e tratadas as energias que precisam ser equilibradas.

Diferentemente da fitoterapia, que pode apresentar efeitos colaterais por utilizar o princípio químico da espécie, a fitoenergética não tem contraindicação. Isso porque são usadas quantidades muito pequenas da planta no tratamento, explorando apenas o campo de energia vital. Ela age no corpo apenas de maneira energética, trabalhando as emoções e os chakras.

A administração pode ser feita por infusões dos vegetais no banho aplicado sobre a cabeça; como spray borrifador para o ambiente; e até mesmo com compressas e inalações. Para consumo, vegetais condimentares que já entram naturalmente na salada, como manjericão, manjerona, alecrim e alho-poró, podem atuar também como parte da terapia.

Sabor e saúde no dia a dia

Mais do que ter apenas a cura como objetivo, o uso de plantas medicinais deve ser feito para prevenir doenças. E não é difícil fazer isso! Com refeições equilibradas e saborosas, as propriedades curativas garantem uma vida mais saudável. Como disse Hipócrates, filósofo grego contemporâneo de Sócrates e Aristóteles, considerado o pai da medicina moderna, "que teu alimento seja teu remédio e teu remédio seja teu alimento".

Um dos pilares mais importantes na construção de uma vida mais saudável e equilibrada está, inegavelmente, na alimentação. Conhecer as propriedades de temperos, ervas e vegetais resulta em um cardápio diversificado, alegre, com muito sabor e que proporciona força vital, benefícios que vão muito além dos aspectos físico-químicos da nutrição tradicional.

Muitas vezes quando se pensa em alimentação saudável vem à mente a imagem de uma comida insossa, sem graça ou um cardápio repetitivo. Isso porque estamos acostumados a usar temperos industrializados, que possuem muito sódio, gordura e gosto artificial. A todo momento, os meios de comunicação induzem os indivíduos ao consumo de temperos com altos índices de corantes, conservantes, acidulantes, gorduras e sabores artificiais, alguns dos quais altamente cancerígenos e proibidos em outros países. A contrapartida é o uso diário de ervas e especiarias frescas ou desidratadas, que oferecem muito mais sabor, cor e saúde ao corpo. Para apreciar o verdadeiro gosto dos alimentos, basta descobrir a rica diversidade de ervas, grãos, sementes e sais que, ao contrário dos temperos industrializados, realçam – sem sobrepor – o sabor do alimento.

Ter uma hortinha em casa, além de garantir alimentos saudáveis, decora e perfuma o ambiente

Tempero, tempero meu!

Que tal ter em casa ingredientes frescos para dar mais vida, sabor e saúde ao seu prato? Acredite, manter uma horta de temperos não demanda muito espaço e o cultivo é bem simples, desde que escolha bem quais ervas e vegetais condimentares plantar.

Para cultivar algumas ervas, você não precisa de muito espaço. É possível fazer o plantio em um pequeno canteiro no quintal ou em vasos dispostos na varanda ou até na janela da área de serviço. Além de conferir mais sabor ao prato, seu ambiente vai ter o delicioso aroma das plantas. Confira algumas dicas simples para cultivar os próprios temperos e aumentar o contato com a natureza, mesmo morando em um apartamento.

1. Salsa

Com sabor suave, a salsa tempera quase tudo. Sopas, aves, peixes e omeletes, além de compor bem com outros condimentos, apurando mais ainda o sabor. É rica em vitaminas A, B1 e B2, C e D. Possui em sua composição ferro, potássio, cálcio, magnésio e fósforo. Ela fortalece o sistema imunológico, purifica os rins e auxilia no processo de digestão. Pode ser plantada em pequenos vasinhos, pois não cresce muito. As folhas terão entre 12 e 16 cm de altura, e quando chegarem a esse tamanho já estão prontas para serem colhidas. Escolha um ambiente onde a luz não incida diretamente durante o dia todo, pois ela se dá melhor em locais com temperatura amena, até 22°. A terra adubada deve estar sempre úmida, e não encharcada.

2. Manjericão

Manjericão tem sabor e aroma marcantes. É ótimo para temperar carnes brancas, massas, sanduíches, omeletes, pizzas e pode até ser a estrela da salada. É diurético, antisséptico e auxilia na digestão. É rico em cálcio, vitaminas A e B2. Ter essa planta em casa garante uma salada refrescante. O ideal é cultivá-lo em lugares quentes, onde bata sol o dia inteiro. A terra deve receber irrigação moderada e as folhas em forma de coração podem ser colhidas entre 60 e 90 dias após o plantio.

3. Alecrim

Alecrim e sal são perfeitos para temperar frangos e aves. Esta erva aromática se adapta bem a qualquer clima, precisa de luminosidade moderada e pode ser plantada em vasos ou em jardins, pois forma pequenos arbustos. Um galho de alecrim ou poucas sementes bastam para iniciar o cultivo. Além de ser usado na culinária, pode ser consumido em forma de chá, xarope e até em pó. Tem um perfume marcante, que se espalha por todo o ambiente. É relaxante, combate tosses, cólicas menstruais e dores de cabeça e é diurético. Pode ser consumido a partir de 90 dias após o plantio e as mudas precisam ser podadas de duas a quatro semanas, dependendo do tamanho do vaso.

Plantas e Alimentos que Curam

4. Orégano

Uma das mais populares ervas aromáticas, o orégano é saboroso e ideal para temperar molhos de tomate, massas e até carne vermelha. Suas folhas secas podem ser encontradas em muitos estabelecimentos, mas, sem dúvida, se usadas frescas, proporcionam muito mais sabor às preparações. E seus benefícios vão além: mastigar folhas de orégano alivia cólicas e, ainda, regula o fluxo menstrual. A planta é considerada muito resistente e, por isso, vai bem em quase qualquer terreno, podendo ser cultivada em pequenos vasos. Adapta-se com facilidade a temperaturas amenas e com muita luminosidade. O ideal é que fique exposta à luz do sol durante algumas horas por dia, pois quanto mais luz solar, mais perfumadas serão as folhas. A rega deve ser feita com frequência para que o solo fique levemente úmido, porém, com o cuidado de não o deixar encharcado. O solo precisa contar com um bom sistema de drenagem, uma vez que, se a irrigação ficar estancada pode apodrecer as raízes, estragando-as por completo. A planta está pronta para ser colhida quando atingir entre 15 e 20 cm. Sua propagação pode ser feita por sementes, divisão de touceiras ou estaquia, sendo que os últimos dois métodos são os mais indicados, levando em consideração que o plantio por sementes exige um tempo maior para o crescimento da planta e o início da colheita.

5. Pimentas

Existem muitas espécies de pimentas que podem ser plantadas em casa. As de cultivo mais simples são habanero, dedo-de-moça e biquinho. Além de darem sabor às preparações, pimentas são termogênicas, aceleram o metabolismo, ajudam a reduzir o colesterol e melhoram a imunidade do organismo. Podem ser consumidas frescas, em conserva ou em molhos. De modo geral, o cultivo pede clima seco e muita luz do sol, não sendo indicado no inverno. Para o plantio em vasos, prefira adquirir mudas de produtores especializados e evitar vasos pequenos demais. Quanto às regas, devem ser regulares, com o cuidado de não deixar a terra encharcada. A colheita varia de acordo com a espécie, sendo que, geralmente, leva cerca de 50 dias após a floração. As sementes das pimentas são facilmente encontradas em feiras, supermercados e centros de jardinagem. No entanto, após o primeiro plantio, pode-se usar as sementes dos frutos. Para isso, é indicado cortá-los ao meio e retirar as sementes. Depois, deve-se esfregá-las com areia, para retirar a mucilagem que as envolve, lavando-as em água corrente logo em seguida.

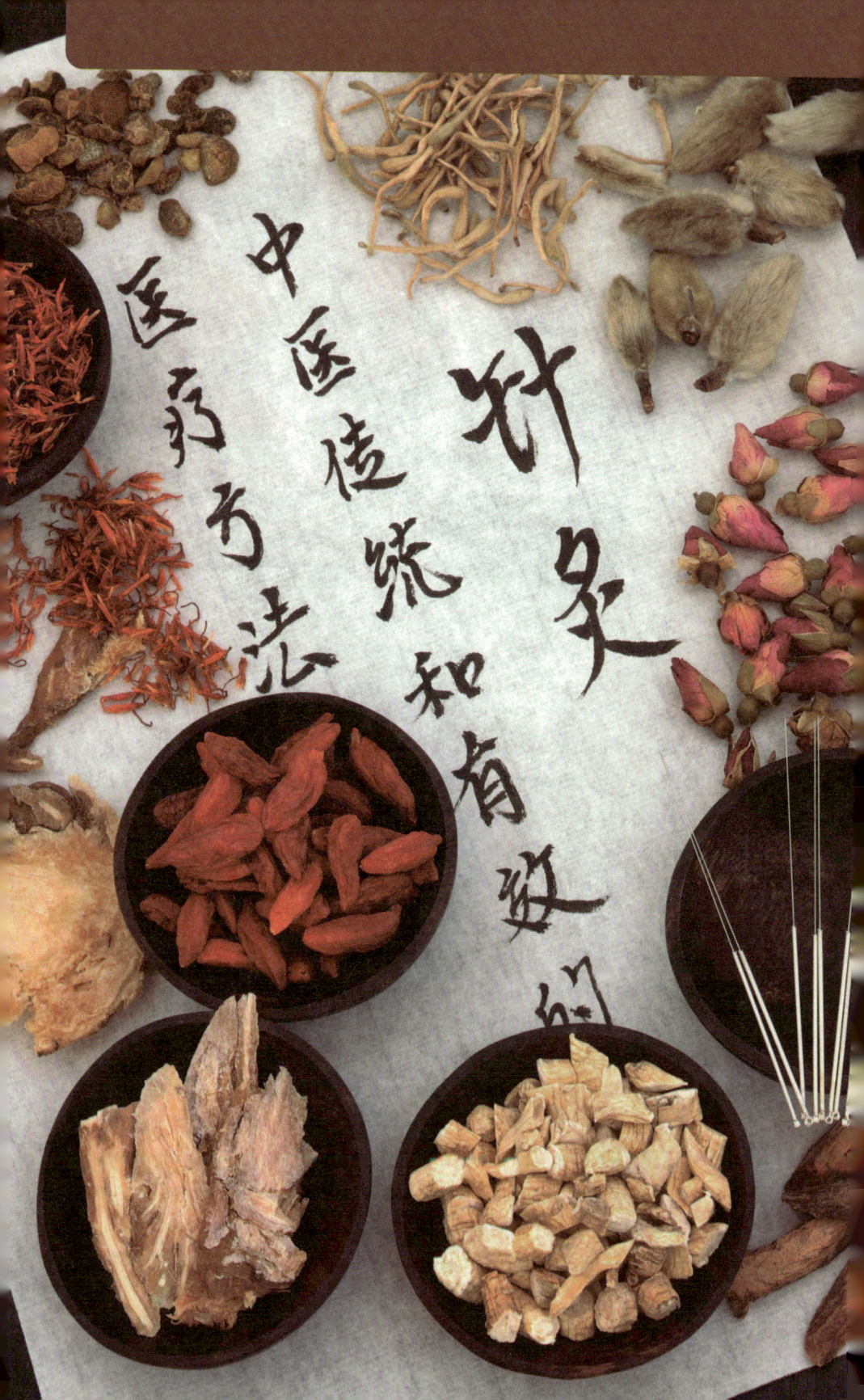

TERAPIAS NATURAIS
GANHAM O OCIDENTE

Práticas milenares da China curam há mais de 3 mil anos e, só agora, começam a ter respaldo científico

A Medicina Tradicional Chinesa - em chinês Zhōngyí xué ou Zhōngao xué - é uma das práticas mais antigas para a manutenção da saúde e cura de doenças. O tratamento do indivíduo vai além dos efeitos físicos de seus males, pois a Medicina Chinesa, sobretudo, acredita que a enfermidade parte de um desequilíbrio energético. A cura é conduzida através do reequilíbrio emocional, espiritual e físico.

Yin e Yang: forças opostas e complementares garantem o equilíbrio e a plenitude

A vida é uma junção do Yin e Yang. O Yin caracteriza o alimento, a terra. É considerada uma energia centrípeta, concentradora. Já o Yang é o céu, o ar que respiramos, uma energia expansiva, aberta. Assim como o Yin e o Yang, o universo é composto por polaridades, o quente e o frio, o homem e a mulher, positivo e negativo. A Medicina Tradicional Chinesa busca a harmonia e o equilíbrio entre os opostos, já que um não vive sem o outro.

A partir da filosofia do Yin e Yang, outro pilar da Medicina Chinesa se desdobra: a Escola dos 5 Elementos. Cada um desses elementos – madeira, fogo, terra, metal e água – tem uma representação orgânica vinculada aos principais órgãos e sua função metabólica no corpo. A madeira se relaciona com o fígado, o fogo com o coração, a terra com baço e pâncreas, o pulmão com o metal e a água com os rins.

A partir desse conceito, especialistas identificam se o paciente possui excesso ou baixa de energia em determinado órgão, a fim de indicar o melhor tratamento para que essas energias se reequilibrem sem sobrecarregar nenhuma das funções do corpo, tornando possível que o organismo funcione de forma plena.

Para esse tipo de medicina muito além de testes de laboratório que investiguem a enfermidade, o diagnóstico é dado a partir da condição do enfermo. Os médicos praticantes realizam o diagnóstico partindo de quatro pontos-chave: observar o paciente (wàng), ouvir e cheirar o que emana de seu corpo (wèn), perguntar e conhecer o histórico, além do relato dos sintomas (wèn), e palpar o pulso, tórax e abdômen (qiè). Entendendo a natureza da enfermidade, o profissional indica o melhor tratamento.

Diferentemente da medicina convencional, na qual é feita a prescrição de medicamentos visando uma solução imediata para o problema, na medicina chinesa são praticadas terapias prolongadas no paciente. Elas garantem não só o alívio dos sintomas, mas também a cura da causa raiz.

Hoje, essa interpretação do corpo como um todo, e não apenas físico, motivou o aumento da procura por terapias holísticas e práticas integrativas. A terapia holística considera o tratamento em todos os níveis: físico, mental e espiritual, daí o termo: holos do grego, que significa "inteiro" ou "todo". As práticas integrativas buscam naturalizar cada vez mais a medicina, sem abrir mão do tratamento convencional e da medicação alopática, mas minimizando o uso de efeitos colaterais. É a cura do corpo através do próprio corpo, abordagem chinesa na qual o próprio organismo conta com um sistema sofisticado para direcionar a energia vital.

Esse sistema supre carências e restaura a si mesmo, curando a doença. Um provérbio chinês que reflete esse pensamento diz que "qualquer remédio tem 30% de ingredientes venenosos". A medicina tradicional chinesa é, antes de tudo, uma filosofia e busca o mínimo de intervenção química.

Plantas e Alimentos que Curam

Entre as oito práticas que a compõem – Tui Na, Acupuntura, Moxabustão, Ventosaterapia, Fitoterapia, Dietoterapia e práticas físicas como o Tai Chi Chuan (veja mais no box) – o tratamento químico é aplicado em último caso, mesmo que esse "químico" seja composto apenas por uma alquimia de plantas.

Fitoterapia: o poder das plantas

A fitoterapia chinesa é uma ciência complexa e antiga. Os primeiros escritos médicos encontrados na China datam do ano de 3700 a. C. e catalogavam diversas plantas com o poder de curar doenças. A autoria desse material médico é atribuído ao imperador Shen Wung, que, segundo a lenda, podia ver através de sua própria barriga, pois ela era transparente, permitindo observar o efeito das fórmulas.

Ao contrário da fitoterapia praticada no Ocidente, que leva em conta apenas o princípio químico da planta e o efeito das propriedades no organismo, a fototerapia chinesa considera outros aspectos das ervas e envolve até o uso de alguns minerais, insetos e crustáceos para compor os remédios.

Um preparo fitoterápico chinês usualmente é constituído por seis ou mais plantas, e cada uma delas possui uma função no remédio, não restrito apenas ao princípio químico. São levadas em conta as capacidades energéticas, curativas e sinérgicas das espécies. O composto fármaco é criado especificamente para o paciente, e não de forma genérica, para tratar determinada doença. Composto por quatro ervas, cada uma tem um papel fundamental no processo de cura. A principal é a Erva Imperador, que determina como a fórmula funciona no organismo – considerando o órgão afetado e a doença a ser tratada. Já as Ervas Ministros são responsáveis por potencializar e suportar a ação da Erva Imperador, enquanto as Ervas Assistentes possibilitam o bem-estar e evitam efeitos colaterais. Por último, as Ervas Mensageiras "levam" o composto até o local no corpo que precisa ser tratado.

A combinação precisa entre as espécies e suas propriedades garante a boa resposta do organismo

Outra peculiaridade da fitoterapia chinesa é o fato de as plantas possuírem propriedades não definidas apenas pelos nutrientes e princípios ativos que as compõem, mas pela ação no organismo. Assim, cada espécie possui propriedades térmicas. Podem ser quentes ou mornas, como o gengibre e a canela; neutras, frescas ou frias, como a flor gardênia. As quentes são relacionadas ao Yang e têm a função de estimular e fortalecer. Já as frias se relacionam ao Yin e atuam como calmantes, anti-inflamatórios e até antibióticos.

As propriedades também se relacionam aos cinco sabores: doce, amargo, azedo, picante e salgado, e cada um deles transmite um estímulo ao organismo.

Por último, o movimento que a planta provoca no organismo também a classifica. Elas podem ser ascendentes, descendentes, circulatórias e submersivas (para dentro). Essas propriedades combinadas provocam efeitos no organismo que aliviam sintomas ou expelem males do corpo. Por exemplo: uma planta ascendente e circulatória provocará tosses e vômitos. Já se sua natureza for circulatória, mas descendente, causará suor e diarreia. Uma espécie descendente e submersiva proporciona calma e, por isso, é uma aliada nos tratamentos para combater ansiedade e insônia.

Por todos esses fatores, as plantas sempre são usadas em conjunto. O médico responsável por esse preparo deve considerar todas as classificações ao criar a fórmula, além de contemplar todas as partes atento à sinergia entre as ervas utilizadas.

Cura no Ocidente

A fitoterapia chinesa é um acumulado de conhecimento empírico que muitas vezes foi rejeitado no Ocidente pela falta de comprovação científica, mas acaba provando seu valor ao resistir ao tempo e trazer curas efetivas ao longo dos séculos. Por causa desse sucesso, muitos estudos têm sido conduzidos buscando na medicina tradicional chinesa, principalmente em suas plantas, princípios farmacológicos que curem doenças como câncer e alzheimer.

A revista americana Current Drug Discovery Technologies (Tecnologias Atuais para Descoberta de Medicamentos) publicou em 2010 um estudo sobre o tratamento de tumores usando a medicina tradicional chinesa. A pesquisa cita uma planta chamada Trovão de Deus (*lei gong teng* ou *Tripterygium Wilfordii*) – utilizada no sul da China como anti-inflamatório, para artrite reumatoide e na cura de doenças autoimunes, como esclerose múltipla – e explica que seu princípio ativo mostrou-se efetivo como inibidor do crescimento de células cancerosas.

Pesquisadores da Universidade de Minnesota do Masonic Cancer Center descobriram que um extrato dessa erva, o triptolide, pode ser eficaz contra células tumorais pancreáticas. Além de inibir o crescimento celular, ele também enfraquece as células e as deixa mais suscetíveis a receber o tratamento de quimioterapia e radioterapia, aumentando as chances de cura.

Elas apresentam maior eficácia em células do pâncreas, mas também agem em tecidos de próstata, pulmão, cólon, mama, cérebro e rim. A descoberta abre portas para a investigação de outros benefícios vindos a partir desse extrato.

Outra novidade acontece no campo do tratamento de distúrbios da memória, como o Alzheimer. Pesquisadores da RMIT University, em Melbourne, Austrália, e de Guangzhou University of Chinese Medicine, em Guangzhou, China, partindo de antigos textos listados na "Enciclopédia da Medicina Tradicional Chinesa", um conjunto de manuscritos milenar que relaciona doenças e plantas usadas em tratamentos medicinais, catalogaram as espécies que citam melhora em doenças relacionadas à idade, perda de memória e demência, todas eficientes contra o Alzheimer.

Entre elas estão a Poria cocos (*Fu ling*), Polygala tenuifolia (*Yuan zhi*), Rehmannia glutinosa (*Sheng di huang*), Panax ginseng e Acorus (*Shi chang pu*). Publicado em 2016 no periódico The Journal of Alternative and Complementary Medicine (Jornal de Medicina Alternativa e Complementar), o estudo permite a outros pesquisadores explorar propriedades fitoterápicas e desenvolver fármacos eficientes a partir delas.

Hoje, a fitoterapia chinesa é amplamente difundida em muitos países do Ocidente

OITO PRÁTICAS DA MEDICINA TRADICIONAL CHINESA

1. FITOTERAPIA CHINESA

É a alquimia de plantas. São fórmulas preparadas especificamente para cada doente, sem levar em conta apenas os princípios químicos das ervas, mas suas propriedades energéticas. Geralmente são combinados pelo menos seis tipos de ervas e cada uma tem uma função específica no composto, de acordo com a característica e o efeito no corpo. Podem ser misturados também minerais (pedras), parte de insetos e crustáceos.

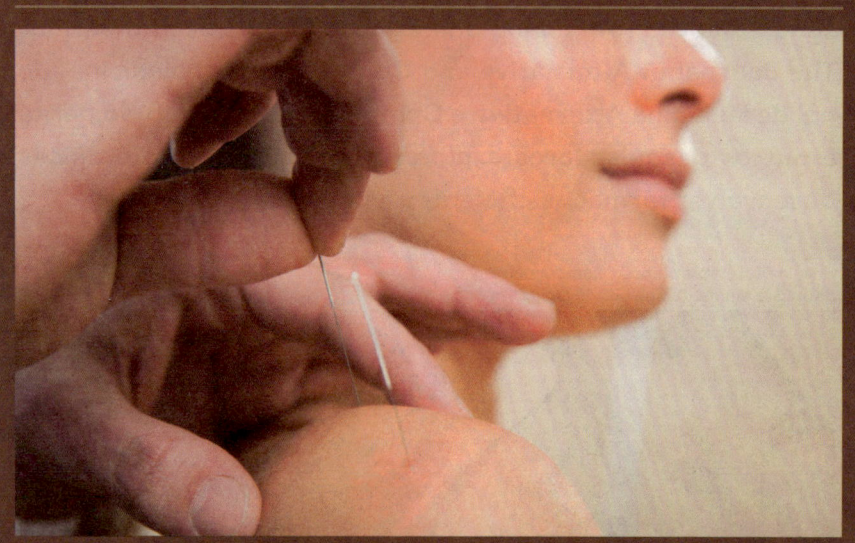

2. ACUPUNTURA

Inserção de agulhas muito finas em pontos precisos do corpo que estimula órgãos e reequilibra o fluxo de energia (Qi). É indicada para tratar doenças e tem função anestésica imediata também. Pode ser usada no tratamento de dores agudas ou crônicas.

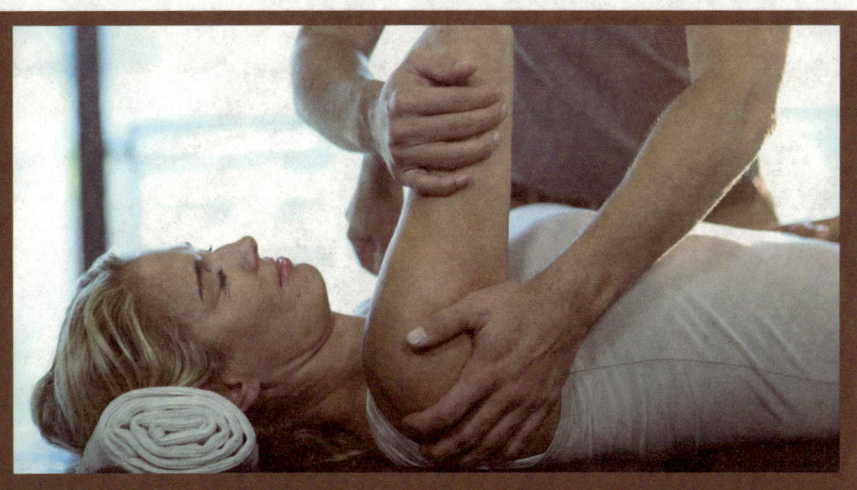

3. TUI NÁ

Um dos tratamentos mais antigos da medicina chinesa é a cura pelas mãos. Trata-se de uma espécie de massagem suave com as mãos quentes, que alivia dores e relaxa. É bastante utilizada em bebês para o alívio de cólicas. Segura, esta terapia é eficaz, sem risco e livre de efeitos colaterais.

4. DIETOTERAPIA

Cura através da alimentação. É feita uma adaptação alimentar baseada no sintoma que a pessoa quer tratar e em como as energias de seu corpo se relacionam com a energia do alimento. É diferente da fitoterapia porque é constante. Não se toma uma fórmula, mas entende-se quais são os alimentos mais indicados ao organismo do paciente.

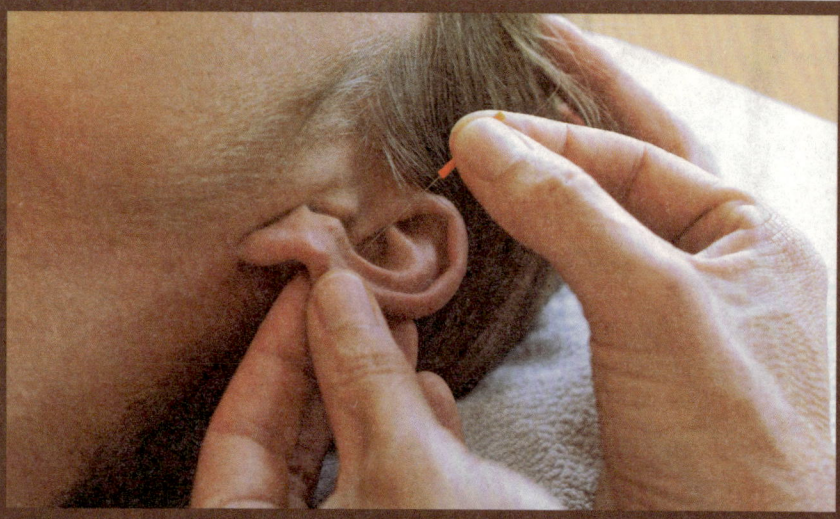

5. AURICULOTERAPIA

Terapia feita por pressão em pontos precisos da orelha para estimular funções no corpo. A orelha funciona como um microssistema e é possível atingir todo o corpo através de suas terminações. Podem ser usadas agulhas finas ou grãos.

6. MOXABUSTÃO

Significa "máximo tempo de exposição ao fogo". Age de forma semelhante à acupuntura, estimulando pontos do corpo para fortalecer a circulação de energia (Qi). É a combustão das ervas Artemisia sinensis e Artemisia vulgaris sobre pontos específicos do corpo.

7. VENTOSATERAPIA

Aplicada para equilibrar o Qi e tratar dores agudas ou crônicas, o tratamento consiste em aplicar frascos arredondados e quentes em pontos específicos do corpo. Esse contato provoca uma sucção e aumenta o fluxo sanguíneo no local. Deixa grandes hematomas vermelhos no local em que foi aplicado e, muitas vezes, pode ser percebido em atletas de alta performance, como Michael Phelps, nadador americano e medalhista olímpico.

8. PRÁTICAS FÍSICAS

Exercícios que integram movimento corporal, respiração e meditação. Recomendados para aumentar a flexibilidade, o equilíbrio e o fortalecimento físico, mental e espiritual. As práticas incluem o Tai Chi Chuan e o Chi Kung.

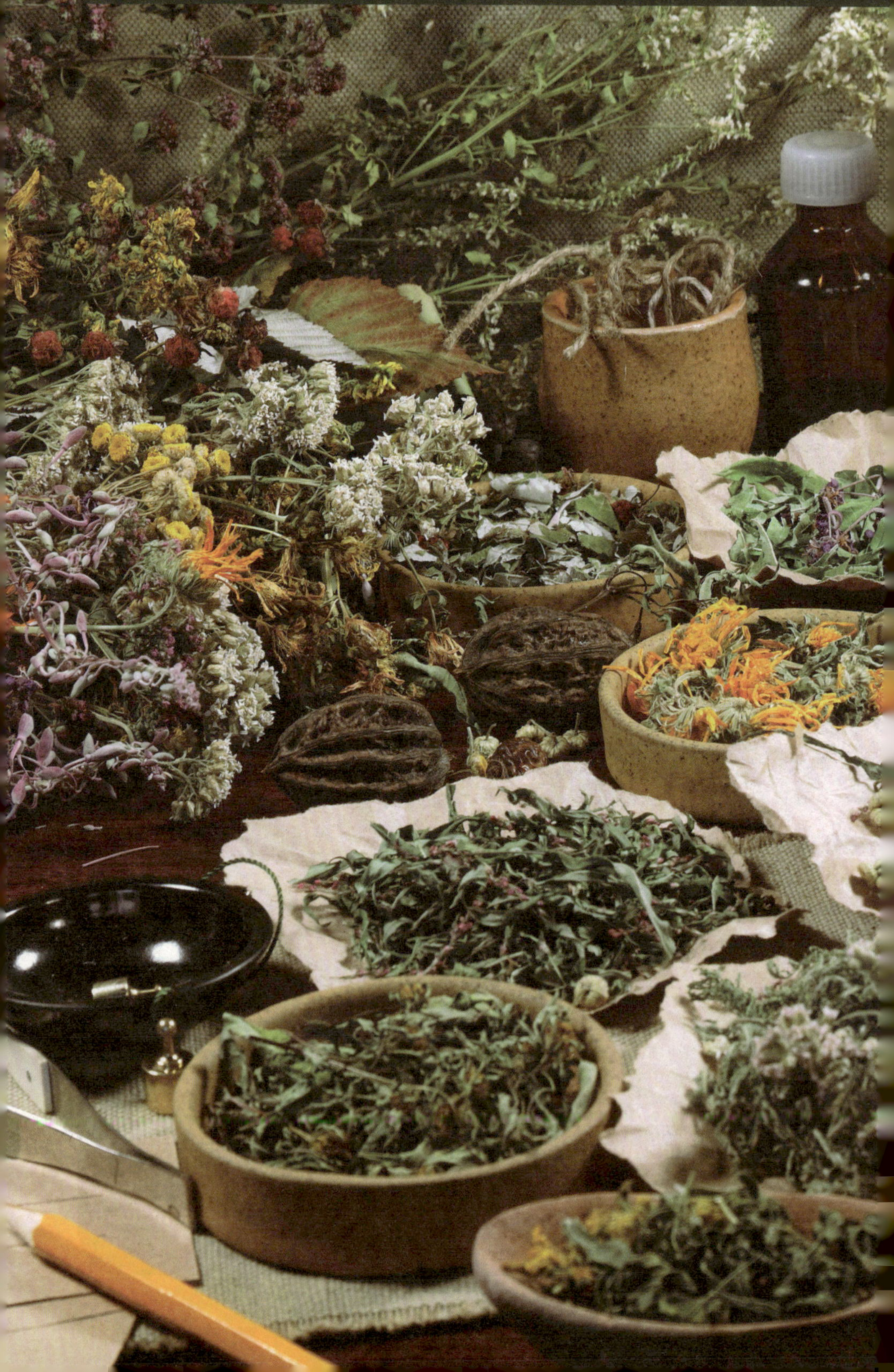

502 PLANTAS E ALIMENTOS MEDICINAIS

Conheça centenas de espécies com nomes científico e popular, região, características, usos e propriedades

1. Abacateiro

Nome científico: *Persea americana* Mill.
Outros nomes: abacate, avocado, avogado e paguá.
Família: Lauraceae.
Origem: sul do México.
Partes usadas: folha, fruto e semente.
Características: árvore de casca pardacenta com folhagem sempre verde e flores pequenas, de tom branco-esverdeado.
Efeitos terapêuticos: é diurético, carminativo – possui uma substância que combate a formação de gases no intestino – e afrodisíaco.
Usos: indicado no tratamento de dor de cabeça reumática – causada por doenças reumáticas –, contusão, diarreia e disenteria.
Vale saber! Proibido o uso sem orientação profissional – médico ou fitoterapeuta. Como o fruto é calórico, deve ser evitado por quem faz dieta para perder peso. Já para atletas e malhadores de academias, o fruto (abacate) serve como uma fonte de energia saudável, podendo substituir margarinas e manteigas, desde que o consumo seja orientado por nutricionista.

2. Abacaxizeiro

Nome científico: *Ananas comosus* (L.) Merr.
Outros nomes: ananás e naná.
Família: Bromeliaceae.
Origem: Brasil.
Parte usada: fruto.
Características: planta de porte médio a grande, vigorosa, de folhas de cor verde-escura com acúleos grandes nas margens. O fruto pesa entre de 0,9 a 1,8 kg e tem cor externa e interna amarela, com folhas duras no topo, configurando uma coroa.
Efeitos terapêuticos: é refrescante, diurético, expectorante, anti-inflamatório, digestivo, antiviral e antibacteriano, além de ser um bom alimento para prevenir a osteoporose e as fraturas ósseas, por causa do alto teor de manganês.
Usos: ajuda na digestão, no emagrecimento e a dissolver coágulos sanguíneos. Também reduz inflamações, acelerando a cicatrização de tecidos, é usada no tratamento da artrite e é ótimo preventivo contra osteoporose e fraturas ósseas.
Vale saber! Proibido o uso sem orientação profissional – médico ou fitoterapeuta. Há componentes que podem sensibilizar algumas pessoas, principalmente as que são alérgicas a outros alimentos ou ao pólen. Nesses casos, a ingestão pode ocasionar coceira e edema (inchaço) na garganta. O consumo também é desaconselhável para pessoas que sofrem de refluxo gástrico e úlceras pépticas ou duodenais.

3. Abajeru

Nome científico: *Chrysobalanus icaco* L.
Outros nomes: guajuru, abajuru, coco plum e ajiru.
Família: Chrysobalanaceae.
Origem: nativa da África Tropical (ocidente, sul) e das Américas do Norte e do Sul.
Partes usadas: raiz, folha e fruto.
Características: arbusto ou árvore de até 10 metros de altura, com folhas variadas. As flores apresentam-se em ramalhete e, geralmente, são esbranquiçadas. Possui drupas – um fruto carnoso, que contém uma única semente protegida por um caroço duro. A sua polpa não é dividida em gomos, como a da laranja, e é coberta por uma casca fina.
Efeitos terapêuticos: é diurético, hipoglicêmico – ajuda a baixar a quantidade de açúcar no sangue – e, ainda, hipoglicemiante, ou seja, é capaz de reduzir os níveis de glicose previamente elevados.
Usos: ajuda nos tratamentos de infecções da pele e de doenças de tecidos subcutâneos. Na medicina popular, as folhas do abajeru são usadas para auxiliar no combate aos altos níveis de glicose do sangue.
Vale saber! Proibido o uso sem orientação profissional – médico ou fitoterapeuta. Não foram encontradas contraindicações na literatura fitoterápica.

4. Abóbora

Nome científico: *Cucurbita pepo* L.
Outros nomes: jerimum, abóbora-menina e moranga.
Família: Cucurbitaceae.
Origem: nativa da América Central, especialmente do México, onde é cultivada há milênios.
Partes usadas: semente descascada, raiz, polpa do fruto maduro, folhas e flores.
Características: possui caule rastejante e ramas alongadas, podendo atingir até 6 metros de altura. Suas folhas são grandes, de cor verde-escura, com manchas prateadas na abóbora e nos híbridos. Já as flores são amarelas, grandes e vistosas, enquanto os frutos apresentam formatos e tamanhos variados.
Efeitos terapêuticos: digestivo estomacal, anti-inflamatório, antitérmico e emoliente.
Usos: indicada para queimaduras, erisipela, febre, inflamações do fígado, dos rins e do baço. Também é usada para tra-

tar feridas, corrimento vaginal, prostatite, diarreia e prisão de ventre.
Vale saber! Proibido o uso sem orientação profissional – médico ou fitoterapeuta. Em pessoas sensíveis, pode desencadear uma eventual alergia.

5. Abricó-da-praia

Nome científico: *Mimusops coriacea* (A.DC.) Miq.
Outros nomes: balata.
Família: Sapotaceae.
Origem: costa africana, nas ilhas de Madagascar.
Partes usadas: folhas e frutos.
Características: árvore muito utilizada para sombreamento em beira de praia. Possui folhas simples, alternas e geralmente agrupadas no final dos ramos. Os frutos são de cor amarela, quando maduras, e do tamanho de bolas de golfe – cada extremidade com três ou mais. As sementes não comestíveis são marrons e muito duras. Já a polpa, amarela, é pegajosa.
Efeitos terapêuticos: é antifúngicida, digestivo, antirreumático, antisséptico e vermífugo.
Usos: antes de atingir a maturação, os frutos produzem um látex branco e pegajoso, que pode ser utilizado em alguns tratamentos fungicidas, assim como o látex produzido pelo seu tronco.
Vale saber! Proibido o uso sem orientação profissional – médico ou fitoterapeuta. Em altas doses, o abricó-da-praia pode ser prejudicial à saúde. Para saber a quantidade ideal, é preciso, sempre, consultar um profissional.

6. Acácia-pompom

Nome científico: *Vachellia seyal* (Delile) P.J.H. Hurter.
Outros nomes: esponjinha-amarela, acácia-vermelha, acácia-de-tronco-vermelho, árvore-da-goma-arábica e Seyal.
Família: Fabaceae.
Origem: África, Egito, Moçambique, Namíbia, Oriente Médio, Península Arábica, Quênia, Sudão e Uganda.
Partes usadas: casca do tronco, madeira e goma.
Características: árvore ornamental, nativa da savana africana e popularizada pelo paisagista Burle Marx. Tem copa esparsa em forma de "guarda-chuva", ramagem espinhenta e é ramificada na horizontal. O tronco é ereto a tortuoso, com casca de cor geralmente vermelha. As folhas têm cor verde-acinzentada e as flores, amarelas, lembrando um "pompom".
Efeitos terapêuticos: estimulante, afrodisíaco, emoliente, analgésico, antibiótico e adstringente.
Usos: combate disenteria, infecções da pele, lepra, diarreia, hemorragia, inflamações dos olhos, rinite, artrite, bronquite, reumatismo, queimaduras, afecções da vesícula biliar e sífilis.
Vale saber! Proibido o uso sem orientação profissional – médico ou fitoterapeuta. Os altos teores de tanino nesta espécie podem torná-la tóxica. Por isso, qualquer uso interno ou externo deve ser feito com orientação de um profissional.

7. Açacu

Nome científico: *Hura crepitans* L.
Outros nomes: uassacu, árvore-do-diabo, catauá, açacu (o fruto), açacuzeiro (a árvore).
Família: Euphorbiaceae.
Origem: Brasil, em várzeas inundadas da região Amazônica.
Partes usadas: folha, casca, fruto, semente e látex.
Características: é uma espécie arbórea de grande porte, com caule revestido de espinhos e casca de coloração parda. As flores apresentam inflorescência do tipo espiga, já o fruto parece uma moranga.
Efeitos terapêuticos: inseticida e vomicida.
Usos: para doenças da pele, reumatismo e para combater vermes intestinais.
Vale saber! Proibido o uso sem orientação profissional – médico ou fitoterapeuta. O látex é venenoso e provoca queimaduras graves quando em contato com a pele. Ingerido, causa hemorragia, cegueira, constrição da garganta, diarreia, entre outros danos.

8. Açafrão da terra

Nome científico: *Curcuma longa* L.
Outros nomes: cúrcuma.
Família: Zingiberaceae.
Origem: Índia.
Parte usada: rizoma.
Características: possui grandes folhas elípticas. As flores são de cor amarelada e têm 15 cm de largura dispostas em espigas densas.

Efeitos terapêuticos: anti-inflamatório, hepatoprotetor, colerético e antidispéptico.
Usos: indicada para combater problemas de vesícula biliar, fígado e colesterol. Tem uso científico comprovado como anti-inflamatório e antidispéptico (problemas digestivos) na forma de infusão. Na forma de tintura estimula o fluxo na bile e, ao aumentar a quantidade da bile na vesícula biliar, descongestiona o fígado e favorece a digestão. Além disso, é hipolipemiante (controla o nível de colesterol), antiespasmódico (leva à contração involuntária de músculos), antiflatulento (contra gases) e anti-inflamatório.
Vale saber! Proibido o uso sem orientação profissional - médico ou fitoterapeuta. Seu uso é contraindicado para mulheres que desejam engravidar, estejam grávidas ou amamentando. Altas doses de açafrão tornam-se tóxicas, inibindo a ovulação, alterando o sistema nervoso e, ainda, provocando abortos.

9. Açafrão-falso
Nome científico: *Curcuma zedoari* (Christm.) Roscoe
Outros nomes: zedoária e gajitsu.
Família: Zingiberaceae.
Origem: sudeste asiático e China.
Parte usada: rizoma.
Características: planta herbácea, perene, com rizoma de forma alongada, cor azul ao ser cortado, com ramificações laterais mais finas. Do rizoma saem as folhas e hastes florais. As folhas são alongadas, esverdeadas e pecioladas. As hastes são compostas de escamas e flores no formato de espiga de cor amarela. As folhas manchadas de vermelho tornam a planta atraente, mesmo quando não está florescendo. O fruto é uma cápsula oval e lisa, enquanto as sementes são elípticas.
Efeitos terapêuticos: tônico-estimulante, digestivo, expectorante, diurético, calmante, carminativo, depurativo, antisséptico, antifúngico, anti-helmíntico, antimicrobiano, antitumoral, aromático e anti-inflamatório.
Usos: indicado para doenças hepáticas, urinárias, pulmonares e resfriados. É usado clinicamente no tratamento de câncer cervical (que ocorre no colo do útero), na medida em que o extrato aquoso apresenta atividade antimutagênica. Na tradicional medicina asiática, o açafrão-falso trata doenças estomacais, do fígado, promove a circulação do sangue e normaliza a menstruação.
Vale saber! Proibido o uso sem orientação profissional - médico ou fitoterapeuta -, durante a gravidez e no período de amamentação. A dose excessiva é altamente tóxica, com graves consequências para os sistemas nervoso e renal e, por isso, só pode ser usado com orientação médica.

10. Açafrão-verdadeiro
Nome científico: *Crocus satiuus* L.
Outros nomes: açaflor, açafreiro, açafrão-oriental, açafrão-cultivado, flor-da-aurora e flor-de-hércules.
Família: Iridaceae.
Origem: Oriente Médio e parte da Ásia.
Parte usada: estigma (parte achatada do carpelo, situada na sua extremidade superior. Possui um líquido pegajoso que contribui para a fixação do grão de pólen).
Características: planta herbácea, perene, com bulbos e flores roxas.
Efeitos terapêuticos: tem propriedades antiespasmódicas, emenagogas e sedativas.
Usos: auxilia em casos de asma, coqueluche, hemorroidas e cálculos renais, do fígado e da bexiga. Algumas fontes da medicina chinesa o consideram afrodisíaco.
Vale saber! Proibido o uso sem orientação profissional - médico ou fitoterapeuta. Não pode ser usado sem orientação médica, pois pode provocar confusão mental e aborto.

11. Açaí, açaizeiro
Nome científico: *Euterpe oleracea* Mart.
Outros nomes: açaí-branco, coqueiro-açaí, juçara, palmiteiro, palmito, açaí-do-pará, açaizeiro, assaí e piná.
Família: Arecaceae.
Origem: Brasil (região Amazônica), Colômbia, Venezuela, Equador e Guianas.
Partes usadas: fruto e raiz.
Características: palmeira delgada, formando touceiras. As folhas são recortadas, de cor verde-escura com até 2 m de comprimento. As flores são pequenas, de cor amarelada e agrupadas em cachos pendentes. O fruto do tipo baga é arredondado ou oval, de coloração violácea quase negra, quando está maduro. A polpa que envolve a semente é comestível.

Efeitos terapêuticos: vermífugo e anti-hemorrágico.
Usos: indicado em casos de hemorragia após extração dentária e para distúrbios intestinais.
Vale saber! Proibido o uso sem orientação profissional - médico ou fitoterapeuta. Contraindicado para diabéticos (especialmente se misturado a xaropes) e obesos, por ser altamente calórico.

12. Agave
Nome científico: *Agave vivipara* L.
Outros nomes: piteira-do-caribe.
Família: Asparagaceae.
Origem: México.
Partes usadas: folha, caule e seiva.
Características: tem tronco curto e folhas lanceoladas, de cor verde-clara a cinza, com borda branca. Cada folha tem um espinho terminal marrom-escuro, de cerca de 3 cm de comprimento.
Efeitos terapêuticos: laxante, emoliente, digestivo e antisséptico.
Usos: indicado para inchaços interno e externo, contusões, doenças do rim e fígado, artrite e disenteria.
Vale saber! Proibido o uso sem orientação profissional - médico ou fitoterapeuta. Seu uso é proibido durante a gravidez e no período de amamentação. Em doses altas, provoca distúrbio digestivo.

13. Agrião
Nome científico: *Nasturtium officinale* R.Br.
Outros nomes: agrião d´água, agrião-aquático, agrião-do-rio, agrião-da-europa, agrião-da-fonte, agrião-da-ponte, agrião-da-ribeira, agrião-das-fontes, agrião-do-rio, agrião-d'água-corrente, agrião-oficinal, berro, cardamia-jontana, cardomo-dos-rios, mastruço-dos-rios e rabaça-dos-rios.
Família: Brassicaceae.
Origem: Ásia e Europa.
Partes usadas: talos e folhas.
Características: herbácea perene, aquática, aromática, de 15 a 30 cm de altura. Tem sabor fresco e picante.
Efeitos terapêuticos: diurético e anti-inflamatório.
Usos: indicado no tratamento de aftas, gengivites, acne e eczemas. Também ajuda a melhorar a digestão e tratar a tosse, pois é um anti-inflamatório das vias respiratórias, usado como expectorante nas bronquites crônicas.
Vale saber! Proibido o uso sem orientação profissional - médico ou fitoterapeuta -, durante a gravidez e no período de amamentação, pois é abortiva e, em excesso, pode irritar a mucosa do estômago e as vias urinárias. Também não deve ser ingerido por quem tem úlceras e doenças renais inflamatórias.

14. Aipo
Nome científico: *Apium graveolens* L.
Outros nomes: salsão.
Família: Apiaceae.
Origem: provavelmente é nativa da Eurásia.
Partes usadas: ramo, folha, raiz e semente.
Características: folhas penadas (ou pinadas), com três segmentos. As flores são esbranquiçadas, com fruto pequeno, sem pelos, arredondado ou comprimido lateralmente. Toda a planta exala um odor forte e aromático.
Efeitos terapêuticos: diurético, carminativo, depurativo, excitante, febrífugo, antiescorbútico, remineralizante e eupéptico (que facilita a digestão).
Usos: para tratamento de cálculos renais, artrite, ácido úrico, gota, reumatismo, inapetência (falta de apetite), oligúria (diminuição da produção de urina) e obesidade.
Vale saber! Proibido o uso sem orientação profissional - médico ou fitoterapeuta -, durante a gravidez e no período de amamentação. Além de contribuir para o excesso de gases, o aipo tem um elevado teor de óleos essenciais - uma espécie de alérgenos -, que podem exercer um impacto adverso sobre a formação do corpo de uma criança, causando alergias a diversar substâncias após o nascimento. O aipo também estimula o aumento do fluxo de sangue para o útero, o que representa uma ameaça, pois induz ao nascimento prematuro ou aborto nas primeiras fases da gravidez.

15. Alamanda
Nome científico: *Allamandacathartica* L.
Outros nomes: alamanda, alamanda-amarela, carolina, dedal de dama, alamanda-de-flor-grande, alamanda-de-flor-grande-amarela, buiussu, camendará, cipó-de-leite, comandara, comandau, dedal-de-dama, orélia, orélia-grandiflora, purga-de-quatro-pataca, quatro-pataca, quatro-pataca-amarela, santa-maria e sete-pataca.
Família: Apocynaceae.
Origem: Brasil, nas regiões costeira do norte, nordeste e leste.
Partes usadas: folhas, flores, látex e raiz.
Características: suporta grandes períodos sem água e terra sem adubo. Prefere climas quente e úmido ou ameno e, para seu desenvolvimento, precisa estar exposta a sol pleno. Existem pelo

menos duas variedades distintas: uma com flores grandes e outra com pequenas, em grande quantidade. As flores têm tom amarelo-dourado com folhagem verde brilhosa.
Efeitos terapêuticos: antitérmico, antitussígeno, catártico (purgativo), emético (vomitório), hidragogo (diurético), laxante, purgativo e vermífugo.
Usos: utilizada na medicina popular, principalmente como purgante.
Vale saber! Proibido o uso sem orientação profissional – médico ou fitoterapeuta. É uma planta tóxica e proibida para crianças e animais. Ingestões acidentais acarretam distúrbios gastrointestinais intensos caracterizados por náuseas, vômitos, cólicas abdominais e diarreia, em razão da presença de saponinas.

16. Alecrim
Nome científico: *Rosmarinus officinalis* L.
Outros nomes: alecrim, alecrim-da-horta, alecrim-de-cheiro, rosmarino, erva-da-graça, libanotis, alecrim-de-jardim, alecrim-rosmarinho, alecrim-rosmarino, alecrinzeiro e rosmarino.
Família: Lamiaceae.
Origem: Europa.
Partes usadas: flores e folhas.
Características: hastes lenhosas e folhas filiformes, pequenas e sempre verdes na parte superior e esbranquiçadas no verso, com pelos finos e curtos. As flores são axilares e podem ser de cores azuis, brancas, roxas ou róseas.
Efeitos terapêuticos: antirreumático, antidepressivo e anti-inflamatório.
Usos: indicada para combater cansaço, gases intestinais, debilidade cardíaca, inapetência e na cicatrização de feridas. Seus princípios ativos também podem melhorar enxaquecas, lapsos de memória e baixa de imunidade, além de diminuir dores reumáticas e articulares. Se usada em compressas, alivia contusões e hematomas.
Vale saber! Proibido o uso sem orientação profissional – médico ou fitoterapeuta –, durante a gravidez, no período de amamentação e por epilépticos. O óleo não pode ser ingerido e, em alta dosagem, é abortivo. Já a erva usada no difusor pode desencadear crises epilépticas. Pessoas sensíveis também podem apresentar irritação na pele, caso use o óleo externamente.

17. Alcaçuz
Nome científico: *Glycyrrhiza glabra* L.
Outros nomes: alcaçuz-da-europa, madeira-doce, licorice, raiz-doce, glicirriza, salsa, regoliz, regaliz, pau-doce, alcaçus e alcaçuz-glabro.
Família: Fabaceae.
Origem: Europa e Ásia.
Partes usadas: raízes e caules.
Características: folhas compostas, flores de cor rosa-arroxeada, em cachos axilares. O fruto é uma vagem alongada. A raiz principal é forte e pode chegar a 25 cm de comprimento.
Efeitos terapêuticos: antiespasmódico, anti-inflamatório, antimicrobiano, antioxidante, antitóxico, antisséptico, antitumoral, aromático, diurético, emoliente, expectorante, laxante, refrescante e tônico.
Usos: indicada para tratar problemas pulmonares, como tosses, por ser antisséptico e anti-inflamatório, e casos de bronquite, artrite e reações alérgicas. Além disso, é usada no tratamento de abscesso (excesso de pus acumulado em uma cavidade que, formada de maneira acidental nos tecidos orgânicos, pode ter sido produzida por algum tipo de inflamação), conjuntivite, dificuldade de urinar, espasmo, feridas, furúnculos, gota, inflamação, inflamação bucal, pedra e cálculo renal, prisão de ventre, resfriado, rouquidão, tosses catarrais, transtornos biliares, tumor, úlceras gástricas, vesícula, vias urinárias e para estimular a secreção de hormônios pelo córtex adrenal.
Vale saber! Proibido o uso sem orientação profissional – médico ou fitoterapeuta –, durante a gravidez e no período de amamentação, incluindo banhos ou massagens. Também não é indicada para quem tem problemas cardíacos ou hipertensão, para crianças, pessoas anêmicas, com glaucoma, que usam contraceptivos ou fazem reposição hormonal. Tudo isso porque o uso interno provoca retenção de líquidos, perda de potássio e retenção de sódio, dores abdominais, dor de cabeça e deficiência respiratória.

18. Alcachofra
Nome científico: *Cynarascolymus* L.
Outros nomes: alcachofra, alcachofra-

-globosa, alcachofra-hortense, cachofra.
Família: Compositae.
Origem: África e Europa.
Partes usadas: folhas, brácteas (cabeça) e raízes.
Características: espécie perene que rebrota todos os anos após o inverno. Tem folhas dispostas em rosetas, longas, com cerca de um metro de comprimento, espinhentas, profundamente lobadas e de coloração verde-clara na face superior. Do centro da planta surge uma haste floral alongada, onde são produzidas as alcachofras, que são flores grandes. As partes comestíveis da alcachofra são as brácteas, conhecidas popularmente por escamas ou pétalas, que apresentam uma base carnosa.
Efeitos terapêuticos: antiesclerótica, digestivo e antidispéptico.
Usos: indicada para psoríase, doenças das vias biliares e hepáticas, diabetes, icterícia, eczemas, erupções cutâneas, anemia, escorbuto, raquitismo, colesterol, hemorroidas, prostatite, uretrite, bronquite asmática, debilidade cardíaca, hepatite e colecistite.
Vale saber! Proibido o uso sem orientação profissional – médico ou fitoterapeuta – e por alérgicos à alcachofra. Nesse caso o quadro alérgico se manifesta por meio da obstrução do canal biliar.

19. Alface
Nome científico: *Lactuca sativa* L.
Outros nomes: desconhecidos.
Família: Asteraceae.
Origem: Mediterrâneo.
Partes usadas: folhas.
Características: planta herbácea de caule carnoso e esverdeado. As folhas são grandes, membranáceas, arredondadas e curvas como conchas, que abraçam o caule umas sobre as outras. A cor é verde ou violácea. Existem inúmeras variedades de alface, embora as mais conhecidas sejam as de folhas lisas, crespas e frisadas e as retorcidas.
Efeitos terapêuticos: laxante, desintoxicante, diurético, antiácido, antirreumático e sonífero.
Usos: é utilizada como calmante e base para cosméticos rejuvenescedores.
Vale saber! São desconhecidos os efeitos adversos do uso medicinal desta planta. Mas, para o consumo diário, é preciso haver um grande cuidado em relação ao armazenamento e com a higienização – mesmo nos produtos já embalados para consumo.

20. Alfarroba
Nome científico: *Ceratonia siliqua* L.
Outros nomes: pão-de-joão, pão-de-são-joão, figueira-de-pitágoras e figueira-do-egito.
Família: Leguminosae.
Origem: costa do Mediterrâneo.
Parte usada: vagem.
Características: vagem comestível, semelhante ao feijão, de tom marrom-escuro e sabor adocicado. Mede em torno de 10 a 20 cm de comprimento e demora cerca de um ano para amadurecer. Dentro de uma vagem encontram-se de 10 a 16 sementes.
Efeito terapêutico: antidiarreico.
Usos: é um alimento 100% saudável como substituto do chocolate, seja por causa da cafeína ou do açúcar.
Vale saber! Proibido o uso sem orientação profissional – médico ou fitoterapeuta – embora sejam desconhecidos os efeitos adversos do uso medicinal desta planta.

21. Alfavaca
Nome científico: *Ocimum basilicum* L.
Outros nomes: manjericão.
Família: Lamiaceae.
Origem: Ásia tropical.
Partes usadas: folhas e flores.
Características: arbusto aromático com até 1 m de altura. Suas folhas são ovalado-alveoladas, com bordas duplamente dentadas. As flores são pequenas, de cor roxa, geralmente agrupadas em três. O fruto é do tipo cápsula, pequeno, com quatro sementes esféricas. Tem aroma forte e agradável, que lembra o cravo-da-índia.
Efeitos terapêuticos: combate as contrações musculares bruscas e os gases intestinais. Os constituintes do óleo essencial têm atividade inseticida, antimicrobiana e carminativa. As folhas amassadas curam feridas. Também é utilizada em gargarejos para tratar casos de aftas e anginas.
Usos: é empregada nas doenças das vias respiratórias.
Vale saber! Proibido o uso sem orientação profissional – médico ou fitoterapeuta – e por gestantes e lactantes. Além disso, pode causar diminuição do ritmo cardíaco.

22. Alfavacão
Nome científico: *Ocimum gratissimum* L.
Outros nomes: erva-cravo.
Família: Lamiaceae.
Origem: Oriente.
Partes usadas: toda a planta.
Características: erva aromática, perene, tem caule ereto muito ramificado. As folhas são opostas, ovaladas e com bordas dentadas. Inflorescência com flores pequenas de coloração roxo-esbranquiçada.
Efeitos terapêuticos: carminativo, sudorífico, diurético, antisséptico, bacterios-

tática, bactericida, fungicida, laxante.
Usos: infecções do trato respiratório superior, diarreia, desordem gastrointestinal, febre tifoide, dor de cabeça, doenças de pele e olhos, feridas, insolação, gripe e gonorreia.
Vale saber! Proibido o uso sem orientação profissional – médico ou fitoterapeuta – e por gestantes e lactantes.

23. Alfazema
Nome científico: *Lavandula spp.*
Outros nomes: lavanda, lavândula.
Família: Lamiaceae.
Origem: mediterrânea, porém lavandas nativas são encontradas nas Ilhas Canárias, norte e oeste da África, sul da Europa, Arábia e Índia.
Partes usadas: folhas e flores.
Características: arbusto de pequeno porte com flores de cor azul-violeta, com cheiro fresco, limpo e agradável, caule esgalhado e estirado. As folhas pequenas são duras e finas, opostas, de cor verde e reflexos prateados, recobertas por uma fina penugem.
Efeitos terapêuticos: usada desde a Antiguidade para banhos de imersão de gregos e romanos, com propriedades calmantes. A essência do óleo combate insônia e falta de apetite. As folhas dão origem a remédios contra conjuntivite, e, as flores, contra tosse, bronquite, queimaduras, enxaqueca, cistite e inflamação na bexiga.
Usos: o uso do óleo em massagens no corpo, antes de dormir, proporciona um sono tranquilo. Na aromaterapia combate o stresse e ajuda no combate às rugas.
Vale saber! Proibido o uso sem orientação profissional – médico ou fitoterapeuta. Em doses altas pode causar sonolência excessiva. Usada como chá pode ocasionar irritação no estômago. É importante não confundir a alfazema com a alfazema-do-brasil ou erva-santa, espécies totalmente diferentes.

24. Algodão
Nome científico: *Gossypium spp.*
Outros nomes: desconhecidos.
Família: Malvaceae.
Origem: incerta, provavelmente na Ásia.
Partes usadas: casca, raiz, folha e semente.
Características: arbusto ramificado, perene, atinge até 2 m de altura. Folhas desenvolvidas e de nervação palmadas. As flores são isoladas e axilares com pétalas de cor amarela e mancha purpúrea na base. O fruto tem de 5 a 6 cm de comprimento, com três cavidades contendo poucas e grandes sementes recobertas de longos pelos brancos.
Efeitos terapêuticos: cicatrizante, purgativo, vermífugo, emoliente e abortivo.
Usos: indicado para disenterias, falta de memória, distúrbios da menopausa, impotência sexual, micose, frieira, impinge, lombriga, piolho, edema linfático, contusão, inchaço, febre tifoide, dor de cabeça, cravo, espinha, herpes e bouba.
Vale saber! Proibido o uso sem orientação profissional – médico ou fitoterapeuta e por gestantes e lactantes.

25. Alho
Nome científico: *Allium sativum* L.
Outros nomes: alho-comum, alho-da-horta e alho-manso.
Família: Amaryllidaceae.
Origem: Ásia.
Parte usada: dentes.
Características: planta herbácea, bulbosa, com folhas estreitas e alongadas, recobertas por uma camada de cera.
Efeitos terapêuticos: combate o colesterol alto, atua como expectorante e antisséptico, aumenta a imunidade e alivia problemas circulatórios. Pesquisas recentes sugerem pontencial anticancerígeno quando consumido cru.
Usos: para controlar o colesterol e ajudar na expectoração.
Vale saber! Proibido o uso sem orientação profissional – médico ou fitoterapeuta. Alérgicos e pessoas que sofrem de gastrite, úlcera, pressão baixa ou hipoglicemia devem evitar o consumo. Não pode ser consumido dez dias antes de cirurgias, pois favorece hemorragias indesejáveis. Pelo mesmo motivo, não serve para quem já faz uso de anticoagulantes.

26. Amapá
Nome científico: *Brosimum potabile* Ducke.
Outros nomes: amapai, amapa-da-várzea e leiteira.
Família: Moraceae.
Origem: Amazônia.
Partes usadas: látex e casca do caule.
Características: são árvores altas – atingem de 35 a 40 m de altura – e semelhantes em seu aspecto. Têm frutos grandes e de casca grossa. O látex coletado, dependendo da espécie, apresenta sabor doce ou amargo, conhecido como "leite-do-amapá".
Efeitos terapêuticos: antissifilítico, anti-inflamatório e antirreumático.
Usos: estimulante do sistema nervoso e indicada no trato de problemas respiratórios e na leishmaniose.

Vale saber! Proibido o uso do látex sem orientação de um profissional – médico ou fitoterápico, mesmo em doses homeopáticas.

27. Ameixa

Nome científico: *Prunus domestica* L.
Outros nomes: ameixa e ameixa-preta.
Família: Rosaceae.
Origem: Índia.
Partes usadas: frutas frescas ou secas e folhas.
Características: árvore com folhas elípticas, grossas e serrilhadas. A copa é piramidal e ramificada, enquanto as flores apresentam pétalas de cor branca-esverdeada. O fruto de coloração alaranjada fica vermelho-escuro quando maduro.
Efeitos terapêuticos: laxante, diurético e adstringente.
Usos: prisão de ventre (ameixa fresca ou seca), osteoporose (ameixa seca), dor de garganta (como gargarejo).
Vale saber! Proibido o uso sem orientação profissional – médico ou fitoterapeuta. Pessoas com síndrome do intestino irritável devem evitar o consumo sem o acompanhamento médico.

28. Amêndoa amarga

Nome científico: *Amygdalus communis* L.
Outros nomes: amêndoa, amêndoa-doce, amendoeira, amendoeiro, amêndoa-de-coco, amêndoa-durázio e amêndoa-molar.
Família: Rosaceae.
Origem: África e Mesopotâmia.
Partes usadas: óleo das sementes.
Características: árvore frutífera parecida com o pessegueiro, embora apresente a particularidade de florir antes do aparecimento das folhas. Apresenta flores cor-de-rosa e frutos alongados, de cor verde-acinzentada, dos quais se consome a semente (amêndoa).
Efeitos terapêuticos: antiespasmódico, antifebril, anti-inflamatório digestivo e urinário, antitussígeno, laxante leve e peitoral.
Usos: doenças do estômago e do aparelho urinário, tosse, bronquites, cálculos, catarros vesicais, gonorreias e litíase. O óleo de amêndoa também age como base para outros óleos essenciais em massagens terapêuticas.
Vale saber! Proibido o uso sem orientação profissional – médico ou fitoterapeuta. A amêndoa-amarga é muito tóxica, por isso, a preparação caseira não é segura. As preparações com a planta podem sofrer mudanças químicas rapidamente, dando origem ao ácido cianídrico, um veneno forte. Isso acontece quando a amigdalina, em contato com saliva por meio de emulsão de enzima, torna-se ácido cianídrico. A dose letal para adulto é de 20 amêndoas e, para crianças, de 10 amêndoas.

29. Amendoim

Nome científico: *Arachis helodes* Krapov. & Rigoni.
Outros nomes: amendoim-jinguba, mancarra, mandobi, mandubi, mendubi, menduí, mindubi e mindubim.
Família: Fabaceae.
Origem: América do Sul (Brasil e países fronteiriços: Paraguai, Bolívia e norte da Argentina).
Partes usadas: planta inteira e sementes.
Características: folhas terminadas em número par, flores de cor amarela e frutos que crescem e amadurecem enterrados no solo.
Efeitos terapêuticos: afrodisíaco, anti-hemorroidal, anti-inflamatório, estimulante e reconstituinte.
Usos: pelagra (falta de vitamina), doenças do ouvido, manchas no rosto, hemorroidas, inflamações, nefrites (inflamação de rim), gonorreia, inflamações das mucosas, desordens do sangue, tuberculose, estimulante sexual, visão e pele.
Vale saber! Proibido o uso sem orientação profissional – médico ou fitoterapeuta. Sementes que foram acondicionadas em embalagens ou locais úmidos ou de procedência desconhecida não podem ser consumidas.

30. Amoreira

Nome científico: *Morus alba* L.
Outros nomes: amoreira-branca e extremo-oriente.
Família: Moraceae.
Origem: provavelmente da China.
Partes usadas: folha, fruto, raiz, casca e casca da raiz.
Características: árvore caduca de porte médio, com casca rugosa e folhas levemente pilosas.
Efeitos terapêuticos: tônico, laxante (fruto), antibacteriano, expectorante, sudorífero (folha), antirreumático, analgésico (casca), sedativo, diurético e expectorante (casca da raiz).
Usos: dor de dente, redução da pressão sanguínea, tosse, inapetência, prisão de ventre, inflamação da boca, febre, diabetes, dermatoses, eczema e erupções cutâneas.
Vale saber! Proibido o uso sem orientação profissional – médico ou fitoterapeuta. O uso excessivo causa diarreia.

31. Anador

Nome científico: *Justicia pectoralis* Jacq.
Outros nomes: erva-de-santo-antonio.
Família: Acanthaceae.
Origem: América do Sul.
Partes usadas: raízes e sementes.
Características: planta de porte herbáceo com até 40 cm de altura. Folhas membranáceas simples com flores minúsculas. Os frutos são protegidos por cápsulas. Após o corte, exala forte aroma de cumani.
Efeitos terapêuticos: broncodilatador e expectorante.
Usos: limpa as vias pulmonares e auxilia no combate a doenças como bronquite, asma, coqueluche, chiado no peito e respiração difícil.
Vale saber! Proibido o uso sem orientação profissional – médico ou fitoterapeuta. Superdosagens podem causar alucinações.

32. Anil

Nome científico: *Indigofera tinctoria* L.
Outros nomes: anileiro.
Família: Leguminosae.
Origem: leste da Índia, embora seja muito popular no Brasil, vegetando espontaneamente em quase toda parte.
Partes usadas: folhas, raiz e semente.
Características: planta subarbustiva perene, ramosa. O caule é anguloso, acizentado. As folhas são glaucas, imparipenadas, compostas de 7 a 15 folíolos opostos, linear-elípticos ou oblongo-agudos, inteiros, glabros na face ventral e pubescentes na dorsal. As flores são róseas, curto-pedunculadas, pequenas, abundantes. O fruto é uma vagem arqueada, quase quadrangular, com cerca de 2 a 3 cm de comprimento, contendo seis a oito sementes pardacentas, angulosas ou subcilíndricas, lisas e duras.
Efeitos terapêuticos: antiespasmódico, estomáquico, febrífugo, diurético, purgativo, insetífuga.
Usos: epilepsia, icterícia, dores articulares e nevrálgicas, distúrbios circulatórios, doenças das vias respiratórias, inflamações agudas da pele, hemorragia nasal, doenças do sistema nervoso, sarna.
Vale saber! Proibido o uso sem orientação profissional – médico ou fitoterapeuta. Efeitos colaterais são desconhecidos da literatura médica.

33. Angélica

Nome científico: *Angelica archangelica* L.
Outros nomes: ervado-espírito-santo, raiz-do-espíritosanto.
Família: Apiaceae.
Origem: norte da Europa.
Partes usadas: raízes e sementes.
Características: o caule ereto, avermelhado e ramoso pode atingir a altura de 1,5 a 2 m. As flores são pequenas e organizadas em umbelas.
Efeitos terapêuticos: tônico, estomáquico, sudorífero, carminativo e expectorante.
Usos: combate resfriado, cólicas, gases e é digestiva. Em casos de doenças de pele, dores dorsais e reumatismo, emprega-se também o chá de angélica, topicamente, em forma de loções, fricções e compressas.
Vale saber! Proibido o uso sem orientação profissional – médico ou fitoterapeuta. Em altas doses pode induzir à paralisia do sistema nervoso, fotomutagenia (em contato com o sol causa mutações) e dermatite. Seu óleo essencial deve ser consumido com muito cuidado, em uso tópico, e nunca deve ser exposto ao sol sobre a pele. Não pode ser usado por gestantes, lactantes, por crianças e por pessoas com histórico de hemorragia e sangramento.

34. Angico-branco

Nome científico: *Anadenanthera colubrina* (Vell.) Brenan.
Outros nomes: mamica-de-porca.
Família: Leguminosae.
Origem: árvore nativa das florestas tropicais da América do Sul, distribuída amplamente na Colômbia e em boa parte do Brasil.

Partes usadas: casca e lenho.
Características: árvore com altura entre 12 a 15 m, com tronco de 30 a 50 cm de diâmetro. Folhas com comprimento de 4 a 6 mm de comprimento. Floresce a partir de novembro até janeiro. A maturação dos frutos ocorre durante os meses de julho a agosto.
Efeitos terapêuticos: antidiarreico, expectorante, adstringente, depurativo e hemostático.
Usos: doenças pulmonares e das vias respiratórias, bronquite, tosse, faringite, asma, expectoração do catarro, feridas, queimaduras e inflamação de garganta.
Vale saber! Proibido o uso sem orientação profissional - médico ou fitoterapeuta. Pessoas com intestino sensível devem evitar o consumo.

35. Anis-estrelado
Nome científico: *Illicium verum* Hook.f.
Outros nomes: anis-verdadeiro, anis-da-sibéria, badiana, badiana-decheiro e funcho-da-china.
Família: Illiciaceae.
Origem: Ásia Oriental.
Partes usadas: frutos.
Características: a árvore, que pode chegar a 10 m de altura, tem folhas verde-escuras e largas, pequenas flores de cor amarela e frutos em forma de estrela, sua principal característica.
Efeitos terapêuticos: propriedades antisséptica, aromática, expectorante, estimulante, diurética, calmante e digestiva.
Usos: indicado contra inflamações, problemas de digestão - principalmente de gases intestinais - e para relaxar. Também é recomendado para combater a insônia.
Vale saber! Evite o uso sem orientação de um profissional - médico ou fitoterapeuta. Em crianças pode causar intoxicação.

36. Arroz
Nome científico: *Oryza sativa* L.
Família: Gramineae.
Origem: sudoeste da Ásia (China e Índia).
Parte usada: grãos.
Características: a planta pode atingir até cerca de um metro de altura. Tem raízes fibrosas, geralmente ramificadas, e caule cilíndrico. As folhas são estreitas, pontiagudas e ásperas, enquanto as flores são pequenas e dispostas em inflorescências secundárias do tipo espiga. O plantio pode ser feito a partir de sementes, sementes pré-germinadas e transplante de mudas em qualquer época do ano.
Efeitos terapêuticos: propriedades antioxidantes, emolientes, esfoliativas, adstringentes e refrescantes.
Usos: alívio de dores musculares. Também atua como sedativo do trato gastrointestinal.
Vale saber! Proibido o uso sem orientação profissional - médico ou fitoterapeuta. Efeitos colaterais são desconhecidos da literatura médica.

37. Arnica
Nome científico: *Arnica montana* L.
Outros nomes: Arnica.
Família: Asteraceae.
Origem: Europa Central.
Partes usadas: flores e folhas.
Características: tem rizomas (caules subterrâneos) e raízes perenes, com caules (talos) aéreos que se renovam a cada ano. As folhas chegam a 7 cm de comprimento. As flores de cor amarela ou alaranjada apresentam a forma de margarida.
Efeitos terapêuticos: aumento da resistência dos vasos e da irrigação sanguínea e alívio da dor.
Usos: para tratar problemas de pele como acne e furunculose. Alivia dores reumáticas, gota e tendinites. A tintura é usada para contusões.
Vale saber! Proibido o uso sem orientação profissional - médico ou fitoterapeuta - e por gestantes e lactantes. A planta apresenta compostos tóxicos, por isso não pode ser ingerida. Serve apenas para uso externo, desde que não seja aplicada sobre feridas abertas. Entre os efeitos colaterais, estão: vômitos, aumento da pressão arterial e aborto. A arnica potencializa sangramentos, especialmente em pessoas que tomam anticoagulantes. Nunca a use combinada a outras ervas, pois a mistura pode alterar a função das plaquetas.

38. Arnica-do-mato
Nome científico: *Solidago microglossa* DC.
Outros nomes: arnica-brasileira, arnica-silvestre, arnica-da-horta, arnica-do-terreiro, espiga-de-ouro e macela-miúda.
Família: Asteraceae.
Origem: América do Sul.
Partes usadas: folhas e flores.
Características: planta de flores de cor amarela, que pode atingir 1 metro de altura. Tem aroma agradável e forma uma inflorescência na extremidade do caule. Suas folhas são simples, de forma lanceolada, medindo entre 0,5 cm de largura e 10 cm de comprimento, dispostas de maneira alternada ao longo do ramo. Os frutos medem até 0,5 cm de diâmetro.
Efeitos terapêuticos: cicatrizante, adstringente, vulnerário (própria para curar

ferida), antiespasmódico, anti-hemorrágico, anti-inflamatório, antirreumático, béquico (propriedade de acalmar a tosse e as irritações da faringe) e estomáquico.
Usos: para contusões, hematomas e feridas, fraqueza das articulações, frieira, prurido, reumatismo e varizes.
Vale saber! Proibido o uso sem orientação profissional – médico ou fitoterapeuta – e por gestantes e lactantes. Seu uso é apenas externo. Entre os efeitos colaterais estão: vômitos, aumento da pressão arterial e aborto. A arnica potencializa sangramentos, especialmente em pessoas que tomam anticoagulantes.

39. Aroeira-vermelha

Nome científico: *Schinus terebinthifolia* Raddi.
Outros nomes: aroeira-pimenteira ou poivre-rose.
Família: Anacardiaceae.
Origem: sul do Brasil.
Partes usadas: cascas, folíolos (cada uma das folhinhas que formam uma folha composta), sementes e frutos.
Características: atinge de 4 a 12 m de altura, com caule tortuoso e casca fina, áspera e de coloração acinzentada. As folhas são alternadas e compostas e as flores pequenas, com cerca de 2 cm, apresentam coloração amarelo-esverdeada. São cobertas de pelos e com forte aroma de manga.
Efeitos terapêuticos: a casca é adstringente, tônica, diurética e antidiarreica.
Usos: contra reumatismo, ínguas, bronquite, doenças na via urinária e como purgante. As folhas são comumente usadas externamente, como cicatrizante em feridas e inflamações.
Vale saber! Proibido o uso sem orientação profissional – médico ou fitoterapeuta. O óleo pode produzir edema e eritema em contato com a pele.

40. Arruda

Nome científico: *Ruta graveolens* L.
Outros nomes: arruda-doméstica, arruda-dosjardins e arruda-fedorenta.
Família: Rutaceae.
Origem: Europa.
Partes usadas: todas.
Características: planta arbustiva lenhosa, que atinge até 1,5 m de caule ramificado com pequenas folhas compostas de cor verde-acinzentada e flores de cor amarela-esverdeadas.
Efeitos terapêuticos: vermífugo, calmante, bactericida e cicatrizante.
Usos: para lavar olhos inflamados e no combate a piolhos e sarnas. Também atua como repelente de insetos.
Vale saber! Proibido o uso sem orientação profissional – médico ou fitoterapeuta – e por gestantes e lactantes. É abortiva.

41. Artemísia

Nome científico: *Artemisia vulgaris* L.
Outros nomes: absinto, artemísia-comum, artemísia-verdadeira, artemija, artemige, artmígio, erva-de-são-joão, flor-de-são-joão, isopo-santo, losna e losna-brava.
Família: Asteraceae.
Origem: Europa.
Partes usadas: folhas e flores.
Características: planta herbácea perene com cerca de 1,5 m de altura, com caule na cor avermelhado-escura com muitos ramos. As folhas, dispostas ao longo de toda a haste, são doces; e as raízes, amargas. Tem um aroma leve e muito semelhante ao da losna.
Efeitos terapêuticos: antianêmico, analgésico, antidiarreico, antiepiléptico, antiespasmódico, anti-hidrópico, anti-inflamatório, antimalárico, antimicrobiano, antinevrálgico, antirreumático, antisséptico, calmante, cicatrizante, depurativo, digestivo, estimulante, estomáquico, febrífugo, hepático, inseticida, regulador da menstruação, repelente, sedativo, tônico e vermífugo.
Usos: para aliviar dores menstruais, eliminar vermes e amenizar doenças gástricas. Na homeopatia é indicada para mulheres durante o climatério. As folhas servem como repelente de insetos.
Vale saber! Proibido o uso sem orientação profissional – médico ou fitoterapeuta – e por gestantes e lactantes. Superdosagens ou uso contínuo podem ocasionar perturbações nervosas.

42. Árvore-de-Santa-Bárbara

Nome científico: *Melia azedarach* L.
Outros nomes: cinamomo, árvore-santa,

bombal, bombolo-de-Portugal, cedro--do-ceilão, conteira, jasmim-azul, jasmim-de-cachorro, jasmim-de-soldado, jasmim-soldado, lilás-da-índia, lilás-das--antilhas, lilás-do-cabo, lírio-da-índia, margosa, mélia, nimbo, niumbó, paraíso, sicomoro-bastardo, sinamão, árvore-de--jonny, tenente-e-intendente e para-raio.
Família: Meliaceae.
Origem: Ásia, Austrália, China, Himalaia, Índia, Indonésia e Oceania.
Partes usadas: frutos e folhas.
Características: árvore de folhas caducas com copa difusa e aberta, casca levemente fissurada, folhas lanceoladas e frutos arredondados, com coloração que vai de verde a amarela.
Efeitos terapêuticos: inseticida e aromático.
Uso: apenas externo, para repelir insetos e na aromaterapia.
Vale saber! Proibido o uso sem orientação profissional – médico ou fitoterapeuta. Não pode ser ingerida, pois causa irritações gastrointestinais, náuseas, vômitos, diarreia, distúrbios do sistema nervoso central, torpor, convulsões e coma.

43. Aspargo

Nome científico: *Asparagus officinalis* L.
Outros nomes: espargo, melindre e aspargo-hortense.
Família: Asparagaceae.
Origem: Mediterrâneo e Ásia Menor.
Partes usadas: folhas e frutos.
Características: hortaliça perene que pode atingir 1,5 m de altura. Tem raízes carnosas e fibrosas, enquanto as folhas são pequenas, membranosas, esbranquiçadas e com um pequeno esporão na base. As pequenas flores aparecem na primavera, em forma de sino, de cor branca ou acinzentada. Os frutos são bagas vermelhas de aproximadamente 1 cm.
Efeitos terapêuticos: diurético, laxante, depurativo, diaforético (sudorífero, que faz suar), aperiente (estimulante do apetite), emoliente, antiespasmódico, sedativo, tônico e antibiótico.
Usos: icterícia, problemas urinários, edema (retenção de líquidos), obesidade, eczema crônico, prisão de ventre e esquistossomose. Também funciona para limpeza de intestino, rim e fígado.
Vale saber! Proibido o uso sem orientação profissional –, médico ou fitoterapeuta –, e não é recomendado para pacientes com problemas de histeria.

44. Assa-peixe

Nome científico: *Vernonanthura phosphorica* (Vell.) H.Rob.
Outros nomes: Assa-peixe branco, estanca sangue, tramanhém, mata-pasto, cambará-guassu, erva-préa e enxuga.
Família: Compositae.
Origem: região dos cerrados nos Estados de São Paulo, Mato Grosso, Minas Gerais e Goiás.
Partes usadas: folhas e raiz.
Características: planta espontânea de porte arbustivo com pequenas flores.
Efeitos terapêuticos: antiasmático, expectorante, antigripal, anti-hemorroidico, antilítico (trata cálculos na bexiga), balsâmico, béquico, diurético e hemostático.
Usos: combate doenças da pele e do útero, bronquite, asma, cálculos renais, dores musculares, gripes, pneumonia, retenção de líquidos, tosse, hemorroidas e reumatismo.
Vale saber! Proibido o uso sem orientação profissional – médico ou fitoterapeuta – e por gestantes e lactantes. A superdosagem pode causar efeitos colaterais, embora não sejam relatados na literatura médica.

45. Ata

Nome científico: *Anoma squarnosa* L.
Outros nomes: fruta-do-conde, pinha, anona, condessa, pinheira, fruta-de-conde, araticum, cabeça-de-nego e coração--de-boi.
Família: Annonaceae.
Origem: Antilhas.
Partes usadas: folhas e sementes.
Características: árvore de fruto arredondado, originado de uma única flor, formado pela fusão de muitos carpelos simples.
Efeitos terapêuticos: adstringente, aperiente, anti-helmíntico, antirreumático, antiespasmódico, inseticida, purgante (enérgico).
Usos: anemia, colite, desnutrição, diarreia, espasmo e verminose.
Vale saber! Proibido o uso sem orientação profissional – médico ou fitoterapeuta. Não pode ser ingerida por diabéticos, por causa do elevado teor de glicose.

46. Aveia

Nome científico: *Avena sativa* L.
Outros nomes: aveia-amarela e aveia--branca.
Família: Poáceas.
Origem: Ásia.
Partes usadas: parte aérea e sementes.
Características: possui caule de 50 a 100 cm de altura e folhas alternadas, lanceoladas e planas. As flores partem de um pendão com espigas. O fruto é o cereal utilizado em todo o mundo como alimento.
Efeitos terapêuticos: ansiolítico, antidepressivo, anti-hemorroido, antirreumático, antidiabético, aperiente (estimula o apetite), calmante, cicatrizante, digestivo, diurético, emoliente, expectorante, hepatoprotetor, hipotensor, laxante, nutritivo, refrescante, remineralizante e vitaminizante.
Usos: nos tratamentos da dismenorreia, pois ajuda a equilibrar o ciclo menstrual, de osteoporose e para combater infecção urinária.
Vale saber! Proibido o uso sem orientação profissional – médico ou fitoterapeuta. Efeitos colaterais são desconhecidos da literatura médica.

47. Auelós

Nome científico: *Euphorbia tirucalli* L.
Outros nomes: árvore-do-lápis, pau-pelado, coroa-de-cristo, cachorro-pelado, árvore-lápis e graveto-do-diabo.
Família: Euphorbiaceae.
Origem: África.
Partes usadas: látex (leite) que sai da folha.
Características: perene, de crescimento rápido, com inúmeros ramos verdes, suculentos e cilíndricos. A altura, quando plantado em vaso, não ultrapassa os 2 m, mas, se plantado no solo, pode atingir os 5 m e, em seu hábitat natural, pode chegar a 9 m. As folhas são diminutas e podem surgir nas extremidades dos ramos jovens. As flores são pequenas, raras e de pouca importância ornamental.
Efeitos terapêuticos: antiasmático, anticarcinogênico, antiespasmódico, antibiótico, antibacteriano, antivirótico, fungicida e expectorante.
Usos: usada para eliminar verrugas e no tratamento de tumores cancerosos e pré-cancerosos.
Vale saber! Proibido o uso sem orientação profissional – médico ou fitoterapeuta. Como é uma planta tóxica, não pode ser ingerida nem entrar em contato com a pele e os olhos.

48. Auenca

Nome científico: *Adiantum capillus-veneris* L.
Outros nomes: plantas-de-feto.
Família: Pteridaceae.
Origem: Estados Unidos, Brasil, México e Antilhas.
Partes usadas: folhas e rizomas.
Características: existem muitos tipos de avencas, tênues ou mais consistentes, com folhas grandes ou miúdas. É uma trepadeira pequena, perene, de 20 a 70 cm de altura, cujas hastes e ramos são duros e finos e de cor marrom-escura. As folhas, alternas e finas, podem ser encontradas em diversos formatos: ovais, de leque ou, ainda, estreitas na base e largas na parte superior. Tem raiz, caule e folhas, mas não produz flores nem sementes.
Efeitos terapêuticos: propriedades diuréticas, sedativas, anti-inflamatórias, expectorantes e emenagogas (aumenta o fluxo menstrual ou provoca menstruação). Também é adstringente, antibacteriano, antidiarreico, anti-inflamatório e antioxidante.
Usos: boa coadjuvante no tratamento de tosse, doenças bronquiais e rouquidão.
Vale saber! Proibido o uso sem orientação profissional – médico ou fitoterapeuta – e para gestantes, lactantes e casais que desejem engravidar e hiperglicêmicos.

49. Azedinha-da-horta

Nome científico: *Rumex acetosa* L.
Outros nomes: azedinha-brava.
Família: Polygonaceae.
Origem: Europa e Ásia.
Partes usadas: todas.
Características: planta perene com talos verdes pálidos e folhas espessas, longas e espiraladas, de até 15 cm de comprimento. Imperceptíveis flores de cor vermelha-amarronzadas nascem em espigas esbeltas que crescem no início do verão e são seguidas por frutas minúsculas e um pouco duras.
Efeitos terapêuticos: acidulante, depurativo, antiescorbútico, diurético, anti-inflamatório, refrescante e tônico.
Usos: indicada para casos de anemia, erupções cutâneas, eczemas, verminoses, inchaço e úlceras.
Vale saber! Proibido o uso sem orientação profissional – médico ou fitoterapeuta. Pessoas com tendência à formação de cálculo ou que sofram de artrite, gota e reumatismo não podem usar. Superdosagens podem interferir na di-

gestão e na absorção de cálcio, além de ocasionar intoxicação.

50. Azeitona

Nome científico: *Olea europaea* L.
Outros nomes: oliveira.
Família: Oleaceae.
Origem: Ásia ocidental.
Partes usadas: fruto e folha.
Características: árvore de folhas pequenas, perenes, muito cultivada em toda a região do Mediterrâneo.
Efeitos terapêuticos: febrífugo (combate a febre) e hipotensor (regula a pressão arterial).
Usos: como purgativo suave, para a pressão arterial elevada e osteoporose.
Vale saber! Proibido o uso sem orientação profissional – médico ou fitoterapeuta. Efeitos colaterais são desconhecidos da literatura médica.

51. Babosa

Nome científico: *Aloe vera* (L.) Burm.f.
Outros nomes: Babosa.
Família: Liliaceae.
Origem: África.
Partes usadas: folha, polpa e seiva.
Características: arbusto perene, de folhas verdes, lisas, dentadas e suculentas. As flores, cujas cores ficam entre amarela-esverdeada, amarelas e vermelhas são reunidas em cachos.
Efeitos terapêuticos: anti-inflamatório, antioftálmico, vermífugo, cicatrizante, emoliente, antisséptico e analgésico.
Usos: em inflamações, queimaduras, eczemas, erisipelas, queda de cabelos, entorses, contusões e dores reumáticas.
Vale saber! Proibido o uso sem orientação profissional – médico ou fitoterapeuta – e por gestantes e lactantes, durante o período menstrual e por crianças. O uso excessivo pode ocasionar distúrbios gastrointestinais.

52. Bacuri

Nome científico: *Platonia insignis* Mart.
Outros nomes: bacuri-açu, bacuri-do-pará, pacuri e pacuri-uva.
Família: Clusiaceae.
Origem: América do Sul.
Partes usadas: óleo das sementes, fruto e casca do fruto.
Características: espécie arbórea que alcança 25 m de altura por 1,5 m de diâmetro. Seu fruto é grande (pesa em média 250 g) e tem formato ovalado coberto por uma casca, cuja espessura varia entre 0,7 a 1,6 cm, representando 70% do peso. A parte interior comestível é de cor branca, com forte aroma e sabor adocicado. O bacurizeiro propaga-se por sementes, raízes e enxertia.
Efeitos terapêuticos: anti-inflamatório, antioxidante e anticonvulsivo.
Usos: o óleo extraído das sementes é um remédio contra picadas de aranhas, cobras, dor de ouvido e tratamento da pele. É considerado miraculoso contra reumatismos e artrites. Sua manteiga é um potente hidratante.
Vale saber! Proibido o uso sem orientação profissional – médico ou fitoterapeuta.

53. Bálsamo

Nome científico: *Cotyledon orbiculata* L.
Outros nomes: pau de bálsamo, balso, cabraiba, óleo-vermelho, cabureiba e pau-vermelho.
Família: Crassulaceae.
Origem: África do Sul.
Partes usadas: folhas.
Características: planta de caule ramificado medindo entre 30 e 90 cm, com folhas carnosas, brilhantes e de formato espatulado a oval, curvadas para cima, de cor verde e dispostas em rosetas nas extremidades dos ramos. Possui flores brancas e abundantes.
Efeitos terapêuticos: vermífugo, digestivo, cicatrizante e emoliente.
Usos: o sumo retirado de suas folhas carnosas é indicado para amaciar e remover calos duros, verrugas e furúnculos, se aplicado diretamente sobre as feridas. Gotas do sumo podem ser usadas para tratar inflamações de ouvido, dor de dente e inflamações gastrointestinais. Na África do Sul, também é utilizado para tratar epilepsia.
Vale saber! Proibido o uso sem orientação profissional – médico ou fitoterapeuta. As folhas contêm uma substância chamada cotyledon toxin, que é tóxica se for ingerida para cães, carneiros, cabras, cavalos, gado e aves, causando uma enfermidade conhecida como cotyledonosis.

54. Bálsamo-branco

Nome científico: *Sedum praealtum* A.DC.
Outros nomes: bálsamo-branco.
Família: Crassulaceae.
Origem: África do Sul.
Partes usadas: folhas e flores.
Características: planta de caule ramificado, folhas carnosas, brilhantes e de formato espatulado a oval, curvadas para cima, de cor verde, formando ramos. Possui flores amarelas.
Efeitos terapêuticos: emoliente, cicatrizante e vulnerário (próprio para curar ferida).
Usos: o suco de bálsamo cru, tomado pela manhã em jejum, ajuda na cura de úlceras e gastrites do estômago. Em pequena quantidade é indicado também para doenças do aparelho urinário. É um cicatrizante excelente para feridas, bicheiras e unhas encravadas.
Vale saber! Proibido o uso sem orientação profissional – médico ou fitoterapeuta – e por gestantes e lactantes.

55. Bambu

Nome científico: *Bambusa vulgaris* Schrad.
Outros nomes: Bambu, bambu-chinês.
Família: Poaceae.
Origem: Ásia tropical e subtropical.
Partes usadas: brotos, folhas, varas e água.
Características: perenes, as árvores são bem altas, com espinhos curvos de até 3 cm de comprimento. O tronco é lenhoso, ereto, cilíndrico, de coloração esverdeada, com nós bem demarcados e entrenós ocos. Há dois tipos de folhas: alongadas e estreitas, que surgem de hastes, ligadas aos nós; e as caulíferas, que surgem agarradas aos colmos na brotação, para proteger o desenvolvimento dos entrenós, como uma larga bainha de tom castanho-avermelhado, coberta por pelos. As flores têm, no lugar de pétalas, um tipo diferenciado de folha chamada gluma, seca e escamosa, que protege os órgãos reprodutivos da flor. O fruto é seco, de casca fina soldada à semente, vulgarmente conhecido como grão. A semente é ovalada.
Efeitos terapêuticos: doenças nervosas, artrose, contra veneno (substância tóxica), diarreia, doenças da pele (rizoma), disenteria, febre, gases, hemorragias, hemorroidas, intoxicações, osteoporose, paralisia e perturbações do estômago. Também usada para fortalecer unhas, cabelos e cartilagens.
Usos: o chá das folhas de bambu funciona como calmante e fortalece os ossos, sendo indicado como tratamento associativo para osteoporose, artrite e artrose. Os brotos podem ser consumidos crus ou cozidos, pois são estomáquicos, depurativos, tônicos e antidiarreicos. Os entrenós (água do interior das varas) são diaforéticos (sudorífico que provoca a transpiração), depurativos e desintoxicantes.
Vale saber! Proibido o uso sem orientação profissional – médico ou fitoterapeuta. Por causa da grande concentração de açúcar em seu interior, não pode ser consumido por diabéticos.

56. Bardana

Nome científico: *Arctium lappa* L.
Outros nomes: gobô, orelha-de-gigante, bardana-maior, erva dos tinhosos, pergamasso, pegamasso, pegamassa, carrapicho grande, carrapicho-de-carneiro, labaça, pega-pega e carrapichão.
Família: Asteraceae.
Origem: Ásia Tropical.
Partes usadas: raiz e folha.
Características: apresenta caule robusto, alto, podendo atingir até 2 metros de altura, sendo de cor verde ou arroxeada de acordo com a variedade. As folhas são alternas e grandes. As flores possuem formato globular, podendo ser de cor rosácea e arroxeada.
Efeitos terapêuticos: depurativo, diurético (eficaz eliminador do ácido úrico), laxante, diaforético (para transpiração e suor excessivo), antisséptico, estomáquico, antidiabético, atua em casos de insuficiência hepática, dermatoses, antibiótico externo principalmente para bactérias gram-positivas.
Usos: ação bactericida e antimicótica. Também usado como purificador do sangue e em doenças reumáticas, renais e em distúrbios digestivos.
Vale saber! Proibido o uso sem orientação profissional – médico ou fitoterapeuta – e por gestantes, lactantes, crianças e pessoas com diarreia ou com feridas na pele.

57. Baru

Nome científico: *Dipteryx alata* Vogel.
Outros nomes: cumaru, coco-feijão, cumbaru, cumarurana, barujo, emburena-brava e pau-cumaru.
Família: Leguminosae.
Origem: Cerrado brasileiro.
Partes usadas: fruto, semente, óleo da semente e casca do tronco.
Características: árvore de 10 a 20 m, de tronco curto, às vezes retorcido, com casca que se desprende em placas quadradas ou retangulares, expondo casca nova de cor amarelada. A copa é arredondada e

frondosa por causa da folhagem densa. As folhas são pinadas (semelhantes a penas), que vão de 16 a 32 cm de comprimento. As flores são dispostas em cachos com inúmeras flores de cor esbranquiçada por fora e, quando abertas, apresentam tom violeta e forma de borboleta.
Efeitos terapêuticos: antirreumático, tônico muscular e antioxidante.
Usos: o óleo das sementes de baru é eficaz para tratar reumatismos, regular o ciclo menstrual e é um eficiente tônico muscular. Ele contém ômega-6 e é rico em ômega-9, que previne hipertensão, reduz o colesterol total e LDL (colesterol ruim), regulariza os níveis de glicose no sangue, reduz a gordura abdominal e a incidência de câncer, além de ajudar na cicatrização e na queda de cabelos. O consumo de suas castanhas torradas pode tratar anemia. A infusão aquosa da casca do tronco da árvore é utilizada para tratamento de dores na coluna.
Vale saber! Proibido o uso sem orientação profissional – médico ou fitoterapeuta. A castanha do baru nunca deve ser consumida crua, pois possui substâncias antinutricionais e elementos capazes de alterar a absorção de nutrientes como o cálcio, por exemplo. O processo de torragem da castanha inativa essas substâncias, por isso, é importante salientar que só deve ser consumida torrada, para aproveitar todos os seus benefícios sem causar transtorno à saúde. Quando a castanha do baru é ingerida crua, causa intoxicação e pode ocasionar lesões na pele.

58. Batata-doce

Nome científico: *Ipomoea batatas* (L.) Lam.
Outros nomes: Batata-doce e batata-da-terra.
Família: Convolvulaceae.
Origem: Américas Central e do Sul.
Partes usadas: raízes e folhas.
Características: planta herbácea rastejante, com raízes de sabor doce e ricas em amido, variando da cor branca à amarela, e podendo chegar à tonalidade avermelhada. As folhas são simples, membranáceas e de base quase reta. As flores são afuniladas, de cor lilás e fundo púrpura. Os tubérculos estão presentes depois que a ramagem floresce.
Efeitos terapêuticos: antimicrobiano, afrodisíaco, adstringente, bactericida, emoliente, fungicida, laxante e tônico.
Usos: indicado contra pele áspera, cegueira noturna, úlcera na córnea e atraso do crescimento. Externamente o infuso e o decocto das folhas são usados em gargarejos para combater inflamações da boca e da garganta. Seus tubérculos também têm atividade antimicrobiana e antifúngica, e combatem a Candida albicans (causadora de corrimentos vaginais) e doenças da boca. É eficaz também para asma, picadas de insetos, queimaduras, catarro, diarreia, febre, náuseas e problemas de estômago.
Vale saber! Proibido o uso sem orientação profissional – médico ou fitoterapeuta. A planta, quando infectada por fungos, pode causar intoxicação, produzindo sensação de falta de ar, perda de apetite e vômito.

59. Batata-yacon

Nome científico: *Smallanthus sonchifolius* (Poepp.) H. Rob.
Outros nomes: yacon.
Família: Compositae.
Origem: América do Sul.
Partes usadas: raízes tuberosas e folhas.
Características: planta herbácea rastejante, com raízes tuberosas cobertas por uma pele de cor marrom-escura. Caracterizada pelo marcante sabor adocicado e conteúdo aquoso. Folhas simples e membranáceas. Os tubérculos estão presentes depois que a ramagem floresce.
Efeitos terapêuticos: laxante e oxidante.
Usos: alimento funcional, que facilita a digestão, funciona como protetor de células cancerígenas, ajuda na absorção de cálcio e de vitaminas e pode diminuir os picos de açúcar no sangue.
Vale saber! Proibido o uso sem orientação profissional – médico ou fitoterapeuta. Pessoas com problemas renais precisam ter muito cuidado ao consumir essa planta, devido à grande quantidade de potássio que possui.

60. Beldroega

Nome científico: *Portulaca oleracea* L.
Outros nomes: beldroega, salada-de-negro, caaponga, porcelana, ora-pro-nobis, bredo-do-porco, verdolaga, beldroega-pequena, beldroega-da-horta e onze-horas.

Família: Portulacaceae.
Origem: Ásia.
Parte usada: toda a planta.
Características: planta herbácea, suculenta, sem pelos, que pode ter sementes. Tem folhas simples e distribuídas de forma alternada sobre os caules e ramos. Na parte terminal, as folhas formam rosetas, onde ocorrerão as flores. Flores solitárias de pequeno porte apresentam corola formada por cinco pétalas com coloração amarelada e rósea.
Efeitos terapêuticos: diurético, laxante, vermífugo, antiescorbútico, sudorífero, colerético, depurativo, emoliente, anti-inflamatório, antipirético, depurativo e antibacteriano.
Usos: em infusões é tônica e depurativa do sangue, usada também contra disenteria (principalmente infantil), enterite aguda, mastite e hemorroidas. As folhas são utilizadas contra cistite, hemoptise, cólicas renais, queimaduras e úlceras. Aplicadas sobre as feridas favorecem a cicatrização e, em decocções, combatem as inflamações dos olhos.
Vale saber! Proibido o uso sem orientação profissional – médico ou fitoterapeuta – e por gestantes, lactantes e em pessoas com problemas digestivos. Na forma crua não deve ser ingerida em exagero, pois, às vezes, as plantas acumulam oxalatos (sais do ácido oxálico), que são tóxicos.

61. Beldroegão

Nome científico: *Talinum paniculatum* (Jacq.) Gaertn.
Outros nomes: beldroegão, maria-gorda, bredo, caruru, labrobó, bênção-de-deus, major-gomes, maria-gomes, língua-de-vaca, erva-gorda e carne-gorda.
Família: Talinaceae.
Origem: todo continente americano.
Parte usada: toda a planta.
Características: planta ornamental herbácea, perene e selvagem, que apresenta sistema radicular bem desenvolvido. Tem folhas simples e espatuladas. As flores são pequenas, rosadas e muito delicadas. As sementes se abrigam em cápsulas amareladas com as flores.
Efeitos terapêuticos: emoliente, vulnerário (para cicatrizar ferida), diurético e emenagogo (aumenta o fluxo menstrual ou provoca menstruação).
Usos: na forma de cataplasma, as folhas servem como emoliente para amolecer calos e ajudam na cicatrização de feridas, em inflamações tópicas e doenças de pele como prurido, erisipela, eczema e coceira. As raízes diuréticas repõem o potássio, eliminam o mau cheiro da urina, servem também para inchaços (edemas), infecções intestinais, fadiga, cansaço físico e mental e debilidade orgânica.
Vale saber! Proibido o uso sem orientação profissional – médico ou fitoterapeuta – e por gestantes e lactantes. Consumida em excesso pode induzir ao vômito.

62. Bergamota

Nome científico: *Citrus × aurantium* L.
Outros nomes: Bergamota, laranja-bergamota, laranja-cravo, tangerina e mexerica.
Família: Rutaceae.
Origem: Ásia.
Partes usadas: óleo extraído das flores, folhas, sementes e casca.
Características: as árvores vão de porte médio a grande. As folhas são como lâminas estreitas, pontiagudas e com base arredondadas. As flores são grandes, completas e o fruto é ácido. Caracterizada pela produção de frutas do tipo baga, especificamente denominada de "hesperídio".
Efeitos terapêuticos: analgésico, antidepressivo, antisséptico, antibiótico, anti-espasmódico, estomacal, calmante, cicatrizante, desodorante, digestivo, antipirético, vermífugo e vulnerário (para cicatrizar feridas).
Usos: o óleo essencial na aromaterapia promove relaxamento e bem-estar. Se consumindo na forma de decocção (fervura da casca) alivia infecções do trato urinário, melhora as funções do fígado, baço e estômago, abaixa a febre e elimina vermes intestinais. Como cosmético age contra pele oleosa, acne, psoríase, eczema e aftas.
Vale saber! Proibido o uso sem orientação profissional – médico ou fitoterapeuta. O óleo de bergamota pode causar queimadura quando aplicado em pele sensível e exposta à luz solar. O elevado teor de bergamoteno pode causar fototoxicidade (queimadura solar).

63. Beterraba

Nome científico: *Beta vulgaris* L.
Outros nomes: desconhecidos.

Família: Amaranthaceae.
Origem: Europa e norte da África.
Partes usadas: raiz e folha.
Características: as árvores possuem porte médio, folha com lâmina estreita, pontiaguda e base arredondada. As flores são grandes e completas e o fruto é ácido. Caracteriza-se pela produção de frutas do tipo baga.
Efeitos terapêuticos: diurético e anti-inflamatório.
Usos: raízes e folhas são utilizadas medicinalmente contra infecções e tumores e como um agente hipoglicemiante por pacientes diabéticos. Consumida crua ou em forma de suco para combater doenças cardíacas, câncer de cólon, redução do colesterol em 30 a 40%, leucemia, defeito do tubo neural em crianças, doenças causadas por tóxicos e poluição. Combate a anemia e pode ajudar a normalizar a pressão arterial. A beterraba ajuda a manter a elasticidade das artérias e, quando consumida regularmente, ajudar a prevenir varizes.
Vale saber! Proibido o uso sem orientação profissional – médico ou fitoterapeuta. O suco de beterraba é muito forte, e, em excesso, pode causar tonturas.

64. Betula

Nome científico: *Betula pendula* Roth.
Outros nomes: vidoeiro-branco e vidoeiro-prateado.
Família: Betulaceae.
Origem: Europa.
Partes usadas: seiva extraída das cascas e das folhas.
Características: é uma árvore de tamanho médio, que cresce até 25 m de altura, com tronco longo e alto. Seus ramos e caules em arco têm aparência elegante, daí o nome em inglês "lady of the woods". A lâmina da folha é simples, com uma folha por nó ao longo do caule. A borda da lâmina da folha é dentada e a casca da planta adulta é fina, lisa e descasca-se facilmente, já o fruto é seco e não se abre quando maduro.
Efeitos terapêuticos: diurético e antirreumático.
Usos: no tratamento de inflamação do sistema urinário, psoríase, eczemas e melanoma. Na medicina popular é considerada excelente para inflamações do sistema urinário. Com a seiva extraída da casca e dos rebentos são feitas pomadas contra psoríase e outros eczemas. O ácido betulínico extraído da casca pode ser eficaz contra certos tipos de câncer de pele (melanoma). A infusão de suas folhas resulta em um eficiente chá diurético que pode tratar pequenas cistites.
Vale saber! Proibido o uso sem orientação profissional – médico ou fitoterapeuta. Sua resina pode causar irritação em peles sensíveis.

65. Boldo-de-jardim

Nome científico: *Plectranthus barbatus* Andrews.
Outros nomes: falso-boldo, boldo-brasileiro, boldo-do-reino, alum, boldo-nacional, malva-santa, malva-amarga, sete-dores e folha-de-oxalá.
Família: Lamiaceae.
Origem: Índia.
Partes usadas: folhas.
Características: arbusto volumoso, que atinge de 1 a 2 metros de altura. Tem folhas aveludadas e produz flores de cor azulada.
Efeitos terapêuticos: tônico, hepático, carminativo (possui uma substância que combate a formação de gases no intestino), antirreumático e estomáquico.
Usos: doenças hepáticas, dispepsias, flatulência, doenças gástricas, inapetência (falta de apetite), cálculos biliares e debilidade orgânica.
Vale saber! Proibido o uso sem orientação profissional – médico ou fitoterapeuta – e por gestantes e lactantes. Superdosagens irritam a mucosa estomacal e causam alterações nervosas.

66. Boldo-do-Chile

Nome científico: *Boldea boldus* (Molina) Looser.
Outros nomes: boldo.
Família: Monimiaceae.
Origem: Andes Chilenos.
Partes usadas: folhas.
Características: arbusto ou arvoreta com folhas grossas, inteiras, de 3 a 7 cm de comprimento e de 2 a 5 cm de largura. Sua cor é verde-acinzentada ou cinza-prateada, raramente avermelhada. Tem a presença de glândulas com óleos essenciais.
Efeitos terapêuticos: hepático, carminativo (possui uma substância que combate a formação de gases no intestino), antirreumático e estomáquico.
Usos: de modo geral atua contra as seguintes enfermidades: hepatite, litíase biliar, cólica hepática, congestões do fígado, flatulência, dispepsia, dores de estômago, distúrbios gástricos e digestivos, inapetência, fraqueza orgânica, tontura, insônia, prisão de ventre, cólicas intestinais, reumatismo e gonorreia.

Vale saber! Proibido o uso sem orientação profissional – médico ou fitoterapeuta. Em altas doses, pode provocar vômitos. As folhas dessecadas perdem com o tempo os teores das substâncias medicinais, tornando-se inúteis para uso medicinal e aromático. Como não cresce no Brasil, só é encontrada na forma seca.

67. Boldo-miúdo
Nome científico: *Plectranthus neochilus* Schltr.
Outros nomes: boldo-japonês e boldo-gambá.
Família: Lamiaceae.
Origem: África.
Partes usadas: folhas, frutos e óleo essencial.
Características: folhas e flores roxas ornamentais.
Efeitos terapêuticos: hepatoprotetor, aperitivo, digestivo, anti-inflamatório, anti-helmíntico, fungicida e diurético.
Usos: facilita o trabalho da vesícula biliar estimulando a secreção da bílis e a digestão de gorduras.
Vale saber! Proibido o uso sem orientação profissional – médico ou fitoterapeuta – e por gestantes e lactantes. Em alta dose pode provocar vômitos, diarreias e alteração do sistema nervoso. Pode ser abortivo e provocar hemorragias internas.

68. Borragem
Nome científico: *Borago officinalis* L.
Outros nomes: borragem, foliagem e borracha-chimarrona.
Família: Borraginaceas.
Origem: Mediterrâneo.
Partes usadas: folhas e flores.
Características: pode chegar a 1 m de altura. Os caules e as folhas são recobertos de finos pelos (tricomas), e as flores ostentam as cores azul ou violeta-azulada.
Efeitos terapêuticos: depurativo, antirreumático, antitussígeno, laxativo, anti-inflamatório, emoliente, expectorante, diurético, lenitivo e sudorífero.
Usos: as folhas carnosas e ásperas podem ser empregadas como tônico da suprarrenal no caso de estresse ou sequelas de terapia com esteroides. O óleo extraído das sementes pode ser uma alternativa ao óleo de prímula, para transtornos menstruais e reumáticos. Para aumentar a sudorese, empregam-se as flores, enquanto as folhas são usadas para uma ação diurética. Também ajuda para baixar a febre e no tratamento de hemorroidas. Seu uso tópico auxilia para melhorar contusões e dores reumáticas.
Vale saber! Proibido o uso sem orientação profissional – médico ou fitoterapeuta. Segundo alguns estudiosos, esta planta é imprópria para o consumo interno – por causa da presença de alcaloides. De acordo com a determinação do Ministério da Saúde, todas as plantas com alcaloides só devem ser usadas em aplicações locais, isto é, externamente. A ingestão pode levar ao aparecimento tardio de cirrose hepática ou câncer do fígado. A substância encontra-se em maior quantidade nas folhas frescas do que nas secas. Deve-se tomar cuidado ao fazer preparações com a borragem. Recomenda-se filtrar muito bem para eliminar os pelos, que podem causar irritações no estômago.

69. Brócolis
Nome científico: *Brassica oleracea* var.
Outros nomes: brócolo e couve-brócolo.
Família: Borraginaceas.
Origem: Mediterrâneo.
Partes usadas: brotos florais.
Características: hortaliça que pode ter até 1 m. As flores são hermafroditas (têm os órgãos masculino e feminino) e são polinizadas por abelhas.
Efeitos terapêuticos: antialérgico e anti-inflamatório.
Usos: pode ser consumido como alimento cru ou cozido, em saladas ou preparos quentes. O consumo previne câncer, hipertensão arterial, doenças cardiovasculares, diabetes, reações alérgicas, osteoporose e constipação.
Vale saber! Proibido o uso sem orientação profissional – médico ou fitoterapeuta. Quando cozido, eleva o teor de enxofre, podendo causar irritação em pessoas com estômago sensível, além de formação de gases intestinais e flatulência.

70. Bucha
Nome científico: *Luffa cylindrica* (L.) M.Roem.
Outros nomes: esponja-vegetal.
Família: Cucurbitaceae.
Origem: África.
Partes usadas: folha, caule, fruto e raiz.
Características: planta trepadeira herbácea com folhas dentadas, flores de cor amarela, frutos volumosos contendo sementes claras ou escuras. Tanto as folhas quanto os frutos são comestíveis, porém não são consumidos como alimento.
Efeitos terapêuticos: purgativo, vermífugo, emoliente e diurético.
Usos: na medicina caseira o caule e as folhas da bucha são usados como infusão contra doenças hepáticas, amenorreia, clorose e anemia. Emprega-se a polpa do fruto maduro e a raiz como purgati-

vo, já a infusão das sementes serve como vermífuga. Tem ação sobre a prisão de ventre crônica. As folhas são usadas para promover a cicatrização de feridas e maturação de abcessos. O suco da folha é considerado eficaz contra filária (ou elefantíase). As sementes são atribuídas para propriedades anti-helmíntica, emética (provoca vômito) e catártica (purificadora e purgativa).
Vale saber! Proibido o uso sem orientação profissional – médico ou fitoterapeuta. Dose elevada irrita a mucosa e o uso interno excessivo pode provocar diarreia e hemorragia.

71. Buritizeiro

Nome científico: *Mauritia flexuosa* L.f.
Outros nomes: Buriti.
Família: Arecaceae.
Origem: Planície amazônica do Brasil.
Partes usadas: raiz, goma do talo da palha, fruto e seiva.
Características: conhecida por buritizeiro, esta palmeira atinge até 35 m de altura, tem porte elegante, estipe reto e simples. As folhas são grandes e dispostas em leque. As flores têm coloração amarela e são reunidas em inflorescência do tipo cacho. O fruto (ou coco) é conhecido por buriti, alongado, com superfície revestida por escamas de tom castanho-avermelhado. A polpa é comestível, alaranjada, envolvendo uma semente globosa e dura. Propaga-se por semente.
Efeitos terapêuticos: cicatrizante e anti-inflamatório.
Usos: o azeite de buriti é cicatrizante e anti-inflamatório, usado para tratar ferimentos novos ou velhos, inclusive úlcera varicosa. Serve para evitar sangramento de gengiva e, passado nas pálpebras, ajuda nos tratamentos de irritação nos olhos, visão turva, dor ou ferimento. As raízes do buritizeiro tratam má circulação do sangue e doenças do coração. A seiva é usada como fortificante e também para diarreia, prisão de ventre e gases intestinais. A baba retirada do talo verde da palha do buriti é usada em casos de impingem e de pano branco da pele (ou micose de praia). A baba deve ser aplicada com cuidado no local afetado, pois é irritante e pode causar ardência na pele. O carvão obtido da queima do caroço do buriti serve para combater gastrite e mal-estar causado pela ingestão demasiada de bebidas alcoólicas.
Vale saber! Proibido o uso sem orientação profissional – médico ou fitoterapeuta – e por gestantes e lactantes.

72. Cacau

Nome científico: *Theobroma cacao* L.
Outros nomes: cação, cacau, cacaueiro, cação-forasteiro, cacau-da-bahia, cacau-do-brasil, cacau-verdadeiro, chocolate, massaroca e vagem de cacau.
Família: Malvaceae.
Origem: florestas tropicais das Américas Central e Sul, incluindo a Amazônia brasileira.
Partes usadas: fruto e semente.
Características: árvore de porte pequeno, de 4 a 6 metros quando cultivada. O tronco é curto, na maioria das vezes bifurcado, atingindo até 30 cm de diâmetro, com casca áspera. A copa é piramidal, às vezes aberta e folhosa, quando cultivada. As folhas são pendentes, simples, alternadas e elípticas. As flores nascem nos galhos mais grossos ou no tronco. O fruto tem casca grossa e dura, com 1 a 2 cm de espessura, abrigando muitas sementes grandes envolvidas em polpa de cor esbranquiçada e sabor doce. O fruto maduro pode ter cor amarelada, esbranquiçada ou avermelhada.
Efeitos terapêuticos: emoliente, diurético, vasodilatador, estimulante do coração análogo à cafeína.
Usos: em convalescença como alimento energético, para tratar ataques de angina, como estimulante das funções do aparelho urinário e no combate às nefrites. Também é empregado nas fraquezas orgânicas e no esgotamento físico, além de servir para cicatrizar rachaduras dos lábios e dos bicos dos seios.
Vale saber! Proibido o uso sem orientação profissional – médico ou fitoterapeuta. Apesar de ser delicioso, o cacau não é recomendado (mesmo sob a forma de chocolate ou outras variações) em casos de prisão de ventre, insônia e taquicardia. Também agrava a acne.

73. Café

Nome científico: *Coffea arabica* L.
Outros nomes: desconhecidos.
Família: Rubiaceae.

Origem: Abissínia e outras partes da África.
Partes usadas: sementes e folhas.
Características: trata-se de uma árvore de porte médio, podendo atingir até 5 m de altura. Arbusto com frutos de cor vermelha ou amarela e flores que vão dos tons branco ao marrom. O fruto é carnoso e rico em cafeína.
Efeitos terapêuticos: estimulante e diurético.
Usos: para exaltar o sistema nervoso e o sistema muscular, aumentando a força de contração dos músculos, inclusive do coração. Também é útil para combater febres intermitentes, como a tifoide, hemorragia cerebral, estado apoplético, embriaguez, gota, hérnias estranguladas, asma e diarreia crônica. É antídoto do "ópio" e da "morfina", assim como de todos os demais alcaloides, combatendo energicamente o efeito dessas substâncias. O café verde é empregado contra a coqueluche.
Vale saber! Proibido o uso sem orientação profissional – médico ou fitoterapeuta. Não deve ser consumido por quem tem gastrite, úlcera péptica, insônia, agitação psicomotora, taquicardia e taquiarritmias. Pode causar irritação das mucosas do estômago e das vias urinárias, além de insônia e palpitações.

74. Caju
Nome científico: *Anacardium occidentale* L.
Outros nomes: acaju, acajaíba, caju-manso, oacaju, anacardo, acaju-açú, acajuba, acajuíba, cacaju, acaju-pakoba, acaju-piranga, caju-banana, caju-da-praia, caju-de-casa, cajueiro, caju-manso, caju-manteiga, casca-antidiabética e salsaparrilha-dos-pobres.
Família: Anacardiaceae.
Origem: América do Sul.
Partes usadas: castanha, pseudofruto, casca da castanha, goma, entrecasca e sumo da folha.
Características: planta perene, de porte médio e ramificação baixa, sendo que nas áreas costeiras a copa é normalmente espalhada, em razão dos ventos. As folhas são simples, inteiras, medindo de 10 cm a 20 cm de comprimento por 6 cm a 12 cm de largura. A flor é constituída de cinco pétalas e o fruto possui uma camada de células esponjosas, na qual se localiza o líquido da casca da castanha.
Efeitos terapêuticos: antidiabético, adstringente, antidiarreico, depurativo, tônico, antiasmático, antisséptico, anti-inflamatório, vitaminizante, depurativo, expectorante, vermífugo e diurético.
Usos: indicado para tratar diabetes, feridas, infecção da garganta, diarreia, colesterol e triglicerídeos altos. Também ajuda nos tratamentos contra frieira, cansaço dos pés, eczemas, reumatismo, falta de vitamina C, feridas, úlceras, verrugas e calosidades.
Vale saber! Proibido o uso sem orientação profissional – médico ou fitoterapeuta. As castanhas são contraindicadas para quem tem insuficiência renal e o consumo excessivo pode trazer malefícios a pessoas com histórico de pressão baixa, além de favorecer o ganho de peso, pois é rica em calorias: cada 100 gramas possui 570 calorias.

75. Cálamo-aromático
Nome científico: *Acorus calamus* L.
Outros nomes: acorina, lírio-dos-charcos, cana-cheiro e cana-cheirosa.
Família: Acoraceae.
Origem: Índia.
Partes usadas: raiz, folha e haste.
Características: planta herbácea perene de folhas lineares finas, com altura de até 1,20 m. Suas flores são em formato de espádice – inflorescência constituída de uma espiga.
Efeitos terapêuticos: antiespasmódico, aperiente, eupéptico, carminativo (possui uma substância que combate a formação de gases no intestino), abortivo, antirreumático, afrodisíaco, aromático, emenagogo (aumenta o fluxo menstrual ou provoca menstruação), febrífugo, alucinógeno, homeopático, sedativo, estimulante, estomáquico, tônico e vermífugo.
Usos: indicado para tratar tosse, bronquite, catarro, problemas digestivos, dores reumáticas, artrite, diarreia, convulsões, neuralgia, dispepsia, epilepsia, insônia e pruridos da pele, como erupções e urticária.
Vale saber! Proibido o uso sem orientação profissional – médico ou fitoterapeuta – e por gestantes, lactantes e crianças menores de dois anos. Não se deve consumir o rizoma sem ter sido desidratado, pois ele é tóxico, afetando o sistema nervoso central. Também é considerado cancerígeno.

76. Calêndula
Nome científico: *Calendula officinalis* L.
Outros nomes: malmequer, maravilha-dos-jardins, maravilha e bonina.
Família: Compositae.
Origem: Mediterrâneo.
Partes usadas: flor, folha e caule.
Características: planta herbácea anual, de 30 a 50 cm de altura. Apresenta folhas

simples, grossas, inteiras, pilosas quando jovens e lisas quando adultas. As folhas apresentam cor verde-clara ou verde-oliva quando novas. A inflorescência é em capítulos solitários e terminais, de tom amarelo-alaranjado. As flores abrem ao nascer do sol e se fecham quando o sol se põe. O fruto tem espinhos na face exterior.
Efeitos terapêuticos: emenagogo (aumenta o fluxo menstrual), anti-inflamatório, antisséptico local, cicatrizante, antifúngico, antialérgico, analgésico, vasodilatador e tonificante da pele.
Usos: tem uso científico comprovado. É anti-inflamatório e cicatrizante, auxiliando no tratamento da acne e de inflamações em geral. Também pode ser aplicada em assaduras e feridas.
Vale saber! Proibido o uso sem orientação profissional - médico ou fitoterapeuta - e por gestantes, lactantes, crianças e pessoas com predisposição a reações alérgicas, urticária e asma.

77. Camapu

Nome científico: Physalis angulata L.
Outros nomes: juá-de-capote, joá-de-capote, balão, balão-rajado, balãozinho, bate-testa, bucho-de-rã, camambu, camapum, camaru, joá, juá, juá-poca e mata-fome.
Família: Solanaceae.
Origem: América tropical.
Parte usada: toda a planta.
Características: espécie herbácea anual, ereta e ramificada. Possui caule quadrangular, com folhas alternadas, flores isoladas de coloração branca e fruto carnoso.
Efeitos terapêuticos: anti-inflamatório, antialérgico, diurético, sudorífico, hepatoprotetor, sedativo e antifebrífugo.
Usos: o suco fresco é utilizado para amenizar dor de ouvido. O decocto do caule, do fruto, das folhas e das raízes auxilia no combate a doenças hepáticas. O chá da raiz é diurético, sudorífico e ajuda nos tratamentos contra icterícia e reumatismo. O chá das folhas serve para aliviar inflamações da bexiga, do intestino e do fígado.
Vale saber! Proibido o uso sem orientação profissional - médico ou fitoterapeuta. Pode afinar o sangue e reduzir a pressão sanguínea.

78. Cambará

Nome científico: Lantana camara L.
Outros nomes: camará, amará-de-chumbo, erva-chumbinho, chumbinho, milho-de-grilo, camará-branco, camará-juba, cambará-de-cheiro, cambará-de-duas-cores, cambará-de-espinho, cambará-de-folha-grande, cambará-miúdo, cambará-verdadeiro e cambará-vermelho.
Família: Verbenaceae.
Origem: América tropical.
Partes usadas: folha e raiz.
Características: espécie subarbustiva perene, com ramos de cor verde a avermelhada. A inflorescência apresenta numerosas flores. O fruto é carnoso.
Efeitos terapêuticos: antipirético, carminativo, antibacteriano, tônico, sudorífero, febrífugo, balsâmico, expectorante e emoliente.
Usos: o chá das folhas é antirreumático, febrífugo e expectorante. Tem ação marcante sobre as doenças do aparelho respiratório, como tosse, bronquite, asma e coqueluche. O chá ou o xarope da raiz é antiasmático.
Vale saber! Proibido o uso sem orientação profissional - médico ou fitoterapeuta. Seu fruto pode ser tóxico quando não está maduro.

79. Camomila

Nome científico: Matricaria chamomilla L.
Outros nomes: maçanilha, camomila-alemã, matricária, camomila-vulgar e macela-galega.
Família: Compositae.
Origem: Europa e Ásia.
Partes usadas: flores secas.
Características: planta herbácea com cerca de 30 a 50 cm de altura. Apresenta folhas de cor verde-claras, alternas e lisas na ponta superior. As flores são reunidas em inflorescências do tipo capítulo e podem ser de dois tipos: as centrais, hermafroditas, de cor amarela; e as femininas que são marginais, de cor branca e pendentes, quando a inflorescência amadurece.
Efeitos terapêuticos: anti-inflamatório, antiespasmódico, analgésico, antisséptico, antimicrobiano, anti-helmíntico, cicatrizante, antipirético e antiflogístico.
Usos: o chá de camomila tem uso científico comprovado nos tratamentos de do-

enças da cavidade oral.
Vale saber! Proibido o uso sem orientação profissional – médico ou fitoterapeuta – e por gestantes e lactantes. Não deve ser ingerido na véspera de fazer radiografias e pessoas sensíveis podem ter crises de rinite.

80. Camu-camu

Nome científico: *Myrciaria dubia* (Kunth) McVaugh.
Outros nomes: Caçari, araçá-d'água.
Família: Myrtaceae.
Origem: Amazônia.
Partes usadas: frutos.
Características: árvore pequena e semelhante à jabuticaba. Tem frutos globosos com 10 a 32 mm de diâmetro, de tom vermelho-escuro, passando ao roxo-escuro ao final da maturação. A polpa ácida tem de 2 a 3 pequenas sementes por fruto. As sementes são bem pequenas, com alta concentração de vitamina C (de 2870 a 6.100 mg), muitas vezes superior ao de frutos mais conhecidos como laranja, limão e acerola.
Efeitos terapêuticos: antioxidante, adstringente e nutritivo.
Usos: no fortalecimento dos sistemas nervoso e imunológico, pois promove a vitalidade de pessoas com deficiências orgânicas. Ajuda na formação de células brancas do sangue (combatendo algumas espécies de câncer), promove a eliminação de toxinas do corpo (em especial do fígado), estimula os sistemas cardíaco e circulatório, evita o estresse, auxilia nos tratamentos de cânceres de mama, próstata, gripe e pneumonia.
Vale saber! Proibido o uso sem orientação profissional – médico ou fitoterapeuta. Pela alta concentração de vitamina C em suas sementes, recomenda-se evitar o consumo em excesso, pois pode causar diarreias, dor de cabeça e cálculos renais.

81. Cana-de-açúcar

Nome científico: *Saccharum officinarum* L.
Outros nomes: desconhecidos.
Família: Poaceae.
Origem: Ásia.
Partes usadas: raiz, colmo e folha.
Características: gramínea perene alta, entre 2 e 6 metros de altura. Tem caules robustos, fibrosos e articulados, ricos em sacarose.
Efeitos terapêuticos: galactogênica (estimula a produção do leite materno), antidiurético (infusão das folhas), diurético (decocção das raízes), hipotensor e antiparasitário.

Usos: nos tratamentos de distúrbios dos rins, do estômago, para aumentar a lactação, combater a insônia, os parasitas intestinais, a angina, as úlceras da córnea, rachaduras dos mamilos, aftas, pneumonia, tuberculose, escarlatina, erisipela, cólera, febre e vômitos durante a gravidez.
Vale saber! Proibido o uso sem orientação profissional – médico ou fitoterapeuta. Em excesso pode provocar diarreia, cólica, irritação nos rins, urticária, paralisias e transpiração excessiva.

82. Cana-do-brejo

Nome científico: *Costus spicatus* (Jacq.) Sw.
Outros nomes: desconhecidos.
Família: Costaceae.
Origem: Brasil.
Partes usadas: folha, haste e rizoma.
Características: espécie herbácea, perene e não ramificada. A parte aérea pode atingir até 2 m de altura. As folhas são dispostas em espiral com prolongamento na base e inflorescência terminal com flores de cor amarela.
Efeitos terapêuticos: depurativa e diurética.
Usos: para tratar malária, hepatite e doenças do aparelho urinário.
Vale saber! Proibido o uso sem orientação profissional – médico ou fitoterapeuta. Deve-se evitar o uso prolongado, pois pode resultar no surgimento de cálculos renais, por ser rica em oxalato de cálcio.

83. Canela

Nome científico: *Cinnamomum verum* J.Presl.
Outros nomes: canela-do-ceilão, canela-verdadeira, árvore da canela e caneleira.
Família: Lauraceae.
Origem: Sri Lanka.
Partes usadas: entrecasca, folha e semente.
Características: o que chamamos de "canela" é uma especiaria, tempero ou condimento extraído da entrecasca (a

parte mais interna) da árvore da canela. A espécie tem aproximadamente de 10 a 15 metros de altura, caule lenhoso, folhas perenes que variam entre 7 x 3 cm e 25 x 8 cm, de forma ovalada e pontiaguda e cor verde e brilhante na parte superior.
Efeitos terapêuticos: galactogênico (estimula a produção de leite materno), antidiurético (infusão das folhas), diurético (decocção das raízes), hipotensor e antiparasitário.
Usos: a partir da decocção dos bulbos, da infusão de suas folhas ou da extração do sumo de seu caule é possível tratar distúrbios dos rins, fadiga, estômago, insônia, combater parasitas intestinais, anginas, úlceras da córnea, rachaduras nos mamilos, aftas, pneumonia, tuberculose, escarlatina, erisipela, cólera, febres, vômitos durante a gravidez e aumentar a lactação.
Vale saber! Proibido o uso sem orientação profissional – médico ou fitoterapeuta. Apesar de ajudar na lactação, só pode ser ministrada durante a gestação com orientação médica, pois o uso errado pode estimular a contração uterina.

84. Cânfora

Nome científico: *Cinnamomum camphora* (L.) J. Presl.
Outros nomes: canforeiro, alcanforeira, erva-cavaleira, rabugem-de-cachorro e alcanforero.
Família: Lauraceae.
Origem: Ásia oriental.
Partes usadas: folha e seiva.
Características: árvore frondosa que pode atingir 45 m de altura e 50 m de largura. Possui aroma marcante e característico, muito refrescante. Pertence ao mesmo gênero das árvores que produzem a canela.
Efeitos terapêuticos: antisséptico, estimulante, excitante, antirreumático, parasiticida, antineurálgico, anestésico local, antitérmico, antidiarreico, anti-helmíntico e moderador das secreções sudorais e lácteas.
Usos: o extrato retirado da madeira produz a cânfora, utilizada para tratar externamente contusões, dores musculares, reumatismo e frieira. Atua sobre o sistema nervoso central, mas a sua ação mais notável é sobre o coração. É um cariocinético, pois estimula o músculo cardíaco e reforça a sístole, regularizando as pulsações e a pressão sanguínea.
Vale saber! Proibido o uso sem orientação profissional – médico ou fitoterapeuta. É preciso evitar o uso excessivo, pois atua sobre o sistema nervoso central.

85. Cânfora-de-árvore

Nome científico: *Cinnamomum camphora* (L.) J.Presl.
Outros nomes: canela-canforeira.
Família: Lauraceae.
Origem: Ásia Oriental (sul da China e do Japão).
Partes usadas: todas, para a extração do óleo essencial.
Características: árvore com até 45 m de altura e até 50 m de largura. A folhagem é persistente, inicialmente de cor rosada e, depois, verde-clara. A floração primaveril em cachos de pequenas flores com cerca de 8 cm de comprimento tem coloração creme. Já os frutos pequenos e bonitos são de cor negra, do tamanho de uma ervilha.
Efeitos terapêuticos: antisséptico, estimulante, analgésico e antiviral.
Usos: usada em casos de contusões, dores musculares, reumatismo e frieiras. Externamente, também serve como estimulante respiratório.
Vale saber! Proibido o uso sem orientação profissional – médico ou fitoterapeuta – e por gestantes, lactantes e crianças. Em altas doses, provoca vômitos e irritação gástrica. Não deve ser usada, mesmo externamente, em crianças e gestantes.

86. Cânfora-de-jardim

Nome científico: *Artemisia camphorata* Vill.
Outros nomes: cânfora, cânfora-das-hortas, canforinha, canfrinho e macelinha canforada.
Família: Asteraceae.
Origem: Brasil.
Partes usadas: raízes, ramos e folhas.
Características: erva perene com folhinhas recortadas que vão da tonalidade verde à acinzentada, de acordo com a variedade e o local.
Efeitos terapêuticos: antinevrálgico, analgésico, anti-inflamatório, calmante, descongestionante, sedativo, antisséptico e antirreumático.
Usos: compressas e cataplasmas usados externamente tratam contusões, dores musculares e reumatismo. Internamente pode ser consumida a infusão das folhas para tratar tosses, gripes, resfriado e congestão nasal.
Vale saber! Proibido o uso sem orientação profissional – médico ou fitoterapeuta. O uso da planta fresca ou de seu óleo volátil em altas doses pode causar irritação da mucosa do trato gastrointestinal. O uso tópico da planta fresca por períodos longos pode causar irritação da pele.

87. Capim-limão

Nome científico: *Cymbopogon citratus* (DC.) Stapf.
Outros nomes: capim-cidreira, capim-cidrão, chá-de-estrada, erva-cidreira e citronela-de-java.
Família: Poaceae.
Origem: Índia.
Partes usadas: folhas.
Características: forma uma touceira densa, com folhas longas, bordas cortantes e de coloração verde-clara. Seus arbustos chegam a medir 1,2 m de altura. Comumente é confundido com a erva-cidreira (Melissa officinalis), embora em nada se pareça com esta planta.
Efeitos terapêuticos: bactericida, antiespasmódico, calmante, analgésico suave, carminativo (possui uma substância que combate a formação de gases no intestino), estomáquico, diurético, sudorífico, hipotensor e antirreumático.
Usos: o chá de suas folhas é indicado para insônia, estresse, ansiedade, digestão estomacal e gases intestinais.
Vale saber! Proibido o uso sem orientação profissional – médico ou fitoterapeuta. Não deve ser consumido associado a remédios sedativos, pois o efeito pode ser potencializado.

88. Capim-rosário

Nome científico: *Coix lacryma* L.
Outros nomes: lágrima de Nossa Senhora.
Família: Poaceae.
Origem: América do Sul.
Partes usadas: folhas, rizoma e sementes (sem o envoltório rígido).
Características: gramínea de folhas longas com coloração verde-clara, conhecida por suas sementes acinzentadas que são muito utilizadas como miçanga de colares e rosários.
Efeitos terapêuticos: antidiarreico, tônico, depurativo, emoliente, diurético, antirreumático e antiasmático.
Usos: o chá de suas folhas é indicado para combater abscesso pulmonar, catarro, enterite, beribéri, edema, enterite, espasmos musculares e bronquiais, inchaço, hiperglicemia, lombalgia, males dos rins e reumatismo.
Vale saber! Proibido o uso sem orientação profissional – médico ou fitoterapeuta – e por gestantes e lactantes. Seu uso prolongado é desaconselhado.

89. Capuchinha

Nome científico: *Tropaeolum majus* L.
Outros nomes: chagas, mastruço, capuchinho, capuchinha-grande, mastruço-do-peru, flor-de-sangue, agrião-do-méxico, chaguinha, nastúrcio, flor-de-chagas, capucine, cinco-chagas e agrião-da-índia.
Família: Tropaeolaceae.
Origem: Peru e México.
Partes usadas: folha, botão floral e flor.
Características: planta herbácea rasteira, de 1 a 2 metros de comprimento. Possui flores que vão da cor amarela à vermelha. Suas flores e folhas são comestíveis, com aroma agradável e sabor picante, semelhante ao agrião.
Efeitos terapêuticos: expectorante, digestivo, antiescorbútico, antisséptico, fortificante dos cabelos, tonificador do sangue, diurético e depurativo.
Usos: para desinfetar e cicatrizar feridas. A semente é um antibiótico vegetal, ativo contra os microorganismos dos gêneros estafilococo, proteus, estreptococo e salmonella.
Vale saber! Proibido o uso sem orientação profissional – médico ou fitoterapeuta. Em altas doses, pode causar irritação no estômago, intestino e rins.

90. Caraguatá

Nome científico: *Bromelia antiacantha* Bertol.
Outros nomes: gravatá, bananinha-do-mato, carauatá e croatá.
Família: Bromeliaceae.
Origem: Brasil e Uruguai.
Partes usadas: frutos e folhas.
Características: planta herbácea, terrestre, atinge até 2 m de altura, tem caule curto e grosso. As folhas são numerosas, inteiras e com bordas providas de espinhos rijos. Já as flores ostentam pétalas alvas e sépalas de cor roxa. O fruto do tipo baga é grande e oval, tem polpa comestível de coloração amarelada e é ácida.
Efeitos terapêuticos: expectorante, emoliente, anti-helmíntico, antitussígeno, purgativo, diurético, vermífugo e abortivo.
Usos: os frutos são ácidos, purgativos, diuréticos, vermífugos e até abortivos. Dos frutos preparam-se remédios contra asma, bronquite e tosse, com ação expectorante nas infecções respiratórias. O xarope extraído é usado no tratamento de cálculos renais e o sumo tem efeito sobre tecidos decompostos, auxiliando na cicatrização de feridas.
Vale saber! Proibido o uso sem orientação profissional – médico ou fitoterapeuta – e por gestantes e lactantes.

91. Carambola

Nome científico: *Averrhoa carambola* L.
Outros nomes: desconhecidos.
Família: Oxalidaceae.
Origem: Ásia tropical.
Partes usadas: frutos.
Características: a árvore chega a cerca de 5 m de altura. O fruto tem a forma de cinco gomos compridos, de coloração verde, quase translúcida, até a amarela-gema brilhante. Verde, o fruto é adstringente e amarra a boca. Quando maduro, é adocicado e bem ácido.
Efeitos terapêuticos: hemostática, antisséptica, tonificante e adstringente.
Usos: o fruto pode ser consumido in natura ou em forma de suco. É rico em vitaminas A, B e C, minerais, taninos e em ácido oxálico. Indicado para tratar osteoporose, hipertensão, menopausa, cansaço mental e anemia.
Vale saber! Proibido o uso sem orientação profissional – médico ou fitoterapeuta. O consumo regular ou excessivo da carambola deve ser evitado – devido aos altos teores de ácido oxálico – pelo menos por pessoas com problemas renais, pois pode ocasionar a formação de pedra nos rins.

92. Cardamomo

Nome científico: *Elettaria cardamomum* (L.) Maton.
Outros nomes: cardamomo-do-ceilão e cardamão.
Família: Zingiberaceae.
Origem: Índia.
Partes usadas: sementes.
Características: planta herbácea (fruto não comestível) de ciclo perene, que chega a até 4 m de altura e forma resistentes rizomas carnosos dos quais saem talos com folhas e grandes flores. Seu fruto, uma cápsula de três paredes, adquire diversos tamanhos.
Efeitos terapêuticos: estimulante e carminativo.
Usos: como condimento, serve para estimular a digestão, combater a flatulência e despertar o apetite. É utilizada regularmente na elaboração de embutidos.
Vale saber! Proibido o uso sem orientação profissional – médico ou fitoterapeuta. Superdosagens provocam náuseas e vômitos. O óleo essencial deve ser usado apenas sob prescrição médica.

93. Cardo-mariano

Nome científico: *Silybum marianum* (L.) Gaertn.
Outros nomes: desconhecidos.
Família: Compositae.
Origem: Mediterrâneo.
Partes usadas: raízes, folhas, sementes e frutos.
Características: de 30 cm a 1,80 m, com hastes verdes, folhas grandes e espinhosas. Tem capítulos vermelhos, raramente brancos. Suas brácteas externas são envolvidas com um apêndice de 8 a 15 mm e possuem coluna recurvada. Esta planta é tóxica para o gado.
Efeitos terapêuticos: adstringente, sudorífico, diurético, emético, hepático, estimulante estomacal e tônico.
Usos: o extrato da semente, a decocção e a infusão de suas folhas podem ser consumidos para tratar doenças do fígado, como hepatite e cirrose, e da vesícula biliar.
Vale saber! Proibido o uso sem orientação profissional – médico ou fitoterapeuta. Quando cultivadas em solos ricos em nitrogênio, especialmente aqueles que foram alimentados com fertilizantes químicos, esta planta pode concentrar nitratos nas folhas, que podem favorecer o surgimento de câncer no estômago.

94. Carqueja

Nome científico: *Baccharis trimera* (Lees.) DC.
Outros nomes: carqueja amarga, cacaia amarga, tiririca-de-babado e tiririca-de-bêbado.
Família: Compositae.
Origem: América do Sul.
Partes usadas: folhas, hastes e partes aéreas secas.
Características: espécie vegetal de pequeno porte e caule lenhoso, quase sem folhas. Apresenta flores de cor amarela ou branca.
Efeitos terapêuticos: antidispéptico, antianêmico, antibiótico, emoliente, anti-inflamatório e hipoglicemiante.
Usos: uso científico comprovado no combate à dispepsia, frequentemente causada pelo refluxo gastroesofágico ou gastrite. A infusão de suas folhas e hastes trata também gastrite, gripe, anemia, cálculos bi-

liares, diarreias, problemas no estômago, intestino, baço, bexiga e fígado.
Vale saber! Proibido o uso sem orientação profissional – médico ou fitoterapeuta. O consumo em excesso pode baixar o número de glóbulos brancos, que são os responsáveis pela imunidade do organismo, e prejudicar o sistema imunológico.

95. Carvalho
Nome científico: *Quercus robur* L.
Outros nomes: desconhecidos.
Família: Fagaceae.
Origem: América do Norte.
Partes usadas: casca, folha e fruto.
Características: pode atingir até 25 m de altura. É uma espécie marcescente, que perde grande parte de suas folhas no outono e no inverno, embora os rebentos jovens conservem folhas verdes durante este período. Na primavera reconstitui a sua folhagem e floresce. Os frutos são bolotas, como em todas as espécies de carvalhos.
Efeitos terapêuticos: adstringente, cicatrizante, hemostático, estomáquico, desodorante.
Usos: indicado como adstringente, cicatrizante de úlceras, auxilia nos tratamentos do diabetes, hemostático e estomáquico.
Vale saber! Proibido o uso sem orientação profissional – médico ou fitoterapeuta. O uso externo é contraindicado em peles danificadas e em portadores de eczemas graves. É proibido para pessoas com quadro de desordens febris e infecciosas e insuficiência cardíaca.

96. Casca-de-anta
Nome científico: *Drimys winteri* J.R. Forst. & G.Forst.
Outros nomes: caataia, canelo, canela-amarga, capororoca-picante, melambo e para-tudo.
Família: Winteraceae.
Origem: América do Sul.
Parte usada: casca.
Características: árvore perene, que pode alcançar até 20 m de altura, com um tronco de até 1 m de diâmetro. Produz em abundância flores de cor branca com centros amarelos em cachos e uma noz pequena e redonda de tom verde, com sementes pretas. As folhas e cascas têm um sabor picante, por isso são também usadas como condimento.
Efeitos terapêuticos: antiescorbútico, aromático, febrífugo e parasiticida.
Usos: para corrimento vaginal, infecções e doenças sexualmente transmissíveis. Para os problemas de pele como dermatite, eczema, acne, erupções cutâneas, fungos na pele e micose. Fortalece o sistema hormonal feminino e é indicada, também, para distúrbios menstruais, perda de libido e cólicas. Tonifica, equilibra e fortalece as funções corporais em geral.
Vale saber! Proibido o uso sem orientação profissional – médico ou fitoterapeuta. A seiva da planta pode causar inflamação grave se entrar em contato com os olhos.

97. Cáscara sagrada
Nome científico: *Frangula purshiana* Cooper.
Outros nomes: Cáscara sagrada e espinheiro americano.
Família: Rhamnaceae.
Origem: Américas.
Partes usadas: cascas.
Características: arbusto frondoso, de até 6 m de altura. O fruto é de cor púrpura-escura. As sementes são ovaladas e pretas.
Efeito terapêutico: purgativo.
Uso: infusão das cascas para aliviar quadro de constipação aguda.
Vale saber! Proibido o uso sem orientação profissional – médico ou fitoterapeuta – e por gestantes e lactantes. Dependendo da dose e da sensibilidade de cada pessoa, pode ocasionar cólicas e diarreias.

98. Catinga-de-mulata
Nome científico: *Tanacetum vulgare* L.
Outros nomes: tanaceto, tanásia, atanásia-das-boticas, erva-lombrigueira e tasneira (vale lembrar que existe outra espécie com este nome).
Família: Compositae.
Origem: Eurásia.
Partes usadas: folhas e flores.
Características: é uma erva vivaz, com aproximadamente 2 metros. Geralmente com várias hastes em cada cepa, simples, roliças e angulosas. As folhas são ovaladas e a flor é um botão de cor amarelada, plana e um pouco côncava.
Efeitos terapêuticos: anti-helmíntico, car-

minativo, antiespasmódico, colerético e estimulante de vísceras abdominais e uterinas.
Usos: para casos de bronquite, contusão, dores articulares, reumáticas, musculares, de dente, para eliminar furúnculos, infecções na pele, inflamação, repelir insetos, eliminar vermes intestinais, regular o ciclo menstrual e melhorar o funcionamento dos rins.
Vale saber! Proibido o uso sem orientação profissional - médico ou fitoterapeuta - e por gestantes e lactantes. É abortiva e, em doses erradas, pode causar intoxicação.

99. Cavalinha
Nome científico: *Equisetum arvense* L.
Outros nomes: desconhecidos.
Família: Equisetaceae.
Origem: Europa.
Partes usadas: hastes.
Características: erva com raízes profundas e caules semelhantes ao da cana, chegando a 1 m de altura. Não tem flores nem folhas.
Efeitos terapêuticos: diurético, anti-hipertensivo, mineralizante e anti-infeccioso.
Usos: é uma planta diurética e remineralizante. Recomenda-se, também, em casos de incontinência urinária e para estancar hemorragias. Combate a dor de cabeça, por causa do ácido acetilsalicílico, fortalece as paredes das veias, evitando que depósitos de gordura se instalem, além de combater varizes. Seu chá é muito utilizado por mulheres acima dos 40 anos, pois repõe os minerais e combate a osteoporose.
Vale saber! Proibido o uso sem orientação profissional - médico ou fitoterapeuta. É tóxica em grandes doses e provoca fraqueza, exaustão muscular e falta de apetite.

100. Cebola
Nome científico: *Allium cepa* L.
Outros nomes: desconhecidos.
Família: Amaryllidaceae.
Origem: Ásia Central.
Partes usadas: bulbos.
Características: planta vivaz, bulbosa e herbácea, que pode chegar a 1,2 m de altura. O bulbo é grande, arredondado, coberto por uma membrana interna de cor branca ou cor parecida com a do vinho tinto. As folhas são arredondadas, de tonalidade azul-esverdeada. As flores são dispostas em um buquê globular na forma de guarda-chuva. Os frutos da cebola são minúsculas cápsulas repletas de sementes pretas.
Efeitos terapêuticos: anti-inflamatório, antibiótico, antiviral, sedativo, anti-helmíntico, antisséptico, antiespasmódico, carminativo (possui uma substância que combate a formação de gases no intestino), diurético, expectorante, febrífugo, hipoglicemiante, hipotensor, estomáquico e tônico.
Usos: na prevenção de infecção oral e de cárie dentária. Cebolas cozidas podem ser usadas como cataplasma para remover o pus de feridas. O suco doce da cebola é indicado em picadas de abelhas e vespas, escoriações ou escamações da pele.
Vale saber! Proibido o uso sem orientação profissional - médico ou fitoterapeuta e em pessoas com diabetes. Em excesso provoca acidez estomacal e tendência à formação de gases.

101. Cebolinha
Nome científico: *Allium fistulosum* L.
Outros nomes: cebolinha-todo-ano, cebolinha-comum, cebolinha-de-cheiro, cebolinha-de-tempero e cebolinha-de-inverno.
Família: Amaryllidaceae.
Origem: China.
Parte usada: toda a planta.
Características: planta herbácea, baixa e perene. As folhas são lineares, grandes, ocas e grossas. Suas flores são pequenas.
Efeitos terapêuticos: antibiótico, antiviral e digestivo.
Usos: é popular na medicina chinesa para prevenção de desordens cardiovasculares, melhorar a visão, ajudar na recuperação de resfriados comuns, dores de cabeça, feridas e chagas purulentas.
Vale saber! Proibido o uso sem orientação profissional - médico ou fitoterapeuta. Algumas pessoas são intolerantes às cebolinhas, nesse caso, não devem consumi-las. Além disso, é contraindicado em casos de gastrites.

102. Cebolinha-francesa
Nome científico: *Allium tuberosum* Rottler ex Spreng.
Outros nomes: cebolinha, cebolinho e cebolete.
Família: Alliaceae.
Origem: Ásia.
Partes usadas: toda a planta.
Características: herbácea bulbosa com porte médio de 70 cm, ideal para o cultivo em vasos e jardineiras. Tem folhas estreitas, firmes e fibrosas, com poucas flores de cor branca.
Efeitos terapêuticos: antisséptico, antiasmático, antirreumático, carminativo

(possui uma substância que combate a formação de gases no intestino), cicatrizante de úlceras gástricas, hipotensor, antigripal e desintoxicante.
Usos: é usada para tratar doenças das vias respiratórias, gripe, hipertensão, mau funcionamento dos rins e problemas digestivos.
Vale saber! Proibido o uso sem orientação profissional – médico ou fitoterapeuta. Deve ser evitada por pessoas com a pressão naturalmente mais baixa (hipotensas).

103. Cebolinho-chinês

Nome científico: *Allium tuberosum* Rottler ex Spreng.
Outros nomes: cebolinho-nirá.
Família: Alliaceae.
Origem: Ásia.
Partes usadas: todas.
Características: herbácea bulbosa de porte médio, com 70 cm de altura, folhas estreitas e floração de cor branca.
Efeitos terapêuticos: antisséptico, antiasmático, antirreumático, carminativo (possui uma substância que combate a formação de gases no intestino), hipotensor, antigripal e desintoxicante.
Usos: para combater pressão alta, como cicatrizante de úlceras gástricas, fortalecedora das defesas do corpo, para diminuir os gases no intestino, desintoxicante do organismo, ajuda na circulação sanguínea e no tratamento de labirintite.
Vale saber! Proibido o uso sem orientação profissional – médico ou fitoterapeuta. Pessoas intolerantes a cebolinhas não devem consumi-lo. Além disso, é contraindicado em casos de gastrites sensíveis, principalmente se consumida em grande quantidade.

104. Cheiro-de-mulata

Nome científico: *Tanacetum vulgare* L.
Outros nomes: catinga-de-mulata, erva-contra-vermes, tanásia, tasneira e tanaceto.
Família: Asteraceae.
Origem: Brasil.
Partes usadas: folhas.
Características: planta herbácea perene robusta com talo ereto de 60 a 90 cm de altura. As folhas dentadas são aromáticas. As flores são pequenas, de cor amarela, agrupadas em capítulos.
Efeitos terapêuticos: vermicida, anti-inflamatório, antiespasmódico e colerético (aumentam a quantidade de bile secretada pelo fígado que fica armazenada na vesícula biliar, até que a passagem dos alimentos provoque o seu esvaziamento para o intestino. Aumentando a produção de bile, as plantas coleréticas descongestionam o fígado e favorecem a digestão).
Usos: é usada desde a Antiguidade para espantar moscas. O uso interno da infusão das folhas é indicado para melhorar a digestão e estimular a menstruação, além de ser um ótimo vermífugo.
Vale saber! Proibido o uso sem orientação profissional – médico ou fitoterapeuta – e por gestantes e lactantes. Deve ser usada moderadamente, já que as superdosagens são tóxicas, causando congestões abdominais, lesões renais e nervosas, inflamações nos órgãos sexuais e digestivos e pode gerar convulsões.

105. Chá-verde

Nome científico: *Camellia sinensis* (L.) Kuntze.
Outros nomes: desconhecidos.
Família: Theaceae.
Origem: Ásia (Índia e China).
Partes usadas: folhas, botões florais e sementes.
Características: arbusto grande ou arvoreta de 3 a 4 m de altura, com copa piramidal densa. As folhas são simples, lanceoladas, de 4 a 6 cm de comprimento. As flores surgem solitárias ou aos pares nas folhas. São pequenas, com pétalas de cor branca e perfumadas. Os frutos são cápsulas pequenas, globosas.
Efeitos terapêuticos: antioxidante e antimicrobiano.
Usos: a infusão das folhas secas serve para tratar doenças cardiovasculares, colesterol alto e mau hálito, além de fortalecer o sistema imunológico.
Vale saber! Proibido o uso sem orientação profissional – médico ou fitoterapeuta. O consumo em excesso pode provocar insônia, irritabilidade e dores de cabeça, por conta da grande concentração de cafeína. O consumo prolongado pode causar deficiência de ferro.

106. Chia

Nome científico: *Salvia hispanica* L.
Outros nomes: desconhecidos.

Família: Lamiaceae.
Origem: México e Guatemala.
Partes usadas: folhas e sementes.
Características: cresce de 1 a 2 m de altura, com hastes quadrangulares e folhas opostas, de lâmina serrilhada. As flores crescem em conjuntos terminais. Dependendo da variedade, a cor das pétalas pode variar de púrpura a branca. Dentro das flores cresce uma pequena semente de forma oval.
Efeitos terapêuticos: antioxidante, antitrombótico, antiviral, cardioprotetor, hipoglicêmico, imunoestimulante e laxante.
Usos: indicada para prisão de ventre, controle de glicemia, diabetes e hipertensão. A semente é considerada um alimento funcional, por ser rica em proteína, fibras, minerais e vitaminas, sendo consumida na forma de farinha obtida da moagem.
Vale saber! Proibido o uso sem orientação profissional – médico ou fitoterapeuta. Devido ao alto teor calórico, o excesso de consumo pode ocasionar ganho de peso.

107. Chuchu

Nome científico: *Sechium edule* (Jacq.) Sw.
Outros nomes: desconhecidos.
Família: Cucurbitaceae.
Origem: México e Guatemala.
Partes usadas: raiz, folha, fruto e semente.
Características: o nome "chuchu" refere-se tanto ao vegetal quanto ao fruto. O caule é rastejante com gavinhas. Cada fruto contém uma única semente de 2 a 5 cm de comprimento, alongada, com alta capacidade de germinar em seu interior. O fruto é uma baga, carnoso e sem núcleo, com aparência de uma grande pera e mede de 7 a 20 cm.
Efeitos terapêuticos: diurético, cardiovascular e anti-inflamatório.
Usos: o chá feito a partir das folhas é usado no tratamento de aterosclerose, hipertensão e para dissolver cálculos renais.
Vale saber! Proibido o uso sem orientação profissional – médico ou fitoterapeuta – e por gestantes e lactantes, pois em doses excessivas pode causar hipocalemia (redução da concentração de potássio na circulação sanguínea).

108. Cidreira-de-arbusto

Nome científico: *Lippia alba* (Mill.) N.E.Br. ex Britton & P.Wilson.
Outros nomes: erva-cidreira de arbusto, erva-cidreira-do-campo ou brasileira, cidreira-brava e falsa melissa.
Família: Verbenaceae.
Origem: Brasil.
Partes usadas: folhas e flores.
Características: subarbusto medicinal com ramos finos, esbranquiçados, longos e quebradiços.
Efeitos terapêuticos: antisséptico, antifúngico, antibacteriano, adstringente e estimulante.
Usos: a infusão das folhas é muito indicada para insônia e dores de cabeça em decorrência do estresse, além de melhorar a digestão e a ansiedade.
Vale saber! Proibido o uso sem orientação profissional – médico ou fitoterapeuta. Não deve ser usada por hipotensos.

109. Citronela

Nome científico: *Cymbopogon nardus* (L.) Rendle.
Outros nomes: citronela-do-ceilão e cidró-do-paraguai.
Família: Poaceae.
Origem: Sri Lanka.
Partes usadas: folha, colmos verdes, rizoma e óleo essencial.
Características: erva perene, de 0,80 a 1,20 m de altura que forma uma touceira densa, com folhas longas e de bordas cortantes. A coloração é verde-clara, idêntica ao capim-limão (*Cymbopogon citratus*). Difere apenas pelo aroma de limão bastante forte, talvez até um pouco enjoativo – no capim-limão o cheiro é bem suave.
Efeitos terapêuticos: antisséptico, antifúngico, antibacteriano, adstringente e estimulante.
Usos: considerado um ótimo repelente, o óleo de citronela é rico em geraniol e citronelal, sendo muito utilizado na aromaterapia como um estimulante quando inalado ou esfregado sobre a pele. É um antisséptico também usado para esterilizar superfícies para preparação de alimentos.
Vale saber! Proibido o uso sem orientação profissional – médico ou fitoterapeuta. Inalar os óleos essenciais de citronela pode aumentar a frequência cardíaca em algumas pessoas.

110. Coentro

Nome científico: *Coriandrum sativum* L.
Outros nomes: desconhecidos.
Família: Umbelliferae.
Origem: Mediterrâneo.
Partes usadas: folha, semente, raiz e óleo.
Características: planta anual, herbácea e alta, que pode atingir até 1,0 m. Com raiz longa e fusiforme, é aromática, proporcionando aroma fresco e agradável ao ambiente.

Efeitos terapêuticos: aromático, carminativo, expectorante, narcótico, estimulante e estomáquico.
Usos: a folha fresca é considerada a erva mais aromática no mundo. É indicada com purgantes para disfarçar o sabor e combater a cólica.
Vale saber! Proibido o uso sem orientação profissional – médico ou fitoterapeuta, principalmente das sementes.

111. Cominho

Nome científico: *Cuminum cyminum* L.
Outros nomes: falso-anis, falso-aneto e kümel.
Família: Apiaceae.
Origem: Egito.
Partes usadas: sementes.
Características: planta de ciclo bianual, cujas raízes são finas, fracas, esbranquiçadas e aromáticas. Suas flores pequenas, brancas ou levemente rosadas originam pequenos frutos que contêm sementes muito aromáticas.
Efeitos terapêuticos: antibacteriano, antidiarreico, antirreumático, antiespasmódico, afrodisíaco, carminativo (possui uma substância que combate a formação de gases no intestino), estimulante e estomáquico.
Usos: a medicina caseira aconselha o chá de folhas contra a má digestão. O chá, preparado com os frutos, tem efeito salutar nas doenças das vias urinárias, nas perturbações do estômago, nos gases intestinais, além de ser um excelente regulador da menstruação.
Vale saber! Proibido o uso sem orientação profissional – médico ou fitoterapeuta – e por gestantes e lactantes. Deve ser evitado em casos de gastrite ou úlcera de estômago. O óleo essencial é fotossensibilizante, e, por isso, quem o utiliza deve evitar a exposição ao sol.

112. Comigo-ninguém-pode

Nome científico: *Dieffenbachia seguine* (Jacq.) Schott.
Outros nomes: aningapara.
Família: Araceae.
Origem: Colômbia e Costa Rica.
Partes usadas: nenhuma, pois todas as partes são tóxicas.
Características: planta ornamental com folhas grandes e brilhantes decoradas por variegados, que vão da cor branca à verde-clara. Tem boa resistência à baixa luminosidade.
Efeitos terapêuticos: é muito comum nos jardins graças à crença popular de que é uma planta com poderes energéticos de proteção contra "mau-olhado".
Uso: para "atrair boas energias".
Vale saber! Esta planta é altamente tóxica e, por isso, não pode ser ingerida em nenhuma ocasião.

113. Confrei

Nome científico: *Symphytum officinale* L.
Outros nomes: orelha-de-asno, erva-do-cardeal, consolda.
Família: Boraginaceae.
Origem: Europa e Ásia.
Partes usadas: rizoma, raiz e folha.
Características: planta herbácea, com flores de cores branca, rosada ou violeta. Produz uma grande quantidade de folhas lanceoladas e ásperas, cuja composição é rica em proteínas.
Efeitos terapêuticos: anti-inflamatório, cicatrizante, adstringente, emoliente, expectorante, vulnerário (substância própria para curar feridas).
Usos: científico comprovado como cicatrizante em equimoses, hematomas e contusões. É utilizado em forma de compressas aplicadas diretamente sobre ferimentos, por sua propriedade cicatrizante e regeneradora dos tecidos.
Vale saber! Proibido o uso sem orientação profissional – médico ou fitoterapeuta – e por gestantes, lactantes e por pessoas com câncer. O confrei é uma planta perigosa e, por isso, o Ministério da Saúde do Brasil proibiu seu uso interno.

114. Cravo-de-defunto

Nome científico: *Tagetes erecta* L.
Outros nomes: cravo-fétido-da-índia, erva-de-tunis, maravilha e rojão.
Família: Compositae.
Origem: América Central.
Partes usadas: folha e flor.
Características: planta herbácea de odor forte. Possui folhas opostas, multifendidas, flores amareladas e de aroma desagradável. É amplamente cultivada em todo o mundo como ornamental. Tem valor comercial devido à propriedade corante que possui.

Efeitos terapêuticos: sudorífico, antiespasmódico, antirreumático, vermífugo, laxante, anti-helmíntico, aromático, digestivo, diurético, sedativo, estomáquico e inseticida.
Usos: o chá das flores e folhas é usado contra angina e cólicas uterinas. O cravo-de-defunto é considerado estimulante e o óleo dele extraído é vermífugo. Suas raízes e sementes possuem efeito laxativo. Externamente serve para tratar feridas, úlceras, eczema e reumatismo.
Vale saber! Proibido o uso sem orientação profissional – médico ou fitoterapeuta. Em uso externo, algumas pessoas podem apresentar hipersensibilidade na pele.

115. Couve
Nome científico: *Brassica oleracea* var. acephala.
Outros nomes: couve-comum e couve-de-folha.
Família: Brassicaceae.
Origem: Mediterrâneo.
Partes usadas: folha e caule.
Características: hortaliça arbustiva, anual e herbácea. Não forma cabeça densa como a couve-flor e o repolho. É um repolho "sem cabeça", acéfalo. As folhas são grandes, arredondadas, com superfície lisa ou onduladas, bordas não recortadas, coloração verde-clara a verde-escura coberta por fina camada de cera.
Efeitos terapêuticos: antibacteriano, antiviral e antioxidante.
Usos: folhas de couve são nutritivas, têm baixas calorias e não contêm colesterol. As folhas verdes contêm boa quantidade solúvel e insolúvel de fibras dietéticas que ajudam a controlar o nível de colesterol LDL e oferecem proteção contra hemorroidas, prisão de ventre e câncer de cólon.
Vale saber! Proibido o uso sem orientação profissional – médico ou fitoterapeuta. Por ser muito nutritiva, a couve quase não tem contraindicações, contudo é necessário tomar cuidado com a higienização das folhas antes do consumo.

116. Cupuaçu
Nome científico: *Theobroma grandiflorum* (Willd. ex Spreng.) K.Schum.
Outros nomes: cupuaçú-verdadeiro, copoaçú e pupuaçú.
Família: Malvaceae.
Origem: Brasil.
Partes usadas: polpa do fruto e sementes.
Características: árvore de pequeno porte e ciclo anual, que alcança até 8 m de altura por mudas cultivadas. Mudas silvestres na mata alta alcançam até 18 m de altura. O tronco geralmente é reto com casca marrom-escura, fissurada, com ramos superiores ascendentes e os inferiores, horizontais. Pode viver até 80 anos.
Efeito terapêutico: tônico.
Usos: indicado como antiespasmódico nas dores abdominais e nos partos difíceis.
Vale saber! Proibido o uso sem orientação profissional – médico ou fitoterapeuta. Pode causar diarreia se consumido em excesso.

117. Curry
Nome científico: *Helichrysum italicum* (Roth) G.Don.
Outros nomes: Cury.
Família: Asteraceae.
Origem: Europa.
Partes usadas: folhas.
Características: arbusto de folhas pequenas de cor acinzentada. Eventualmente desenvolve flores de cor amarela.
Efeitos terapêuticos: anti-inflamatório, antiviral, antiespasmódico, adstringente, bactericida, emoliente, diurético, expectorante, fungicida, aromático e sedativo.
Usos: como condimento no tempero de carnes vermelhas e pode ser consumido em forma de infusão.
Vale saber! Proibido o uso sem orientação profissional – médico ou fitoterapeuta. A superdosagem leva ao entorpecimento.

118. Dama-da-noite
Nome científico: *Cestrum nocturnum* L.
Outros nomes: rainha-da-noite, jasmim-da-noite e jasmim-verde.
Família: Solanaceae.
Origem: América tropical.
Partes usadas: batatas, flores associadas ou flores.
Características: ramos de folhas simples que podem atingir até 3 metros. Inflorescências numerosas, de cor creme, que exalam um perfume muito forte à noite. Seu fruto é cinza.
Efeito terapêutico: anti-inflamatório.
Usos: a batata e a flor associadas, sob a forma de infuso e vinho, são usadas na gastrenterite. Em associação à salsaparrilha, é usada contra inflamação. A flor, sob a forma de infuso, é usada para expelir cálculos da bexiga e dos rins e para tratar corrimento vaginal.
Vale saber! Proibido o uso sem orientação profissional – médico ou fitoterapeuta. Causa intoxicação quando seus frutos ou folhas são ingeridos, gerando náuseas e vômitos seguidos por um quadro neuro-

lógico caracterizado por agitação psicomotora, distúrbios de comportamento e alucinações, além de secura de mucosas. É tóxico para os animais.

119. Damasco, damasqueiro

Nome científico: *Prunus armeniaca* L.
Outros nomes: abricó e alperceiro.
Família: Rosaceae.
Origem: provavelmente China e Ásia Central.
Partes usadas: raiz, casca, flor, fruto e semente.
Características: a árvore atinge até 12 m de altura e tem copa redonda. As folhas são arredondadas ou ovoides, com 6 a 9 cm de comprimento e 5 a 8 cm de largura. As flores são de cor vermelho-escuro e o fruto tem coloração que varia entre branca, amarela, laranja e vermelha-alaranjada. Contém uma grande semente (amêndoa), achatada, de sabor doce ou amargo.
Efeitos terapêuticos: laxante, anti-inflamatório, antisséptico, antipirético, oftálmico, tônico, adstringente, analgésico, anti-helmíntico, antiasmático, antiespasmódico, antitussígeno, emoliente, expectorante, sedativo e vulnerário (substância própria para curar feridas).
Usos: indicado para doenças respiratórias e digestivas, pele inflamada e irritada, asma, tosse, bronquite (aguda ou crônica) e constipação.
Vale saber! Proibido o uso sem orientação profissional – médico ou fitoterapeuta. O fruto amargo é anti-inflamatório e antisséptico. É usado medicinalmente no Vietnã no tratamento de doenças respiratórias e digestivas.

120. Damiana

Nome científico: *Turnera diffusa* Willd. ex Schult.
Outros nomes: albina, erva-damiana e turnera.
Família: Turneraceae.
Origem: México e Brasil.
Partes usadas: folhas e raízes.
Características: arbusto aromático com sabor agradável, ramoso, que tem folhas e pétalas espatuladas. O fruto constitui-se de uma cápsula subglobosa que mede cerca de 5 mm, com muitas sementes.
Efeitos terapêuticos: tônico, estimulante, afrodisíaco, antidiarreico, diurético e adstringente.
Usos: utilizada contra dificuldades sexuais masculina e feminina e para quem retém líquido.
Vale saber! Proibido o uso sem orientação profissional – médico ou fitoterapeuta – e por gestantes e lactantes. É considerada tóxica se consumida em altas doses. Embora não haja estudo, Turnera diffusa, devido a seu conteúdo de arbutin – poderoso despigmentante de origem natural –, é contraindicada.

121. Dendê, dendezeiro

Nome científico: *Elaeis guineensis* Jacq.
Outros nomes: palmeira-de-óleo-africana, coco-de-dendê, dendê-da-costa e coco-de-azeite.
Família: Arecaceae.
Origem: África.
Partes usadas: folha e fruto.
Características: atinge geralmente 15 m de altura, tem folhas com até 1 m de comprimento e a base recoberta de espinhos. As flores têm coloração creme-amarelada, reunidas em cacho. O fruto é uma baga oval, de coloração amarela ou alaranjada, aglomerado em cachos.
Efeitos terapêuticos: anódino, antídoto, afrodisíaco, diurético, vulnerário (substância própria para curar feridas), emoliente, antirreumático, vermífugo.
Usos: deficiência de vitamina A, dor de cabeça, anemia, dermatose, supurações, abcessos, inchaço das pernas.
Vale saber! Proibido o uso sem orientação profissional – médico ou fitoterapeuta. Deve ser evitado por pessoas com colesterol elevado, hipertensão e problemas de fígado.

122. Dedaleira

Nome científico: *Digitalis purpurea* L.
Outros nomes: abeloura, digital, digitalina, erva-albiloura e erva-dedal.
Família: Plantaginaceae.
Origem: Europa.
Partes usadas: folhas e flores.
Características: as folhas são rugosas, em roseta e com nervuras elevadas na face inferior, que é mais clara. A inflorescência é bastante longa e composta de

flores em formato de dedal, podendo ser de cores róseas, roxas ou brancas, com pintas na parte interna.
Efeito terapêutico: cardiotônico.
Usos: insuficiência cardíaca e arritmias
Vale saber! Proibido o uso sem orientação profissional – médico ou fitoterapeuta –, pois é muito tóxica em doses altas.

123. Dente-de-leão
Nome científico: *Taraxacum officinale* Weber.
Outros nomes: taraxaco, amor-de-homem, amorosa, alface-de-cão echicória-silvestre.
Família: Asteraceae (Compositae).
Origem: Europa.
Partes usadas: rizomas, raízes e folhas.
Características: planta espontânea, muito comum em gramados e jardins. A raiz é mais ou menos grossa e, quando cortada, expulsa leite não tóxico. Do extremo superior (caule) brotam as folhas de cor verde-escura dentadas, cujas sementes têm prolongamentos plumosos. Flores de cor amarelo-ouro.
Efeitos terapêuticos: possui atividade colerética (aumentam a quantidade de bile secretada pelo fígado que fica armazenada na vesícula biliar, até que a passagem dos alimentos provoque o seu esvaziamento para o intestino. Aumentando a produção de bile, as plantas coleréticas descongestionam o fígado favorecendo a digestão), diurética e laxante.
Usos: fonte de potássio para o organismo, estimula a função renal. O alto teor de potássio também assegura um maior controle de esfoliação das vias urinárias. Também tem ação colagoga – facilita a transferência da bile contida na vesícula biliar para o duodeno, diminuindo a bile.
Vale saber! Proibido o uso sem orientação profissional – médico ou fitoterapeuta. O uso interno, devido às substâncias amargas, pode causar moléstias gástricas com hiperacidez. Externamente, o látex pode causar dermatites de contato.

124. Dilenia
Nome científico: *Dillenia indica* L.
Outros nomes: fruta-cofre, árvore-da-pataca, maçã-de-elefante, árvore-do-dinheiro e flor-de-abril.
Família: Dilleniaceae.
Origem: sudeste da Ásia.
Partes usadas: fruto e flor.
Características: árvore perene de até 30 m de altura. Folhas organizadas em espiral, simples e oblongas. Flor de cor branca com 20 cm de diâmetro e fruto grande, com aroma que lembra cebola. A polpa tem sabor ácido.
Efeitos terapêuticos: adstringente, refrescante, cardiotônico e laxante.
Usos: indicada para angina, febre e nas disfunções do sistema nervoso central.
Vale saber! Proibido o uso sem orientação profissional – médico ou fitoterapeuta. O extrato alcoólico ocasiona atividade depressora no sistema nervoso central.

125. Dormideira
Nome científico: *Mimosa pudica* L.
Outros nomes: sensitiva, dorme-dorme, não-me-toques, malícia e malícia-de-mulher.
Família: Leguminosae.
Origem: América Central e América do Sul.
Partes usadas: raiz, caule, folha, flor e fruto.
Características: arbusto perene, ramificado e espinhoso, cresce ereto ou alastrando-se até altura de 1 m. As hastes são lenhosas na base, duras, cilíndricas, de cor castanha-avermelhada ou roxa, e com espinhos ligeiramente curvados, duros e afiados, espalhados ao longo dos entrenós. A raiz é longa e robusta. As folhas são peludas.
Efeitos terapêuticos: cicatrizante, antimicrobiano, analgésico, anti-inflamatório, anticonvulsivo, antidiarreico, antioxidante, hepatoprotetor, anti-helmíntico, anti-hiperglicêmico e antiúlcera.
Usos: doenças do fígado, prisão de ventre, inflamações da boca e garganta, dor de dente, cárie, reumatismos articulares e tumores.
Vale saber! Proibido o uso sem orientação profissional – médico ou fitoterapeuta. Grandes doses têm efeitos tóxicos.

126. Dormideira-do-oriente
Nome científico: *Papaver somniferum* L.
Outros nomes: papoula-dormideira e papoula.
Família: Papaveraceae.
Origem: Mediterrâneo e Oriente Médio.
Partes usadas: folha, óleo e semente.
Características: ereta e anual, pode atingir uma altura de até 1,5 m. Apresenta folhas grandes e flores de até 10 cm de diâmetro, de cores branca, lilás ou púrpura, com pétalas arredondadas de até 4 cm, às vezes com manchas escuras na base. O fruto pode ter até 9 cm.
Efeitos terapêuticos: anódino (capaz de suavizar a dor), antitussígeno, adstringente, sudorífico, emenagogo, hipnótico e sedativo narcótico.
Usos: alívio da dor, contra tosse, disente-

ria, constipação, febre e insônia.
Vale saber! Proibido o uso sem orientação profissional – médico ou fitoterapeuta. Altas doses ocasionam efeitos tóxicos, como depressão respiratória, sonolência intensa, frequentemente acompanhada de vômitos, cefaleias e retenção urinária e fecal. Cianose, hipoxia, pele fria, atonia dos músculos esqueléticos e arreflexia foram também observados. Em alguns casos, também se verificou queda brusca da tensão arterial e, em crianças, acidente vascular cerebral.

127. Efedra
Nome científico: E*phedra viridis* Coville.
Outros nomes: desconhecidos.
Família: Ephedraceae.
Origem: América do Norte.
Partes usadas: fruto, semente e caule (haste).
Características: planta arbustiva de porte médio a pequeno, com agulhas articuladas que vão 2 a 12 cm de comprimento, folhas opostas e caule verde muito ramificado. As hastes variam da cor azul-acinzentada a verde, amarela ou verde-escura brilhante.
Efeitos terapêuticos: adstringente, diurético, tônico, purificador do sangue, broncodilatador e descongestionante.
Usos: indicado no tratamento de resfriado comum e asma.
Vale saber! Proibido o uso sem orientação profissional – médico ou fitoterapeuta. Não deve ser consumido por gestantes, lactantes, diabéticos, cardíacos ou hipertensos. Seu consumo não deve ser associado a outros medicamentos para asma ou inibidores do SNC. A efedrina, princípio ativo da efedra, pode causar tremores, insônias, nervosismo, palpitações cardíacas e aumento da pressão arterial.

128. Embaúba
Nome científico: *Cecropia peltata* L.
Outros nomes: Imbaúba, umbaúba, ambaiba, imbaíba, baúna e árvore da preguiça.
Família: Urticaceae.
Origem: Brasil.
Partes usadas: folhas.
Características: árvore de crescimento rápido, com tronco ereto e oco e folhas duras, ásperas e brancas. O fruto é oval, de cor roxa (quase preta), com polpa doce, branca e aquosa.
Efeitos terapêuticos: descongestionante, antiespasmódica, cardiotônica e diurética.
Usos: a infusão das folhas é utilizada para o alívio de asma, tosse e problemas respiratórios, como bronquite, doença pulmonar obstrutiva crônica, enfisema e sarcoidose pulmonar (doença que afeta com maior frequência pulmões, pele e gânglios linfáticos), além de diabetes.
Vale saber! Proibido o uso sem orientação profissional – médico ou fitoterapeuta. O chá, se ministrado em excesso, é altamente diurético e, por isso, pode causar perda de minerais do organismo.

129. Epilóbio

Nome científico: *Epilobium parviflorum* Schreb.
Outros nomes: epilobium e flor de willow.
Família: Onagraceae.
Origem: América do Norte e Europa.
Partes usadas: folha e flor.
Características: folhas longas e perenes, e flores cor-de-rosa.
Efeitos terapêuticos: calmante, adstringente, tônico e antiespasmódico.
Usos: a decocção das folhas serve para aliviar as vias aéreas acometidas por soluços e tosses espasmódicas.
Vale saber! Proibido o uso sem orientação profissional – médico ou fitoterapeuta – e por gestante e lactante.

130. Equinácea
Nome científico: *Echinacea purpurea* (L.) Moench.
Outros nomes: flor-de-cone, púrpura e rudbéquia.
Família: Compositae.
Origem: América do Norte.
Partes usadas: flor, rizoma e raiz.
Características: erva perene, com altura média de 30 a 50 cm, talo delgado e aveludado, com folhas ásperas. A inflorescência é solitária, de cores púrpura ou branca.
Efeitos terapêuticos: imunomodulador, anti-inflamatório, anti-infeccioso e antioxidante.
Usos: a infusão das flores ou decocção das raízes fortalece o sistema imunológico e combate inflamações e infecções. Compressas das flores sobre a pele podem ser usadas para tratar eczemas e acne.

Vale saber! Proibido o uso sem orientação profissional – médico ou fitoterapeuta – por gestante, lactante, crianças ou por quem tem hipersensibilidade às plantas da família Asteraceae. Como todo imunoestimulante, seu uso não é recomendado também em desordens sistêmicas progressivas ou doenças autoimunes, como tuberculose, leucoses, colagenoses, esclerose múltipla, AIDS. As reações adversas com o uso de Equinácea são brandas e raras, podendo ocorrer gosto desagradável na boca, náusea e vômito, dor abdominal, diarreia, ardência e desconforto na garganta, aumento da salivação e dor de cabeça.

131. Erva-azeda

Nome científico: *Oxalis acetosella* L.
Outros nomes: azedinha, oxalis, falso-trevo
Família: Oxalidaceae.
Origem: Europa e Ásia.
Parte usada: folha.
Características: planta perene com 10 cm de altura, inflorescência de cor branca com finas riscas de coloração cor-de-rosa, violeta ou vermelha.
Efeitos terapêuticos: febrífuga, diurética, refrescante, antiescorbútica, depurativa, expectorante, adstringente, desopilante e descongestionante do fígado.
Usos: combate inflamações intestinais e da bexiga, constipação, feridas, gengivite, icterícia, cicatrização lenta, inchaço e febre.
Vale saber! Proibido o uso sem orientação profissional – médico ou fitoterapeuta. Não deve ser consumida por quem sofre de gastrite e cálculo renal.

132. Erva-baleeira

Nome científico: *Cordia curassavica* (Jacq.) Roem. & Schult.
Outros nomes: baleeira, maria-preta, maria-milagrosa e catinga-de-barão.
Família: Boraginaceae.
Origem: América tropical.
Parte usada: folha.
Características: espécie arbustiva de 80 a 200 cm de altura, perene, com folhas de disposição paralelas e internas, alongadas e lanceoladas, com pontas delgadas medindo de 5 a 10 cm de comprimento e 2 a 5 cm de largura. As flores são pequenas, de cor branca.
Efeito terapêutico: anti-inflamatório.
Usos: indicado para o tratamento da tosse, pneumonia, de doenças parasitárias e em processos inflamatórios. Tem uso científico comprovado como anti-inflamatório.
Vale saber! Proibido o uso sem orientação profissional – médico ou fitoterapeuta. Não deve ser consumida por quem sofre de gastrite e cálculo renal.

133. Erva-cidreira

Nome científico: *Melissa officinalis* L.
Outros nomes: melissa.
Família: Lamiaceae.
Origem: Europa e Ásia Ocidental.
Partes usadas: folha, flor e óleo essencial.
Características: a planta herbácea tem haste autossustentável e vive mais de dois anos. A cor da pétala pode ser branca, amarela, rosa ou vermelha. As folhas são simples, opostas, com duas folhas por nó ao longo do caule.
Efeitos terapêuticos: antiespasmódico, ansiolítico e sedativo leve.
Usos: regula a menstruação, diminui cólicas e tem efeito tônico no útero. Também é usada em casos de esterilidade, insônia nervosa, problemas gastrintestinais funcionais, herpes e mau hálito, além de ser revigorante quando usada em banhos.
Vale saber! Proibido o uso sem orientação profissional – médico ou fitoterapeuta. Embora seja antialérgica, pode irritar peles sensíveis.

134. Erva-cidreira--de-arbusto

Nome científico: *Lippia alba* (Mill.) N.E.Br. ex Britton & P.Wilson.
Outros nomes: cidreira, cidreira-brava, cidreira-falsa, cidreira-melissa, salva--do-brasil e salva-limão.
Família: Verbenaceae.
Origem: Brasil.
Parte usada: superior.
Características: planta de porte arbustivo, de 2 a 4 metros de altura, com ramos claros, longos e quebradiços – que saem da base da planta. Folhas completas, ovadas, opostas, ásperas e de cor verde-escura. As flores de coloração rosa e lilás surgem ao longo da axila das folhas.
Efeitos terapêuticos: ansiolítico, sedativo leve, antiespasmódico e antidispéptico

(capaz de tratar a má digestão).
Usos: indicada para insônia, asma, gastrite, menstruação atrasada, aceleração do parto e em banhos vaginais.
Vale saber! Proibido o uso sem orientação profissional - médico ou fitoterapeuta - por gestantes, lactantes e por quem é hipotenso. Grandes dosagens podem provocar vômitos e diarreia.

135. Erva-de-bicho
Nome científico: *Polygonum punctatum* Elliott.
Outros nomes: ecapetiçoba, catária, pimenta-do-brejo, pimenta-d'água, catala, capiçoba, percicária-do-brasil, petincobe, potincoba e erva-pulgueira.
Família: Polygonaceae.
Origem: Américas.
Partes usadas: folha e partes superiores secas.
Características: as folhas têm uma mancha de cor marrom na parte central. O caule cilíndrico, de coloração avermelhada, tem até 90 cm de altura. As flores são rosadas e o fruto é liso e brilhante.
Efeitos terapêuticos: adstringente, antisséptico, cicatrizante, diurético e hipotensor.
Usos: para estancar o sangramento de feridas, hemorroidas, varizes, infecções urinárias, reumatismo, infecções de pele, queda capilar e dores musculares, além de estimular a circulação.
Vale saber! Proibido o uso sem orientação profissional - médico ou fitoterapeuta - e por gestantes e lactantes.

136. Erva-doce
Nome científico: *Pimpinella anisum* L.
Outros nomes: anis, anis-verde, pimpinella, anacio, anise e anis vert.
Família: Apiaceae.
Origem: Egito e Turquia.
Parte usada: folha.
Características: planta herbácea anual, ereta e aromática, com caule ramoso, estriado e cilíndrico. Os frutos parecem pequenas sementes.
Efeitos terapêuticos: calmante, cicatrizante, diurético, estimulante gastrointestinal, estomático, expectorante, galactogênico, sudorífico e tônico.
Usos: serve para aliviar as cólicas intestinais. Graças às propriedades alcalinizantes, funciona como expectorante. É ainda estimulante da digestão e diurética. Externamente, é útil contra micoses cutâneas, pediculose e escabiose.
Vale saber! Proibido o uso sem orientação profissional - médico ou fitoterapeuta. O óleo essencial, em altas doses, provoca intoxicação acompanhada de tremores. O abuso crônico provoca convulsões e confusão mental.

137. Erva-do-gato
Nome científico: *Nepeta cataria* L.
Outros nomes: erva gateira, erva-dos-gatos e alfavaca-dos-gatos.
Família: Lamiaceae.
Origem: Europa.
Parte usada: folha.
Características: folhas perfumadas, de formato oval e acuminadas, com margens denteadas e cobertas por pequenos pelos, inseridas de forma oposta nos ramos. As flores são pequenas e de cor branca ou lilás, reunidas em inflorescência tipo espiga.
Efeitos terapêuticos: antiespasmódico, carminativo, emenagogo (aumenta o fluxo menstrual ou provoca menstruação), antiácido, tônico e cicatrizante.
Usos: para insônia e excitação nervosa.
Vale saber! Proibido o uso sem orientação profissional - médico ou fitoterapeuta - e por gestantes, lactantes e crianças. Sua raiz é tóxica.

138. Erva-de-Santa-Maria
Nome científico: *Dysphania ambrosioides* (L.) Mosyakin & Clemants.
Outros nomes: mentruz, mastruz, mastruço e erva-formigueira.
Família: Amaranthaceae.
Origem: América Central, América do Sul e México.
Partes usadas: folha, flor, fruto verde e semente.
Características: erva perene ou anual com até 1 metro de altura. Seus frutos são pequenos, ricos em óleo e facilmente confundidos com sementes. Tem aroma forte e desagradável.
Efeitos terapêuticos: antibacteriano, estomáquico, diurético, vermífugo, sudorífico, cicatrizante, tônico, digestivo e hipossecretor gástrico.
Usos: contra eczemas, úlcera, cólica, dor de estômago, angina, infecção pulmonar, contusão, ressaca alcoólica e afecção do fígado.
Vale saber! Proibido o uso sem orientação profissional - médico ou fitoterapeuta -, por gestantes e crianças menores de 2 anos de idade. Deve ser administrada com muita cautela.

139. Erva-de-São-João
Nome científico: *Hypericum perforatum* L.
Outros nomes: coraçãozinho, baba-de-boi-de-campina, hipérico, milfurada, pericão e hepericão.

Família: Hypericaceae.
Origem: Europa.
Partes usadas: flores secas inteiras ou fragmentadas.
Características: planta herbácea perene, que pode atingir até 1 m de altura. Tem flores de cor amarela, com cinco pétalas, com 2,5 cm. As folhas possuem pequenos pontos translúcidos e os botões, pequenos pontos escuros.
Efeitos terapêuticos: ansiolítico, antiulcerogênico, antiviral, antibacteriano, cicatrizante e anti-inflamatório.
Usos: indicada para combater cansaço, ansiedade e insônia. Pode-se fazer massagem com seu óleo em articulações inflamadas, tendinite e dores nevrálgicas.
Vale saber! Proibido o uso sem orientação profissional – édico ou fitoterapeuta – e por gestantes, pois promove contração uterina. Pode provocar manchas vermelhas na pele, ocasionando dermatite, por apresentar fotossensibilidade (sensibilidade à luz do sol).

140. Erva-dos-cantores
Nome científico: Sisymbrium officinale (L.) Scop.
Outros nomes: eríssimo, eríssimo-das-boticas, erva-rinchão, rinchão e saramago-rinchão.
Família: Brassicaceae.
Origem: Europa e Norte da África.
Partes usadas: folha, botão floral verde e semente.
Características: o caule possui entrenós e é curto, com folhas basais formando uma roseta. A planta inteira tem tonalidade verde-acinzentada. As flores são pequenas e em cachos que, quando maduros, liberam as sementes.
Efeitos terapêuticos: diurético, expectorante, laxante, estomáquico, rubefaciente, antisséptico, antimicrobiano e anticancerígeno.
Usos: o suco da planta misturado com mel ou açúcar é indicado para tratamento de rouquidão, faringite, bronquite, tosse e dores de garganta.
Vale saber! Proibido o uso sem orientação profissional – médico ou fitoterapeuta. Consumido em doses exageradas pode ter efeito sedativo e causar sonolência.

141. Erva-mate
Nome científico: Ilex paraguariensis A.St.-Hil.
Outros nomes: mate e erva-do-paraguai.
Família: Aquifoliaceae.
Origem: América do Sul.
Partes usadas: folha e ramo.
Características: árvore perene de até 15 m de altura, ramos abundantes, pouco rígidos, verde-claros, com extremidade arroxeada e sulcada. As folhas são simples, alternas, pecioladas, serradas ou dentadas. As flores são pequenas e pálidas, já os frutos são vermelhos ou negros, quando maduros.
Efeitos terapêuticos: estimulante do sistema nervoso central, diurético, anti-inflamatório, antioxidante, antirreumático e benéfico para o sistema cardiovascular.
Usos: indicado para tratar fraqueza, cansaço, depressão e má digestão. É ótima fonte de antioxidantes.
Vale saber! Proibido o uso sem orientação profissional – médico ou fitoterapeuta. As folhas possuem grande concentração de cafeína, devendo ser evitadas por pessoas com insônia, problemas cardíacos e de pressão arterial. O consumo em excesso pode provocar irritação na mucosa da boca, taquicardia e diarreia.

142. Espada-de-São-Jorge
Nome científico: Sansevieria trifasciata Prain.
Outros nomes: espada-de-são-jorge, espada-de-ogum, língua-de-sogra, rabo-de-lagarto, sansevéria e planta-cobra.
Família: Liliaceae.
Origem: África.
Parte usada: folhas.
Características: planta ornamental resistente com folhas em forma de espada. As versões de cor verde-escura e verde acinzentada são as espadas-de-são-jorge, e a variedade com borda amarela é mais conhecidas por espada-de-iansã.
Efeitos terapêuticos: para as religiões afro-brasileiras, tem o poder de afastar vibrações negativas e outras forças do mal.
Uso: para "atrair boas energias".
Vale saber! Proibido o uso sem orientação profissional – médico ou fitoterapeuta. É altamente tóxica.

143. Espinheira-santa
Nome científico: Maytenus ilicifolia Mart. ex Reissek.
Outros nomes: cancorosa-de-sete-espinhos, sombra-de-touro, cancorosa.
Família: Celastraceae.
Origem: América do Sul.
Parte usada: folha.
Características: árvore de pequeno porte de até 5 m de altura, ereta, multicaule, com touceiras densas e raízes fortes e numerosas. O caule é verde-acinzentado, lenhoso, ereto, ramificado, com muitos ramos. Folhas simples e alternadas. Pos-

sui flores muito pequenas.
Efeitos terapêuticos: antidispéptico, antiácido e protetor da mucosa gástrica.
Usos: indicado para amenizar ressaca alcoólica, feridas, azia, gastralgia e úlcera gástrica.
Vale saber! Proibido o uso sem orientação profissional – médico ou fitoterapeuta – e por gestantes.

144. Espirradeira

Nome científico: *Nerium oleander* L.
Outros nomes: louro-rosa, oleandro, loendro e cevadilha.
Família: Apocynaceae.
Origem: África, Mediterrâneo e Ásia.
Partes usadas: folha e raiz.
Características: árvore de médio porte, pode chegar a 12 m. Folhas dispostas em grupos de três por cada nó. Flores dobradas ou simples, de cor branca, amarela, rosa e vermelha.
Efeitos terapêuticos: para uso externo, apresenta propriedades diuréticas, antibacterianas, antifúngicas e expectorantes.
Usos: indicada externamente no tratamento da sarna e para reduzir inchaços. A raiz é usada em emplastros, aplicada apenas externamente devido às suas características venenosas. A casca é usada como febrífugo, laxante e na febre intermitente. O óleo preparado a partir da casca de raiz é usado no tratamento da lepra e em desordens cutâneas escamosas.
Vale saber! Proibido o uso sem orientação profissional – médico ou fitoterapeuta – e por gestantes. É venenosa e só pode ser usada externamente.

145. Estévia

Nome científico: *Stevia rebaudiana* (Bertoni) Bertoni.
Outros nomes: capim-doce, erva-adocicada, erva-doce, folha-doce e planta-doce.
Família: Compositae.
Origem: Paraguai.
Parte usada: folha.
Características: pequeno arbusto de cor verde, pertencente ao grupo das flores e ervas aromáticas, como a camomila ou as margaridas.
Efeitos terapêuticos: hipoglicemiante, hipotensor, diurético, cardiotônico, tônico para o sistema vascular e antiflogístico.
Usos: o uso na forma de chá impede a absorção do açúcar pelo intestino, sendo benéfico aos portadores de diabetes. Exerce efeito calmante sobre o sistema nervoso, eliminando fadiga, depressão, insônia e tensão, além de estimular as funções digestivas e cerebrais. Age também contra azia, ácido úrico, reumatismo e auxilia no emagrecimento.
Vale saber! Proibido o uso sem orientação profissional – médico ou fitoterapeuta – e por diabéticos.

146. Estragão

Nome científico: *Artemisia dracunculus* L.
Outros nomes: estragão, erva-dragão e estragão-francês.
Família: Asteraceae.
Origem: sul da Rússia e Mongólia.
Parte usada: folha.
Características: planta perene de cor verde-escura, com talo e folhas estreitas se dividindo em três pontas. Normalmente atinge de 60 a 150 cm de altura, mas pode chegar a 2 m e não forma flores. Existem dois tipos de estragão: o verdadeiro (ou francês) e o falso (ou russo). O primeiro não pode ser cultivado por meio de sementes, o que torna sua produção mais difícil. Fisicamente há pouca diferença entre eles, apenas as folhas do verdadeiro são mais escuras e lustrosas.
Efeitos terapêuticos: aperiente, carminativo, depurativo, digestivo, emenagogo (aumenta o fluxo menstrual ou provoca menstruação), estimulante, estomáquico e vermífugo.
Usos: é eficaz para estimular o apetite, a secreção de sucos gástricos e a digestão, além de combater cólicas menstruais.
Vale saber! Proibido o uso sem orientação profissional – médico ou fitoterapeuta – e por gestantes e lactantes.

147. Eucalipto

Nome científico: *Eucalyptus globulus* Labill.
Outros nomes: eucalipto-comum e eucalipto-da-tasmânia.
Família: Myrtaceae.
Origem: Tasmânia.
Parte usada: folhas.

Características: árvore de grande porte, tronco frequentemente retorcido, com casca lisa e caduca, de tom acinzentado. As folhas adultas atingem até 30 cm de comprimento e são de cor verde-brilhante.
Efeitos terapêuticos: expectorante, balsâmico, anticatarral, hipoglicemiante e antisséptico.
Usos: internamente, as folhas e o óleo são eficazes contra doenças das vias respiratórias. Externamente, atuam como cicatrizante e antisséptico.
Vale saber! Proibido o uso sem orientação profissional – médico ou fitoterapeuta. O uso excessivo pode causar gastroenterite ou sangue na urina.

148. Falso-boldo
Nome científico: *Coleus barbatus* (Andrews) Benth. ex G.Don.
Outros nomes: boldo-de-jardim e tapete-de-oxalá.
Família: Labiatae.
Origem: Ásia.
Parte usada: folha.
Características: subarbusto perene de 1,5 a 2 metros de altura, ramos de secção quadrangular, folhas opostas e pilosas com flores pentâmeras, de cores azuis e violáceas, reunidas em cachos. Seu sabor é amargo e possui um odor característico.
Efeitos terapêuticos: digestivo, tônico, hipossecretor gástrico e carminativo (possui uma substância que combate a formação de gases no intestino).
Usos: indicado para doenças do fígado e ressaca alcoólica.
Vale saber! Proibido o uso sem orientação profissional – médico ou fitoterapeuta. Em doses elevadas pode causar irritação gástrica e aceleração cardíaca.

149. Falso-unicórnio
Nome científico: *Chamaelirium luteum* (L.) A.Gray
Outros nomes: heléboro amarelo.
Família: Melanthiaceae.
Origem: estado americano do Mississípi, América do Norte.
Parte usada: raiz.
Características: hastes longas e curvas, que crescem de 12 a 40 centímetros de comprimento e são cobertas de flores que vão da cor branca à rosa e roxa.
Efeitos terapêuticos: estrogênico, tônico uterino, analgésico e diurético.
Usos: indicação para problemas ginecológicos, sobretudo para a melhora do funcionamento dos ovários, irregularidades do ciclo menstrual, assim como na prevenção do aborto. Também serve nos enjoos matutinos, quistos nos ovários, desequilíbrio hormonal e baixa fertilidade.
Vale saber! Proibido o uso sem orientação profissional – médico ou fitoterapeuta – e por gestantes. Pode causar irritabilidade e desânimo. Grandes doses podem levar à intoxicação cardíaca.

150. Fava
Nome científico: *Vicia faba* L.
Outros nomes: faveira e feijão-fava.
Família: Leguminosae.
Origem: nativa do norte da África, sudoeste e sul da Ásia.
Partes usadas: semente e vagem.
Características: planta trepadeira que produz vagens grandes, dentro das quais se formam os grãos. Alcança cerca de 1,20 m de altura e produz flores grandes, de cor branca ou rósea, às vezes arroxeadas, com mácula preta. O fruto típico é um legume (vagem).
Efeitos terapêuticos: hipolipemiante – fármacos usados no tratamento da dislipidemia (alterações nos lipídios séricos, o que constitui um fator de risco para aterosclerose e, consequentemente, doença coronariana) – principalmente no controle do colesterol e antioxidante.
Usos: indicado na remoção de verrugas e no combate ao câncer do colo.
Vale saber! Proibido o uso sem orientação profissional – médico ou fitoterapeuta – embora sejam desconhecidos relatos de reações adversas.

151. Fazendeiro
Nome científico: *Galinsoga parviflora* Cav.
Outros nomes: picão-branco, botão-de-ouro e fazendeiro.
Família: Asteraceae (Compositae).
Origem: Peru.
Partes usadas: toda a planta.
Características: erva anual, ereta, de até 80 cm de altura, ramificada desde a base. Folhas opostas pecioladas. Inflorescência em capítulos solitários e flores de cor branca ou amarela. Fruto aquênio com vilano escamoso.
Efeitos terapêuticos: cicatrizante e anti-inflamatória.
Usos: indicado na cicatrização de feridas, como digestivo, para dores do estômago, males do fígado, icterícia e outras infecções do aparelho digestivo. Popularmente é usado em cólicas e erisipela.
Vale saber! Proibido o uso sem orientação profissional – médico ou fitoterapeuta. Efeitos colaterais desconhecidos.

F
Plantas e Alimentos que Curam

152. Fedegoso

Nome científico: *Senna occidentalis* (L.) Link.
Outros nomes: mata-pasto e café-de-negro.
Família: Leguminosae.
Origem: sul do Brasil, Uruguai e Argentina.
Partes usadas: folha e raiz.
Características: subarbusto de até 2 m de altura, com folhas compostas e poucas flores de cor amarela, reunidas em cacho. O fruto é um legume contendo muitas sementes de cor escura. A planta tem um odor fétido, o que deu origem ao seu nome.
Efeitos terapêuticos: diurético, colagogo (facilita a transferência da bile contida na vesícula biliar para o duodeno, diminuindo a bile), colerético (aumenta a quantidade de bile secretada pelo fígado que fica armazenada na vesícula biliar, até que a passagem dos alimentos provoque o seu esvaziamento para o intestino. Aumentando a produção de bile, as plantas coleréticas descongestionam o fígado e favorecem a digestão), laxante, vermífugo, antisséptico e anti-inflamatório.
Usos: gripes, rouquidão, como vermífuga, febrífuga e nas moléstias do fígado. Indicada também nas doenças da pele.
Vale saber! Proibido o uso sem orientação profissional – médico ou fitoterapeuta – e por gestantes e lactantes. O café preparado com as sementes de fedegoso e usado por longo período pode causar problemas de nefrite aguda, devido à presença de compostos antracênicos.

153. Fedegoso-gigante

Nome científico: *Cassia alata* L.
Outros nomes: mata-pasto, maria-preta e manjeroba-do-Pará.
Família: Fabaceae.
Origem: América do Sul.
Partes usadas: folha e raiz.
Características: arbusto ereto e glabro, com até 5 m de altura, com ramos vigorosos, folhas pinadas, grandes, de 30 a 90 cm de comprimento. As flores são grandes, de cor amarela. O fruto é uma vagem bivalve quase preta.
Efeitos terapêuticos: laxante, sudorífero, purgativo, antirreumático, diurético e febrífugo.
Usos: na Índia, contra a picada das cobras e, no México, para combater as doenças sifilíticas. As folhas frescas e aquecidas ou secas e pulverizadas servem para uso tópico na cura de herpes, impingem, pano branco, sarna e outras doenças da pele. Também são úteis contra os antrazes e as úlceras. A infusão da raiz é usada para regular a menstruação e nas obstruções do fígado.
Vale saber! Proibido o uso sem orientação profissional – médico ou fitoterapeuta. Altas doses podem provocar nefrite aguda, que pode ser fatal, em função das antraquinonas, especialmente em lambedores e xaropes caseiros feitos com as folhas. Além disso, pode causar intoxicação nos rins.

154. Feijão

Nome científico: *Phaseolus vulgaris* L.
Outros nomes: feijão-caupi.
Família: Leguminosae.
Origem: Peru.
Partes usadas: semente ou vagem.
Características: planta herbácea com caule aéreo escandente (apoia-se em algum suporte, por enrolamento, mas sem gavinhas que o prendam). Folhas pecioladas, compostas e alternadas (uma folha por nó ao longo do caule). As flores saem das axilas das folhas em forma de cachos curtos. Flor bilateralmente simétrica, quase sempre de cor branca, com duas pétalas. O fruto é um legume em forma de uma vagem alongada com muitas sementes.
Efeitos terapêuticos: diurético e hipoglicêmico.
Usos: indicado na dieta alimentar dos diabéticos, em doenças renais e cardíacas, dores reumáticas, ciática e nevralgias.
Vale saber! Proibido o uso sem orientação profissional – médico ou fitoterapeuta. É contraindicado para pessoas com dificuldades digestivas, nefrite, hepatite e gota.

155. Feijão-andu

Nome científico: *Cajanus cajan* (L.) Millsp.
Outros nomes: feijão-guandu e andu.
Família: Leguminosae (Faboideae).
Origem: esta planta nunca foi encontrada no estado selvagem e, por isso, não se sabe sua origem.
Partes usadas: folha, flor e semente.
Características: subarbusto de caule ereto e um pouco lenhoso, de até 3 m de

altura, ramoso, com folhas pecioladas e flores que vão da cor amarela pálida ou amarela viva à cor de laranja, com ou sem listras de coloração vermelhas. Fruto com vagem linear comprimida, de 4 a 8 cm de comprimento e 15 mm de largura, aguda e com ponta longa.
Efeitos terapêuticos: depurativo, diurético e anti-inflamatório.
Usos: a folha serve para limpar os dentes. As sementes substituem o café e, bem cozidas, substituem o feijão. Faz parte da culinária mineira. O chá de suas folhas é indicado como depurativo do sangue, diurético, contra tosse, inflamações da garganta, dor de dente e úlceras. A raiz é benéfica contra os males do fígado.
Vale saber! Proibido o uso sem orientação profissional – médico ou fitoterapeuta. Até hoje, não foi descoberta nenhuma contraindicação.

156. Feijão-azuki

Nome científico: *Vigna angularis* (Willd.) Ohwi & H.Ohashi.
Outros nomes: azuki e feijão-vermelho.
Família: Fabaceae.
Origem: China.
Parte usada: semente.
Características: erva anual, cuja semente é de cor vermelha-escura ou amarela.
Efeitos terapêuticos: diurético e nutritivo.
Usos: indicado na carência de nutrientes (cálcio, fósforo, ferro e vitaminas do complexo B), para convalescentes, para aumentar a diurese e para distúrbios nos rins. É usada, também, em dietas de emagrecimento.
Vale saber! Proibido o uso sem orientação profissional – médico ou fitoterapeuta – e para quem tem reumatismo, nefrite, hepatite, artritismo, gota e ácido úrico. Em pessoas com dificuldades digestivas, pode causar flatulência.

157. Fel-da-terra

Nome científico: *Centaurium umbellatum* Gilib.
Outros nomes: centáurea-menor, erva-da-febre, erva-do-centauro, pallens-de-febre, erva-febrífuga, erva-de-quiron e quebra-febre.
Família: Gencianáceas.
Origem: Europa.
Partes usadas: planta inteira.
Características: erva pequena, anual ou bianual, de odor suave. O caule é duro e quadrangular, com 7 a 30 cm de altura. As folhas são opostas, ovais e de cor verde-clara; as flores apresentam tons que vão do rosa-claro ao vermelho; e o fruto é uma cápsula alongada.
Efeitos terapêuticos: tônico estomacal, depurativo, vermífugo e carminativo (possui uma substância que combate a formação de gases no intestino).
Usos: combate úlceras, feridas, eczemas e chagas e ainda reduz o nível de glicose no sangue.
Vale saber! Proibido o uso sem orientação profissional – médico ou fitoterapeuta. O uso deve ser evitado em pessoas com distúrbios da coagulação sanguínea, hipotensos severos, portadores de doenças do fígado e úlceras pépticas. Em todos esses casos, se for necessário o uso da planta, deverá haver acompanhamento de profissional experiente e de um clínico.

158. Feto-macho

Nome científico: *Dryopteris filix-mas* (L.) Schott.
Outros nomes: samambaia, fetanha-macha, samambaia-açu e samambaia-cumaiú.
Família: Polipodiáceas.
Origem: América.
Partes usadas: todas as partes são tóxicas.
Características: atinge de 1 a 1,5 m de altura, com folhas lanceoladas que nascem diretamente do rizoma. Distingue-se do feto fêmea (Athyrium filix) pelo aspecto robusto de suas folhas.
Efeitos terapêuticos: antibacteriano e antiviral.
Usos: expele lombrigas intestinais e também controla sangramento, alivia dor, reduz inflamação e abaixa a febre. A erva é usada internamente para todos os parasitas intestinais, para pontadas no fígado, hemorragia interna, hemorragia uterina, caxumba e enfermidades febris (inclusive resfriados, gripe, sarampo, pneumonia e meningite).
Vale saber! Proibido o uso sem orientação profissional – médico ou fitoterapeuta. O consumo sem acompanhamento médico causa náusea, vômito, delírio, dificuldade respiratória e colapso cardíaco. Em dose muito forte o produto causa lesões irreversíveis do nervo óptico.

159. Figo-da-Índia

Nome científico: *Opuntia ficus-indica* (L.) Mill.
Outros nomes: tabaibeira, figueira-da-barbária, figueira-da-Índia, figueira-do-diabo, figueira-do-inferno, palma forrageira, palma e tuna.
Família: Cactaceae.
Origem: Haiti.
Partes usadas: fruto e artículos.
Características: arbusto suculento, com até 5 metros de altura, de coloração verde-acizentada. O caule é confundido com folhas, tem o formato de uma raquete, quando novos, e, na maioria das variedades, tem espinho. As flores são emitidas na borda das "folhas" em número variável e ficam abertas por um curto período. Os frutos maduros podem ser de cores esverdeadas, alaranjadas, vermelhas, com formato oval que lembram um barril.
Efeitos terapêuticos: adstringente, antiasmático, antidiarreico, antiescorbútico, antiprostático, antirreumático, antitussígeno, cardiotônico, colagogo, digestivo, diurético, emoliente, estimulante medular, hidratante, hipoglicêmico, sedativo e vermífugo.
Usos: indicada como diurético, no combate à asma e a outras doenças das vias respiratórias e para aliviar a tosse. Também melhora o trabalho do intestino preguiçoso, agindo como laxante natural, e atua como tônico cardíaco, tornando mais amplas e fortes as contrações.
Vale saber! Proibido o uso sem orientação profissional - médico ou fitoterapeuta - e por gestantes e lactantes. Pessoas sensíveis à sua composição podem apresentar alguns efeitos colaterais, como diarreia, náuseas, dores abdominais, dermatite e dor de cabeça.

160. Figueira

Nome científico: *Ficus carica* L.
Outros nomes: figo.
Família: Moraceae.
Origem: Cária, no sudeste da Ásia.
Partes usadas: fruto, látex e folha.
Características: árvore leitosa, de pouca altura e grande copa. As folhas que surgem no outono têm formas variadas, podendo ser arredondadas, geralmente em número de cinco, ásperas ao tato e de cor verde-escura. As flores são pequenas.
Efeitos terapêuticos: tônico, laxante, cicatrizante, emoliente e calmante.
Usos: o leite é usado popularmente contra verrugas; os frutos, quando dessecados, são usados como emolientes; e as folhas em decocto servem para curar amidalites.
Vale saber! Proibido o uso sem orientação profissional - médico ou fitoterapeuta. Na pele pode provocar queimaduras graves.

161. Fidalguinhos

Nome científico: *Centaurea cyanus* L.
Outros nomes: fidalgunhos, marianinha, escovinha e centaurea.
Família: Asteraceae.
Origem: Europa.
Parte usada: flor.
Características: planta anual com altura de até 60 centímetros, com folhas ovais lanceoladas, que produz flor de cor azul-violeta.
Efeitos terapêuticos: aperiente, digestivo, diurético, estimulante, laxante e tônico.
Usos: em afecção ulcerosa, conjuntivite, debilidade do estômago, ferida, ferida secundária, perturbações gástricas e úlcera de boca. A emulsão com castanha-da-índia também pode ser usada para reduzir o inchaço dos olhos.
Vale saber! Proibido o uso sem orientação profissional - médico ou fitoterapeuta. Até hoje não foi encontrada contraindicação.

162. Filipêndula

Nome científico: *Filipendula ulmaria* (L.) Maxim.
Outros nomes: ulmária, rainha-dos-prados, ulmeira, erva-ulmeira, barba-de-bode, erva-das-abelhas, grinalda-de-noiva, olmeira e aspirina vegetal.
Família: Rosaceae.
Origem: Europa.
Partes usadas: folhas frescas e secas, flores e raízes.
Características: folhas de cor verde-escura, com flores de cor branca agrupadas em ramos. Possui um aroma agradável.
Efeitos terapêuticos: adstringente, antiácido, antiemético, antirreumático, antisséptico, calmante, cicatrizante, diurético, febrífugo, sedativo, sudorífero e tônico.
Usos: prevenção de difteria, indicação nos quadros de disenteria, pneumonia,

hiperacidez, azia, úlcera gástrica, gastrites, cólon irritável, dores reumáticas e fibromialgia.
Vale saber! Proibido o uso sem orientação profissional – médico ou fitoterapeuta. Pode causar reações alérgicas em pessoas sensíveis a salicicatos.

163. Fisalis
Nome científico: *Physalis angulata* L.
Outros nomes: camapu, juá-poca, balão-rajado, bucho-de-rã e joá-de-capote.
Família: Solanaceae.
Origem: América tropical.
Partes usadas: partes aéreas e frutos.
Características: herbácea anual, ereta e ramificada, atinge de 35 a 55 cm de altura. As folhas são simples, solitárias de cor amarela. O fruto é uma baga globosa, lisa, de cor amarela, com polpa suculenta e sabor doce, envolto em um cálice.
Efeitos terapêuticos: diurético, relaxante, analgésico, antimalárico, anti-inflamatório, anticancerígeno, anticonvulsivante, imunossupressor e antioxidante.
Usos: doenças da pele, abscessos (excesso de pus acumulado em uma cavidade que, formada de maneira acidental nos tecidos orgânicos, pode ter sido produzida por algum tipo de inflamação), constipação, dor reumática, alívio da rigidez muscular, doença do sono, vermes, dor de estômago, cólica, malária, dor de dente, doenças do fígado, gonorreia e indigestão.
Vale saber! Proibido o uso sem orientação profissional – médico ou fitoterapeuta – e por gestantes. Efeitos colaterais são desconhecidos da literatura médica.

164. Flor-de-cone
Nome científico: *Echinacea purpurea* (L.) Moench.
Outros nomes: flor-de-borboleta, purpúrea e púrpura.
Família: Asteraceae.
Origem: Estados Unidos.
Partes usadas: raiz e rizomas.
Características: atinge 1,2 metro de altura e 0,5 metro de largura. O termo equinácea vem do grego e significa ouriço, em alusão à forma pontiaguda das brácteas. As inflorescências têm forma de cone, e nem sempre são roxas.
Efeitos terapêuticos: antibacteriano, antiviral, antibiótico, afrodisíaco, antisséptico, anti-inflamatório, antimicrobiano, depurativo, fortificante e anti-herpes.
Usos: indicado em abscesso, acne, erisipela, ferida de difícil cura, fungo, gangrena, infecção respiratória superior, psoríase, septicemia, resfriados, impurezas no sangue, hemorroidas, difteria, furúnculos e gangrena. Estudos científicos confirmaram a ação imunoestimulante da planta em situações de estresse.
Vale saber! Proibido o uso sem orientação profissional – médico ou fitoterapeuta. O excesso de consumo causa irritação de garganta. Em caso de hipersensibilidade ao produto, descontinuar o uso.

165. Flor-de-lanh
Nome científico: *Persicaria bistorta* (L.) Samp.
Outros nomes: bistorta, sepentária e bistorta maior.
Família: Polygonaceae.
Origem: Europa.
Partes usadas: raiz e rizomas.
Características: raízes torcidas sobre si dão origem ao nome bistorta. As flores são de cor lilás.
Efeitos terapêuticos: adstringente, antibacteriano, anti-inflamatório, antioxidante, antitumoral, cardiotônico, rejuvenescedor e tônico.
Usos: problemas de fertilidade masculina, rejuvenescimento, colesterol, diabetes, bronquite e hipertensão arterial. Aplicada em forma de gargarejo em casos de inflamações da garganta e faringe. Na medicina chinesa é usada no tratamento de epilepsia, tétano e picadas de mosquito.
Vale saber! Proibido o uso sem orientação profissional – médico ou fitoterapeuta. Não deve ser consumida com cebola, alho ou cebolinha.

166. Flor-de-liz
Nome científico: *Iris versicolor* L.
Outros nomes: íris selvagem.
Família: Iridaceae.
Origem: Costa Leste dos EUA.
Partes usadas: rizomas secos.
Características: as folhas são longas e laminares, como espadas, e medem cerca de 60 cm de comprimento. Elas são de cor verde-azulada e ficam dispostas em leque, partindo dos espessos rizomas.
Efeitos terapêuticos: anti-inflamatório, catártico, colagogo, diurético, estimulante, laxante, purgante e tônico glandular.
Usos: utilizada na medicina alternativa para tratar constipação, melhorar as condições da pele e ajudar a limpar o sangue. A lavagem com as folhas e raízes é feita para tratamento de contusões, infecção por estafilococos e doenças de pele, como a psoríase, acne e eczema. Em forma de compressa, é usada para enxaqueca.
Vale saber! Proibido o uso sem orientação profissional – médico ou fitoterapeu-

ta. A planta fresca pode causar dermatite. Doses grandes da raiz podem causar náuseas e neuralgia facial.

167. Flamboyant

Nome científico: *Delonix regia* (Hook.) Raf.
Outros nomes: flamboaiã e acácia-rubra.
Família: Leguminosae.
Origem: Madagascar.
Parte usada: folha.
Características: tem porte médio de 10 a 12 m de altura e folhas bipinadas, alternas. A flor tem aproximadamente 13 cm de largura, com cinco pétalas de cores vermelha ou amarela, dispostas em cachos de até 25 cm de comprimento. Fruto do tipo vagem, longo, duro, liso e ligeiramente curvado.
Efeitos terapêuticos: hepatoprotetor, antioxidante e citotóxico.
Uso: para combater problemas no fígado.
Vale saber! Proibido o uso sem orientação profissional – médico ou fitoterapeuta. Efeitos colaterais são desconhecidos da literatura médica.

168. Folha-da-fortuna

Nome científico: *Bryophyllum pinnatum* (Lam.) Oken.
Outros nomes: Pirarucu, saião e são-raimundo.
Família: Crassulaceae.
Origem: África Tropical.
Parte usada: folha.
Características: erva suculenta de crescimento rápido. As folhas são grossas, carnudas e simples ou compostas em pares, de tom avermelhado. As flores têm cerca de 5 cm de comprimento, de cor esverdeada ou amarelada e avermelhada nas hastes.
Efeito terapêutico: anti-inflamatório.
Usos: indicada em feridas, contusões, queimaduras, arranhões, picadas de insetos, doenças do trato respiratório, tosse, dor de garganta, inflamações, hematomas, glaucoma e medicação tópica em doenças cutâneas de natureza alérgica.
Vale saber! Proibido o uso sem orientação profissional – médico ou fitoterapeuta. O uso por longos períodos possui efeito imunossupressor. Não deve ser usado por pessoas com sistema imunológico baixo.

169. Fortunão

Nome científico: *Kalanchoe gastonis-bonnieri* Raym.-Hamet & H. Perrier.
Outros nomes: jarancim, fortunão, folha-de-costa, erva-da-costa, planta-da-vida, folha-grossa e orelha-de-monge.
Família: Crassulaceae.
Origem: África, em Madagascar.
Parte usada: folha.
Características: suculenta, de folhas carnosas, com margens rendadas. Suas flores alaranjadas são viradas para baixo, como em um lustre e se formam durante o inverno. Devido à sua coloração acinzentada, destaca-se no jardim e forma contrastes interessantes com outras plantas.
Efeitos terapêuticos: vulnerário (própria para curar ferida), resolutivo, cicatrizante, refrigerante e tônico pulmonar.
Usos: folhas secas e tostadas são utilizadas para cefaleia, engorgitamento linfático e inchações erisipelosas. O suco da planta serve para tratar calo, frieira e queimadura.
Vale saber! Proibido o uso sem orientação profissional – médico ou fitoterapeuta. Efeitos colaterais são desconhecidos da literatura médica.

170. Framboeseiro

Nome científico: *Rubus idaeus* L.
Outros nomes: framboesa.
Família: Rosaceae.
Origem: Europa.
Partes usadas: folha e fruto.
Características: arbusto perene e frutífero. No primeiro ano de crescimento, as hastes crescem eretas, altas e sem ramificações, até atingir a altura de 1,5 a 2 metros. No segundo ano, as hastes não crescem em altura, mas emitem muitos ramos laterais, arqueando-se e ramificando-se. As flores são hermafroditas e permitem a autofecundação. A framboesa é uma fruta agregada, com numerosas drupas em torno de um núcleo central.
Efeitos terapêuticos: antioxidante, emagrecedor, antiemético, anti-inflamatório, adstringente, descongestionante, diurético, antiescobútico e tônico.
Usos: antidiarreico, adstringente e estimulante auxiliar na preparação para o parto.
Vale saber! Proibido o uso sem orientação profissional – médico ou fitoterapeuta – e por gestantes.

171. Freixo

Nome científico: *Fraxinus excelsior* L.
Outros nomes: freixo-europeu ou quina-da-europa.
Família: Oleaceae.
Origem: Europa.
Partes usadas: casca e folha seca.
Características: a árvore pode atingir 25 metros de altura, com tronco esbelto e

casca branda e cor acinzentada. As folhas dividem-se em um número ímpar de folíolos não peciolados e surgem tardiamente, no mês de junho, muito depois das flores.
Efeitos terapêuticos: adstringente, febrífugo, diurético, laxativo, anti-inflamatório, sudorífico e tônico.
Usos: colesterol, dor, gota, litíase, nevralgia e reumatismo. Também estimula a produção de insulina e a circulação venosa, sendo utilizada em casos de edemas, celulite, retenção de líquidos, má circulação e varizes.
Vale saber! Proibido o uso sem orientação profissional – médico ou fitoterapeuta. Efeitos colaterais são desconhecidos da literatura médica.

172. Fucus
Nome científico: *Fucus vesiculosus* L.
Outros nomes: alga marinha, sargaço ou bodelha.
Família: Algae.
Origem: costas do Mar do Norte, Mar Báltico e Oceanos Atlântico e Pacífico.
Parte usada: talo seco.
Características: vegetal marinho de águas frias, que absorve grandes quantidades de minerais da água do mar. Com níveis significativos de iodo, estimula o funcionamento da tiroide.
Efeitos terapêuticos: laxativo e antiácido.
Usos: indicado para bócio, escrófula, obesidade e para melhorar o funcionamento do intestino.
Vale saber! Proibido o uso sem orientação profissional – médico ou fitoterapeuta – e por gestantes e lactantes.

173. Fumária
Nome científico: *Fumaria officinalis* L.
Outros nomes: fel-da-terra, erva-mileirinha, fumo da terra e moleirinha.
Família: Papaveraceae.
Origem: mediterrânea.
Parte usada: folha seca.
Características: herbácea anual de 0,20 a 0,80 metro de altura, ramosa, haste delgada, angulosa e de ramos difusos. As folhas são alternas e pecioladas, enquanto as flores distribuem-se em cachos.
Efeitos terapêuticos: diurético, laxante, depurativo e cardiotônico.
Usos: prisão de ventre, psoríase, arteriosclerose, urticária, sarna e pedra na vesícula.
Vale saber! Proibido o uso sem orientação profissional – médico ou fitoterapeuta – e por gestantes e lactantes. Em um estudo clínico, 69% dos pacientes relataram queixas gastrointestinais e o flushing facial (sensação de queimação do rosto). Em outro estudo clínico, nenhuma reação adversa foi relatada.

174. Fumo
Nome científico: *Nicotiana tabacum* L.
Outros nomes: tabaco e erva-do-tabaco.
Família: Solanaceae.
Origem: Américas Tropical e Subtropical.
Partes usadas: folha seca e pulverizada.
Características: erva anual com até 2 m de altura, com folhas simples, alternas, de cheiro desagradável e medindo até 0,5 m de comprimento. A superfície da folha, de coloração verde, tem a cor amarela pardacenta quando dessecada, e é coberta de pelos glandulosos que a tornam viscosa e glutinosa. Flores afuniladas, pequenas em relação às folhas, de cor geralmente rosa, reunidas em cacho. Fruto com inúmeras sementes arredondadas e escuras.
Efeitos terapêuticos: anti-inflamatório, antiparasitário, hipertensor, narcótico, sedativo, vermífugo e inseticida.
Usos: as folhas secas e pulverizadas são usadas como antitetânicas, e o decocto das folhas tem ação em parasitoses externas, como sarnas e piolhos.
Vale saber! Proibido o uso sem orientação profissional – médico ou fitoterapeuta – e por gestantes, lactantes e crianças. Pode prejudicar o desenvolvimento físico e neurológico do feto, é contraindicado para pessoas que têm histórico familiar de doenças cardíacas, por diminuir níveis de lipoproteínas de alta densidade, e que apresentam diversos tipos de câncer associados ao tabaco. Também é contraindicado para quem tem glaucoma, enfisema, bronquite, asma, diabetes, hipertensão, osteoporose e úlceras. Pode causar tromboses nas pernas e deve ser evitado antes de cirurgias, devido ao aumento de monóxido de carbono no sangue.

175. Funcho
Nome científico: *Foeniculum vulgare* Mill.

G

Outros nomes: anis-doce e erva-doce-falsa.
Família: Apiaceae.
Origem: antigo Egito e pelos povos do Mediterrâneo.
Partes usadas: folha e fruto seco, raiz e pólen.
Características: planta perene, que forma uma roseta de folhas ao nível do solo, no centro do qual se desenvolve uma haste reta e ramificada que pode chegar a 2 m de altura, verde, com poucas folhas. As hastes culminam em umbelas numerosas (grupos de guarda-chuva em forma de flores) compostas de várias pequenas flores amarelas. O fruto, cinza-escuro, quase preto, tem aroma parecido com o do anis.
Efeitos terapêuticos: carminativo (possui uma substância que combate a formação de gases no intestino), galactagogo, digestivo, diurético, tônico geral e antiespasmódico.
Usos: cólica em crianças, espasmos, problemas digestivos e gases (estômago, intestino).
Vale saber! Proibido o uso sem orientação profissional – médico ou fitoterapeuta. O uso de mais de 20 g/l dessa erva pode causar convulsões.

176. Galega

Nome científico: *Galega officinalis* L.
Outros nomes: Galega e arruda-caprária.
Família: Fabaceae.
Origem: Europa.
Partes usadas: folha e semente.
Características: planta perene, com folhas imparipinadas, flores de coloração branca, rosa ou violeta. O fruto é uma vagem com sementes de cor marrom.
Efeitos terapêuticos: galactagogo, hipoglicêmico e antidiabético.
Usos: a infusão com as sementes é utilizada para estimular a produção do leite materno e em tratamentos complementares da diabetes.
Vale saber! Proibido o uso sem orientação profissional – médico ou fitoterapeuta. A planta fresca tem efeitos de irritação. Por isso, é aconselhável o uso apenas da seca.

177. Gabiroba

Nome científico: *Campomanesia xanthocarpa* (Mart.) O.Berg.
Outros nomes: guabiroba, guabiroba-da-mata, guabiroba-amarela-da-mata, guabirobinha e guabirobeira.
Família: Myrtaceae.
Origem: Brasil.
Partes usadas: folha e fruto.
Características: árvore frutífera que alcança até 25 m de altura. O tronco mede de 20 a 30 cm de diâmetro, com casca descamante e lenticelas, folhas opostas, simples, de elípticas a obovadas. As flores são brancas e solitárias. O fruto é uma baga de cor amarela quando maduro, com polpa carnosa, sabor doce e ácido.
Efeitos terapêuticos: depurativo, antidiarreico, purificador e antirreumático.
Usos: o fruto pode ser consumido in natura, em forma de suco ou sorvete. É usado para baixar o colesterol no sangue, reduzir a obesidade e tratar diabetes mellitus. A infusão preparada a partir das folhas é comumente utilizada para diarreias e reumatismos.
Vale saber! Proibido o uso sem orientação profissional – médico ou fitoterapeuta. Se consumida em excesso, pode causar constipação.

178. Galangal

Nome científico: *Alpinia galanga* (L.) Willd.
Outros nomes: galanga, alpínia e gengibre siamês.
Família: Zinginberaceae.
Origem: China.
Partes usadas: rizomas, raiz e folha.
Características: pode alcançar até 2 metros de altura, com flores de cor branca-esverdeada e com a ponta vermelha-escura. Os frutos assemelham-se a bagas de coloração vermelha.
Efeitos terapêuticos: antifúngico, aromático, afrodisíaco, antirreumático, antibacteriano, carminativo, estimulante, digestivo, diaforético e tônico.
Usos: a maceração dos rizomas ou a decocção das raízes é usada como tratamento para reumatismos, gripes e resfriados, mau hálito, problemas estomacais, má digestão, náuseas e enjoos, bronquite, úlceras, cólera, artrite, gases intestinais, malária, má circulação sanguínea, diarreia e soluços.

Vale saber! Proibido o uso sem orientação profissional – médico ou fitoterapeuta – e por gestantes, lactantes e para crianças menores de 10 anos.

179. Garra-do-diabo
Nome científico: *Harpagophytum procumbens* (Burch.) D.C. ex Meisn.
Outros nomes: Harpago e unha-do-diabo.
Família: Pedaliaceae.
Origem: África.
Partes usadas: tubérculos e raízes secundárias.
Características: erva prostrada com tubérculos perenes. Os caules anuais apresentam folhas opostas, irregulares, com 3 a 5 lobos, de coloração acinzentada.
Efeitos terapêuticos: analgésico, sedativo, diurético e aperiente.
Usos: a infusão dos tubérculos e raízes é eficiente para combater osteoartrite, reumatismo e dor lombar. Também serve como estimulante do sistema imunológico.
Vale saber! Proibido o uso sem orientação profissional – médico ou fitoterapeuta – e por gestantes e pessoas com úlceras estomacais ou duodenais, por estimular a secreção dos sucos gástricos.

180. Genciana
Nome científico: *Gentiana lutea* L.
Outros nomes: genciana.
Família: Gentianaceae.
Origem: Europa.
Parte usada: raiz.
Características: herbácea perene de porte médio, chegando a 1,2 m de altura por 0,6 m. Dotada de grandes flores de cor amarela.
Efeitos terapêuticos: anti-helmíntico, anti-inflamatório, antisséptico, aperiente, colagogo, emenagogo (aumenta o fluxo menstrual), febrífugo, refrigerante, estomáquico, tônico e vermífugo.
Usos: a infusão ou decocção da raiz é eficiente nos tratamentos de fígado, indigestão e infecções gástricas. A terapia floral, reconhecida pela Organização Mundial de Saúde, recomenda a genciana como forma de despertar a confiança, combater o desânimo e predispor à coragem.
Vale saber! Proibido o uso sem orientação profissional – médico ou fitoterapeuta – e por gestantes e lactantes, e deve ser evitada por detentores de úlceras gástricas.

181. Gengibre
Nome científico: *Zingiber officinale* Roscoe.
Outros nomes: gengibre-de-jamaica, gengibre-africano, gengibre-de-cochim, mangarataia e marangatiá.
Família: Zinziberaceae.
Origem: Ásia
Parte usada: raiz.
Características: herbácea anual, com cerca de 1 m de altura, folhas de cor verde e flores de cor verde amarelada. Seu rizoma é muito ramificado e pouco achatado, tem sabor picante e aroma forte. Sua composição é rica em sais minerais, como ferro, manganês e zinco, além de apresentar o óleo essencial.
Efeitos terapêuticos: antiemético, antidispéptico e expectorante.
Usos: atua como estomáquico, contra cefaleia, resfriados e laringite. É estimulante da circulação, inibidor de dores e relaxante muscular.
Vale saber! Proibido o uso sem orientação profissional – médico ou fitoterapeuta – e por gestantes. Devido à ação antiplaquetária que ocasiona, não pode ser usado por quem tem cálculos biliares e por mulheres com menstruação excessiva.

182. Gerânio
Nome científico: *Geranium robertianum* L.
Outros nomes: gerânio.
Família: Geraniaceae.
Origem: África e Austrália.
Partes usadas: talo e folha.
Características: planta de hábito terrestre, anual ou bianual, que atinge 50 cm de altura. A cor das flores pode ser azul, roxa, rosa e vermelha.
Efeitos terapêuticos: adstringente, dessecante e tônico.
Usos: são utilizadas em compressas para tratar inchaço nos olhos, cicatrizar úlceras antigas e ferimentos recentes. O óleo essencial é antisséptico e usado para cicatrizar feridas e combater bactérias. Também é usada para dores de garganta e, como aromatizante de ambiente, alivia o estresse, a ansiedade e melhora o humor.
Vale saber! Proibido o uso sem orientação profissional – médico ou fitoterapeuta. Pode irritar a pele daqueles que apresentem hipersensibilidade.

183. Gerânio-aromático
Nome científico: *Pelargonium graveolens* L'Hér.
Outros nomes: malva-cheirosa, malva-rosa e gerânio-cheiroso.
Família: Geraniaceae.
Origem: Sul da África.
Partes usadas: toda a planta.
Características: subarbusto de 0,80 a 1 m

de altura, muito ramificado e com caule pubescente. As folhas são simples, alternas e suas flores têm cor rosa ou púrpura.
Efeitos terapêuticos: anti-inflamatório, antisséptico, aromático, adstringente e sedativo.
Usos: reduz a inflamação e controla sangramentos. Internamente, a partir da infusão pode ser usada no tratamento de problemas pré-menstruais e de menopausa, de náuseas, amigdalite e má circulação. Externamente, as folhas frescas são utilizadas para tratar acne, hemorroidas, eczema, contusões, micose e piolhos.
Vale saber! Proibido o uso sem orientação profissional – médico ou fitoterapeuta – e por gestantes.

184. Geruão
Nome científico: *Stachytarpheta cayennensis* (Rich.) Vahl.
Outros nomes: gervão-urticante, gervão-roxo, rinchão e vassourinha-de-botão.
Família: Verbenaceae.
Origem: Brasil.
Partes usadas: toda a planta.
Características: planta herbácea de folhas serrilhadas, com flores de cores lilás e azul.
Efeitos terapêuticos: anti-inflamatório, analgésico, antipirético, hepatoprotetor, laxante e antimicrobiano.
Usos: como infusão ou tintura, é indicada para tratar vermes, doenças renais, desconfortos gástricos e hepáticos, bronquite e tosse, feridas e contusões, eczema, erisipela, inchaço do baço e vitiligo.
Vale saber! Proibido o uso sem orientação profissional – médico ou fitoterapeuta – e por gestantes e pessoas com histórico de alergia à aspirina, pois contém ácido salicílico.

185. Giesta
Nome científico: *Spartium junceum* L.
Outros nomes: giesta, retama e vassoura-espanhola.
Família: Leguminosae.
Origem: Europa.
Partes usadas: caule e flor.
Características: pequeno arbusto de textura semilenhosa, que pode alcançar de 1,5 a 3 metros de altura. Seus ramos são finos, flexíveis, verdes e longos, lembrando juncos. As inflorescências terminais são do tipo racemo, com numerosas flores grandes e perfumadas.
Efeito terapêutico: diurético.
Usos: combate a retenção de líquidos e infecções urinárias.
Vale saber! Proibido o uso sem orientação profissional – médico ou fitoterapeuta.

186. Ginco
Nome científico: *Ginkgo biloba* L.
Outros nomes: nogueira-do-Japão.
Família: Ginkgoaceae.
Origem: China.
Parte usada: folha.
Características: pode viver mais de 1.000 anos e atingir até 35 m de altura. Tem ramificações curtas, folhas em forma de leque e frutos não comestíveis. A semente interna é venenosa.
Efeitos terapêuticos: estimulante da função sanguínea.
Usos: a infusão das folhas é recomendada para retardar o envelhecimento celular, perda de memória, varizes, úlceras varicosas, cansaço nas pernas, artrite e isquemia cerebral. Também combate enxaqueca e auxilia na oxigenação cerebral.
Vale saber! Proibido o uso sem orientação profissional – médico ou fitoterapeuta. Seu uso concomitante com aspirina, ticlopidina, antiagregante plaquetário e anticoagulante é contraindicado, pois aumenta o risco de provocar hemorragia.

187. Ginseng
Nome científico: *Panax ginseng* C. A. Mey.
Outros nomes: Ginseng.
Família: Araliaceae.
Origem: China e Coreia do Norte.
Parte usada: raiz.
Características: planta famosa por suas raízes em formato que lembra uma figura humana. As flores são cor-de-rosa, com cinco pétalas, e os frutos são pequenos e vermelhos, quando maduros.
Efeitos terapêuticos: carminativo, emoliente, expectorante, estimulante e tônico.
Usos: tônico geral para melhorar o humor, a depressão, a ansiedade, a síndrome da fadiga crônica e para estimular o sistema imunológico contra fibrose cística - infecção causada por bactérias conhecidas por pseudomonas.
Vale saber! Proibido o uso sem orientação profissional – médico ou fitoterapeuta – por gestantes e pessoas com menos de 40 anos diagnosticadas com depressão, ansiedade aguda ou doença inflamatória aguda.

188. Girassol

Nome científico: *Helianthus annuus* L.
Outros nomes: sunflower.
Família: Compositae.
Origem: Peru.
Partes usadas: raiz, fruto, semente, folha e flor.
Características: a parte aérea tem haste única, não ramificada, ereta, áspera e vigorosa, com interior maciço. As folhas distribuem-se ao longo do caule em número e formas variáveis. Normalmente atinge de 1 m a 8 m de altura.
Efeitos terapêuticos: adstringente, diurético, expectorante, febrífuga, nutritiva e estomáquica.
Usos: indicado no tratamento de febre alta. As folhas esmagadas são usadas como um cataplasma em feridas, inchaços, picadas de cobra e aranha. O chá das flores é utilizado no tratamento de malária e doenças pulmonares. A inflorescência e as sementes são febrífugas, nutritivas e estomáquicas. A semente, também considerada diurética e expectorante, tem sido utilizada no tratamento de doenças pulmonares.
Vale saber! Proibido o uso sem orientação profissional – médico ou fitoterapeuta. Pessoas que sofrem de diverticulose devem evitar comer as sementes em grandes quantidades, porque elas podem entupir os divertículos, causando sangramento, abscessos ou perfuração intestinal.

189. Goiaba

Nome científico: *Psidium guajava* L.
Outros nomes: goiabeira.
Família: Myrtaceae.
Origem: América tropical.
Partes usadas: folha nova, broto e fruto.
Características: arbusto perene, frutífero, fácil de crescer no fundo de quintal de residências, ruas, praças e jardins públicos. O fruto tem casca verde ou amarela, com diâmetro médio de 8 cm, e é constituído de uma baga, carnosa, com casca de cores verde, amarelada ou roxa e superfície irregular. O tronco é tortuoso, podendo atingir de 3 a 5 m de altura.
Efeitos terapêuticos: antisséptico, antimicrobiano, adstringente e antioxidante.
Usos: as folhas e cascas são utilizadas como remédios tradicionais para diarreia, por causa da possível propriedade antimicrobiana, e como adstringente. Também é eficaz como tratamento complementar da diabetes.
Vale saber! Proibido o uso sem orientação profissional – médico ou fitoterapeuta. Consumida em excesso pode causar constipação.

190. Graviola

Nome científico: *Annona muricata* L.
Outros nomes: graviola e anona.
Família: Annonaceae.
Origem: América Central e do Sul.
Partes usadas: casca, folha, raiz, fruto e semente.
Características: atinge de 5 a 10 m. O formato do tronco produz uma copa piramidal. As folhas são brilhantes e escuras, e as flores solitárias. Os frutos compostos têm até 5 kg e superfície de coloração verde com auréolas bem marcadas e espinhosas. A polpa é suculenta e fibrosa, contendo poucas sementes, de sabor ácido e aromático.
Efeitos terapêuticos: adstringente, vomitivo, antidiabético e espasmolítico.
Usos: as folhas cozidas são usadas popularmente contra diarreia e espasmos. Recentemente tem aumentado o interesse pelo chá das folhas, como agente emagrecedor.
Vale saber! Proibido o uso sem orientação profissional – médico ou fitoterapeuta. Em casos de superdosagem pode provocar vômitos, cólicas e parada cardíaca.

191. Grindélia

Nome científico: *Grindelia robusta* Nutt.
Outros nomes: girassol-silvestre, girassol-do-mato e malmequer do campo.
Família: Asteráceas.
Origem: América Central e do Norte.
Partes usadas: broto, folha, flor e semente.
Características: caule cilíndrico, que mede entre 10 e 20 cm e chega a 2 mm de diâmetro. As folhas são quebradiças, oblongas e têm até 5 cm de comprimento. A coloração das folhas pode ser verde-acinzentada e verde-amarela. Possui flores médias de cor amarela.
Efeitos terapêuticos: antiespasmódico, aromático, diurético, expectorante, hipotensor, relaxante cardíaco, sedativo, tônico, demulcente e diaforético.
Usos: o chá feito a partir da infusão da flor é indicado para o tratamento de asma, bronquite, artrite, cistite, catarro, congestão de ocio, cozema, enfisema, feridas, herpes, queimaduras, resfriados, reumatismo, sarampo, tosse, tuberculose, tosse seca, vaginite e varizes. Para melhorar a capacidade pulmonar em altas altitudes, recomenda-se chupar um broto de grindélia. Para tratamento de feridas e artrite, a planta é utilizada como óleo de massagem; e, para tratar queimaduras, em forma de cataplasma.
Vale saber! Proibido o uso sem orienta-

ção profissional – médico ou fitoterapeuta. Em doses altas é tóxica.

192. Groselha

Nome científico: *Ribes nigrum* L.
Outros nomes: Groselha.
Família: Glossulariaceae.
Origem: Europa, África e Ásia.
Partes usadas: folha e baga secas.
Características: é um pequeno arbusto de folhas recortadas e frutos em cachos negros.
Efeitos terapêuticos: anti-hemorroidal, antirreumático, antidiarreico, antigripal, anti-inflamatório, antitussígeno, digestivo, diurético, febrífugo, hipotensor, sudorífero, vasoprotetor, vulnerário (próprio para curar ferida).
Usos: infusão das folhas e extratos do fruto são indicados para infecção, gripe, resfriado, diarreia, digestão, hipertensão, edema, dor reumática, tosse, febre, cálculos, edema, hemorróidas, cortes, abscesso e para aumentar a atividade do sistema nervoso.
Vale saber! Proibido o uso sem orientação profissional – médico ou fitoterapeuta – e na gestação. As folhas são contraindicadas para pessoas com redução da atividade cardíaca ou renal.

193. Guaco

Nome científico: *Mikania laevigata* Sch. Bip. ex Baker.
Outros nomes: guaco-de-casa, gaico, cacalia, uaco a huaco.
Família: Compositae.
Origem: América do Sul.
Parte usada: folha.
Características: é uma planta trepadeira, de caule volúvel, delgado, cilíndrico e sem gavinhas. Os ramos são abundantes, longos e lisos. As flores são grossas, opostas e de cor verde-escura na base superior e verde mais clara na face inferior, com até 15 cm de comprimento e até 9 cm de largura.
Efeitos terapêuticos: broncodilatador, antisséptico, expectorante, antiasmático, febrífugo, sudorífico, antirreumático e cicatrizante.
Usos: pode ser preparado como xarope ou infusão, tendo ação sobre as doenças do trato respiratório, principalmente nos casos de asma, tosse, bronquite e resfriados, com efeitos broncodilatador, expectorante, anti-inflamatório, antisséptico e analgésico. Possui também ação antirreumática, diurética e contra picadas de insetos.
Vale saber! Proibido o uso sem orientação profissional – médico ou fitoterapeuta. Usado em excesso, pode causar vômitos, diarreia e hipertensão. Não deve ser usado no período pré-menstrual, porque aumenta o fluxo sanguíneo. O xarope não deve ser usado por diabéticos, pois tem muito açúcar. É contraindicado para crianças menores de 1 ano.

194. Guandu

Nome científico: *Cajanus cajan* (L.) Millsp.
Outros nomes: feijão-guandu, guisante-de-angola, ervilha-de-angola e ervilha-do-congo.
Família: Leguminosae.
Origem: Índia.
Partes usadas: folha e flor.
Características: espécie arbustiva perene, com folhas de 4 a 10 cm de comprimento e 3 cm de largura. As flores têm de 1,5 a 1,8 cm de comprimento.
Efeitos terapêuticos: diurético, adstringente, antidisentérico, febrífugo, laxativo, anti-hemorrágico, vulnerário (próprio para curar ferida) e antiblenorrágico.
Usos: folhas e flores são usadas na forma de chás contra hemorragias, em gargarejos contra inflamações da garganta, tosse e bronquite. São empregadas também para combater febre, úlceras, dores diversas e inflamações.
Vale saber! Proibido o uso sem orientação profissional – médico ou fitoterapeuta. Em pessoas com dificuldades digestivas, pode causar flatulência.

195. Guanxuma

Nome científico: *Sida rhombifolia* L.
Outros nomes: guaxuma, guaxima, malva-guaxuma, guaxuma-preta, guaxumba, malva, malva-preta, mata-pasto, relógio, tupitixa, vassourinha e vassourinha-do-campo.
Família: Malvaceae.
Origem: África.
Partes usadas: folha, raiz, semente e flor.
Características: planta perene subarbustiva ereta, com 30 a 70 cm de altura. Raiz desenvolvida, caule cilíndrico, folhas simples e alternas e flores com cinco pé-

talas de cor amarelas.
Efeitos terapêuticos: emoliente, antisséptico, abortivo, anti-hipertensivo e sedativo.
Usos: a maceração aquosa das folhas é ingerida como um agente anti-hipertensivo, como um sedativo, contra doenças sexualmente transmissíveis, para curar diarreia, problemas estomacais e disenteria. Folhas e raízes são indicadas em doenças respiratórias, como a asma, bronquite, dispneia e pneumonia. As flores são aplicadas após picada de vespa ou ingeridas, para aliviar as dores do parto. As folhas ou a seiva das folhas são aplicadas sobre a pele como um antisséptico e para tratar úlceras e feridas.
Vale saber! Proibido o uso sem orientação profissional - médico ou fitoterapeuta - e por gestantes.

196. Guaraná
Nome científico: *Paullinia cupana* Kunth.
Outros nomes: guaraná-sipo, guaraná-uva e urana.
Família: Sapindaceae.
Origem: Brasil.
Parte usada: semente.
Características: o guaranazeiro é uma trepadeira arbustiva, atinge até 12 m de altura, prendendo-se às árvores vizinhas. Tem folhas alternas, flores em cachos e fruto em cápsula.
Efeitos terapêuticos: tônico estomacal, energético, estimulante, afrodisíaco, antiesclerótico e antidiarreico.
Usos: o fruto possui grande quantidade de cafeína e, devido à propriedade estimulante, é usado para a fabricação de xarope, barras, pó e refrigerante. Confere ao organismo ação vitalizante de bem-estar. O uso diário é um preceito de complemento e higiene alimentar, pois estimula as funções cerebrais e aumenta a capacidade intelectual.
Vale saber! Proibido o uso sem orientação profissional - médico ou fitoterapeuta. A efedrina não pode ser associada ao guaraná, pois pode causar arritmias e ataques cardíacos. Também não é recomendado para quem sofre de doença cardiovascular, hipertensão arterial, doença renal, hipertireoidismo e transtornos de ansiedade.

197. Guembé
Nome científico: *Philodendron bipinnatifidum* Schott ex Endl.
Outros nomes: Mbuambé, filodendro, imbé, aimbé, cipó-imbé, imbé de comer e guambé.
Família: Araceae.
Origem: Mata Atlântica.
Partes usadas: folha, caule, casca, raiz, e fruto.
Características: planta perene, arbustiva, atinge de 2 a 3 m de altura. É epífita (vive sobre outras plantas, utilizando-as como apoio para conseguir maior luminosidade), de folhas grandes e frutos em baga.
Efeitos terapêuticos: contraceptivo, vermífugo, antisséptico, inseticida, diurético e vulnerário (próprio para curar ferida).
Usos: o chá feito a partir da infusão de folhas e decocção das demais partes é usado para contracepção, como vermífuga, antisséptica, inseticida e diurética.
Vale saber! Proibido o uso sem orientação profissional - médico ou fitoterapeuta. É tóxica quando mastigada ou ingerida. Em animais, causa queimadura e edema nos lábios, na língua e garganta, além de dificuldade para engolir, náuseas, vômitos e diarreia. Em contato com a pele provoca reação alérgica.

198. Guiné
Nome científico: *Petiveria alliacea* L.
Outros nomes: mucuracaá, erva-de-guiné, erva-de-alho, erva-pipi, tipi, amansa-senhor e caá.
Família: Phytolaccaceae.
Origem: África e América Tropical.
Partes usadas: folha, caule, casca, raiz, e fruto.
Características: planta herbácea de ciclo perene, lenhosa, com caule ereto medindo até 2 m de altura, considerada pelo povo como um escudo mágico contra malefícios. Apresenta longos ramos delgados ascendentes. As folhas são elípticas, com até 12 cm de comprimento e 5 cm de largura. As flores são pequenas e, o fruto, uma pequena cápsula.
Efeitos terapêuticos: anti-inflamatório, analgésico, antibacteriano e antifúngico.
Usos: utilizada para combater fungos, bactérias e vírus. Também é considerada anti-inflamatória e analgésica. A decocção de folhas e raiz, bem como a tintura, são empregadas no combate do reumatismo, na forma de fricção. Também combate a hipotermia e o cozimento das folhas é usado na lavagem vaginal.
Vale saber! Proibido o uso sem orientação profissional - médico ou fitoterapeuta. Esta planta é considerada tóxica. O pó obtido da raiz pode provocar insônia, grande excitação e alucinações. O uso continuado determina acentuada apatia, indiferença, convulsões e parada cardíaca.

199. Habú

Nome científico: *Cassia torosa* Cav.
Outros nomes: cássia-rosa, marimari, cássia-grande, acácia, canafístula, cana-fístula, fedegoso, marizeiro, mata-pasto, cássia, canafístula-grande, jeneúna, marimari-grande, marimari-preto, marimari-sarro e marimarirana.
Família: Fabaceae.
Origem: Japão.
Parte usada: semente.
Características: árvore florífera utilizada na arborização urbana. Alcança até 30 metros de altura e o tronco pode ser único ou múltiplo. É tortuoso, curto (cerca de 8 metros de altura) e pode chegar a um diâmetro de 100 cm. A casca de cor marrom é fissurada e com textura áspera. A copa é ampla, com cerca de 8 metros de diâmetro com folhas compostas. As flores são de cor rósea-amarelada e o fruto é caracterizado por uma vagem grande, lenhosa e marrom, de 11 a 60 cm de comprimento.
Efeitos terapêuticos: depurativo, diurético, estimulante geral do metabolismo e hipotensor.
Usos: para purificar e desintoxicar o sangue, desinfeccionar o aparelho digestivo, controlar a fermentação dos intestinos, prisão de ventre e aumentar o movimento peristáltico intestinal.
Vale saber! Proibido o uso sem orientação profissional – médico ou fitoterapeuta – e por gestantes. Não deve ser usada em casos de diarreia.

200. Hamamélis

Nome científico: *Hamamelis virginiana* L.
Outros nomes: vassoura de bruxa, aveleira de bruxa.
Família: Hamameliadáceas.
Origem: EUA, Canadá.
Partes usadas: folhas e casca.
Características: chega a aproximadamente 6 metros de altura. As folhas largas e dentadas são ovadas, as flores de cor amarela-dourada florescem no outono. As frutas em cápsulas marrons aparecem após as flores e, quando maduras, largam suas duas sementes longe da árvore.
Efeitos terapêuticos: tônico venoso, hemostático, sedativo ocular.
Usos: varizes, flebites, pernas cansadas e hemorroidas. Combate dermatites, eczemas, pele seca e rugas.
Vale saber! Proibido o uso sem orientação profissional – médico ou fitoterapeuta. Não pode ser usada durante a gravidez e no período de amamentação.

201. Haritaki

Nome científico: *Terminalia chebula* Retz.
Outros nomes: Arura, harao e harada.
Família: Combretaceae.
Origem: Índia.
Partes usadas: frutas, raízes e casca.
Características: o fruto têm vários tamanhos, entre 2 a 4,5 cm de comprimento e 1,2 a 2,5 cm de largura, e possui cinco sulcos longitudinais. Dependendo do tipo, tem gosto doce, azedo, amargo e adstringente.
Efeitos terapêuticos: adstringente, anti-helmíntico, expectorante, laxante, rejuvenescedor, tônico.
Usos: asma, azia, dismenorreia, edema, entorpecimento no olho, feridas na boca, hemorroidas, indigestão, icterícia, inchaços, infecções urinárias, laringites, leucorreia, parasitas, tosse e vaginite.
Vale saber! Proibido o uso sem orientação profissional – médico ou fitoterapeuta. Não pode ser usada durante a gestação e amamentação e em casos de desidratação e cansaço.

202. Heléboro Negro

Nome científico: *Helleborus niger* L.
Outros nomes: rosa de natal.
Família: Ranunculaceae.
Origem: norte da Europa.
Partes usadas: folhas, flores, sementes, óleo e tintura.
Características: planta perene de porte rasteiro com 1 m de altura. Apresenta folha de cor verde-escura e flores grandes, com cinco pétalas que rodeiam um pequeno anel em forma de cálice. Há variações nas cores rosa e roxa.
Efeitos terapêuticos: diurético, hipertensor e purgante.
Usos: fortificante do coração.
Vale saber! Proibido o uso sem orientação profissional – médico ou fitoterapeuta. Não pode ser usada por mulheres grávidas, crianças, lactantes e por pessoas alérgicas. Em doses elevadas pode induzir um ataque cardíaco ou causar envenenamento.

203. Heliotrópio

Nome científico: *Heliotropium europaeum* L.
Outros nomes: tornesol e erva-das-verrugas.
Família: Boragináceas.
Origem: região mediterrânea.
Partes usadas: folhas.
Características: planta de aroma agradável, que atinge até 80 cm de altura. As folhas e os caules são cobertos de pelos suaves.
Efeitos terapêuticos: antisséptico, cicatrizante, febrífugo e emenagogo.
Usos: desinfeta e cicatriza feridas, ativa a menstruação e estimula o funcionamento da vesícula biliar.
Vale saber! Proibido o uso sem orientação profissional – médico ou fitoterapeuta. Como é extremamente tóxica, pode envenenar os animais.

204. Hena

Nome científico: *Lawsonia inermis* L.
Outros nomes: alfena (Árabe), hennê (Inglaterra), henné (francês), mendhi (Paquistão).
Família: Lythraceae.
Origem: leste da África.
Partes usadas: folhas e flores.
Características: planta de porte arbustivo, com ramos longos e de ciclo perene. Varia de tamanho e normalmente atinge de 2,5 a 3 metros de altura. As flores têm aroma adocicado, cores branca ou amarela, e surgem agrupadas em inflorescências do tipo panícula. Delas se extrai uma tintura castanha-avermelhada, usada há milênios para pinturas corporais.
Efeitos terapêuticos: absorvente de radiação ultravioleta, adstringente, antisséptico, anti-inflamatório, bactericida, béquico, corante, desodorante, emenagogo (aumenta o fluxo menstrual ou provoca menstruação), estimulante e sedativo.
Usos: dermatose, dor de cabeça, dor estomacal, herpes, histeria, infecção nos órgãos genitais, lepra, leucorreia, mialgia, oftalmia, para proteger a pele dos raios ultravioleta, tumor e reumatismo.
Vale saber! Proibido o uso sem orientação profissional – médico ou fitoterapeuta. Efeitos colaterais são desconhecidos da literatura médica.

205. Hera

Nome científico: *Hedera helix* L.
Outros nomes: hera inglesa, hera verdadeira, hera venenosa e hera europeia.
Família: Haraliaceae.
Origem: Europa.
Partes usadas: folhas secas.
Características: arbusto trepador com inúmeras raízes em seus longos ramos que se estendem pelo solo ou se apoiando em árvores e muros. Produz frutos que alimentam certos pássaros, mas são tóxicos para seres humanos.
Efeitos terapêuticos: analgésico, antiespasmódico, calmante, cicatrizante, estimulante, hidratante e vasodilatador.
Usos: celulite, úlceras, ferimentos, queimaduras, asma, bronquite crônica, laringite, hipertensão arterial, nevralgias, gota, ferimentos, reumatismo, neurites, feridas, úlceras, calos, hidrocefalias e convulsões de origem encefálica.
Vale saber! Proibido o uso sem orientação profissional – médico ou fitoterapeuta. Não pode ser usada por gestantes, lactantes, crianças e portadores de hipertireoidismo. As bagas contêm substâncias tóxicas que provocam vômitos e podem afetar as mucosas e as células dos rins e do fígado. Também pode provocar hemólise (rompimento de uma hemácia, que libera a hemoglobina no plasma), irritação gástrica, excitação e febre.

206. Hera terrestre

Nome científico: *Glechoma hederacea* L.
Outros nomes: lotilã-do-mato, erva-de-são-joão, hera-terrestre.
Família: Lamiaceae.
Origem: Europa e Ásia.
Partes usadas: folhas frescas ou secas, sumo ou toda a planta.
Características: planta herbácea rasteira, pequena e perene, com 10 a 30 centímetros de altura, raízes delicadas e fibrosas, flores azuis, róseas ou esbranquiçadas. As folhas dentadas triangulares são semelhantes às heras propriamente ditas. Exala um aroma forte e tem gosto amargo.
Efeitos terapêuticos: tônico, anti-inflamatório, desobstruente, vermífugo, antiespasmódico, adstringente, diurético e antiescorbútico.
Usos: usada para combater asma, bronquite, enfisema, problemas de estômago e no controle da hipertensão.
Vale saber! Proibido o uso sem orientação profissional – médico ou fitoterapeuta. Suas bagas são altamente tóxicas, por isso nunca devem ser ingeridas.

207. Herniária

Nome científico: *Herniaria glabra* L.
Outros nomes: erva-das-quebraduras, erva herniária, erva-turca, herniaria, herniola ou milegrama.
Família: Caryophyllaceae.
Origem: Europa.

Partes usadas: folhas.
Características: pequena herbácea perene, com talos rasteiros dispostos em círculos e folhas opostas de cor verde-clara. As flores são pequenas, verdes e agrupadas, enquanto o fruto é coberto por um cálice duro.
Efeitos terapêuticos: antisséptico, diurético, antiespasmódico, astringente.
Usos: contra cálculos renais.
Vale saber! Proibido o uso sem orientação profissional – médico ou fitoterapeuta.

208. Hidraste
Nome científico: *Hydrastis canadensis* L.
Outros nomes: goldenseal, hidrastis, hydraste du Canada e hidraste.
Família: Ranunculaceae.
Origem: América do Norte.
Partes usadas: rizoma.
Características: erva perene com folhas verde-escuras dentadas, de flores pequenas e avermelhadas, com raízes numerosas e de coloração cinza e amarela.
Efeitos terapêuticos: adstringente, antidiarreico, anti-inflamatório, antimicrobiano, antiulcerogênico, digestivo, estimulante, expectorante, febrífugo, hemostático, hipertensor, tônico e vermífugo.
Usos: infecções gastrointestinais, distúrbios hepáticos, candidíase e hepatite.
Vale saber! Proibido o uso sem orientação profissional – médico ou fitoterapeuta. Não pode ser usada na gravidez, pois estimula contrações uterinas; nem por pessoas com problemas cardíacos, pois eleva a pressão arterial. É potencialmente perigosa quando usada em doses elevadas, provocando efeitos colaterais como: náuseas, vômitos e diminuição dos glóbulos brancos.

209. Hipofaé
Nome científico: *Hippophae rhamnoides* L.
Outros nomes: mata-cavalos, espinheiro-cerval marítimo e falso espinheiro.
Família: Eleagnaceae.
Origem: Europa.
Partes usadas: frutos.
Características: pequeno arbusto espinhoso que atinge até 3 m de altura, de folhas caducas, estreitas e flores pequenas, de cor verde. Seu fruto tem coloração amarela ou alaranjada.
Efeitos terapêuticos: antiescorbútico, tonificante, diurético, cardiotônico e imunoestimulante.
Usos: indicado no combate à gripe, ao esgotamento físico e como cardiotônico suave e ativador do aparelho circulatório.
Vale saber! Proibido o uso sem orientação profissional – médico ou fitoterapeuta.

210. Hissopo
Nome científico: *Hyssopus officinalis* L.
Outros nomes: hissopo e hisopo.
Família: Labiadas.
Origem: Mediterrâneo.
Partes usadas: folhas, rizomas, casca e frutos.
Características: planta perene, com caule central, que pode chegar a 60 cm de altura. As folhas são finas e pontiagudas; e as flores, tubulares, de cor violeta e pequenas. O fruto contém quatro pequenas castanhas, cada uma com uma semente.
Efeitos terapêuticos: antiespasmódico, carminativo, depurativo e expectorante.
Usos: indicado para asma, bronquite, tosse e rouquidão.
Vale saber! Proibido o uso sem orientação profissional – médico ou fitoterapeuta. Não pode ser consumida durante a gravidez e no período de amamentação.

211. Hortelã branca
Nome científico: *Mentha × rotundifolia* (L.) Huds.
Outros nomes: menta e hortelã.
Família: Lamiaceae.
Origem: África.
Partes usadas: folhas frescas e verdes.
Características: herbácea grande, perene e aromática, atingindo de 40 cm a 1 m de altura.
Efeitos terapêuticos: antirreumático, antiemético, aromático, calmante, carminativo, estimulante, tônico, vermífugo.
Usos: prisão de ventre e em cicatrizações de feridas.
Vale saber! Proibido o uso sem orientação profissional – médico ou fitoterapeuta. Não pode ser consumida durante a gravidez e no período de amamentação.

212. Hortelã crespa
Nome científico: *Mentha viridis* (L.) L.
Outros nomes: hortelã-comum, hortelã-

-das-hortas, hortelã-verde ou hortelã.
Família: Lamiaceae.
Origem: África.
Partes usadas: folhas.
Características: planta herbácea perene muito ramificada, rasteira, de folhas aromáticas e textura áspera. As pequenas flores são brancas com sombra rosa.
Efeitos terapêuticos: calmante, expectorante, digestivo e tônico.
Usos: indicado para espasmo, gripe, vermes e para purificar o hálito.
Vale saber! Proibido o uso sem orientação profissional - médico ou fitoterapeuta. Não pode ser consumida durante a gravidez e no período de amamentação.

213. Hortelã gorda

Nome científico: *Coleus amboinicus* Lour.
Outros nomes: erva-cidreira, hortelã-grande, hortelã-graúda, hotelã-grossa, hortelã-pimenta, orégano-orelhão, malva, malvão, malvariço e malvarisco.
Família: Lamiaceae.
Origem: Nova Guiné.
Partes usadas: folhas frescas.
Características: herbácea ereta, de 50 cm a 1,5 m de altura, com caule muito ramificado, quadrangular, revestido de penugem fina e curta. As folhas são opostas, quebradiças, cobertas de pelos. As flores nascem em espiga no ápice dos ramos ou na axila das folhas.
Efeitos terapêuticos: antibacteriano, antifebril, anti-inflamatório, antisséptico bucal e antimicrobiano.
Usos: indicada para asma, bronquite, coriza, dor de cabeça, dor de ouvido, epistaxe, hemoptise, hipertermia, inflamação no colo do útero e rouquidão.
Vale saber! Proibido o uso sem orientação profissional - médico ou fitoterapeuta. É preciso ter cuidado na identificação, uma vez que as espécies de hortelã são muito parecidas e difíceis de identificar. Não há referência na literatura consultada, mas, em altas doses, pode causar irritação na mucosa gástrica, amigdalite, gengivite, estomatite e dor de ouvido.

214. Hortelã miúda

Nome científico: *Mentha × rotundifolia* (L.) Huds.
Outros nomes: hortelã da horta, hortelã-de-cavalo, hortelã cultivada, hortelã de panela e hortelã chinesa.
Família: Lamiaceae.
Origem: China, Japão e Europa.
Partes usadas: folhas e ramos.
Características: como todas as mentas, possui caule quadrangular, de cor púrpura-esverdeada e com folhas de coloração verde-clara e escura, e flores de cor púrpura. As folhas são ovais e serradas, e geralmente chegam a medir entre 30 e 60 cm de altura.
Efeitos terapêuticos: analgésico, anestésico, sedativo, flavorizante, antiespasmódico e antisséptico.
Usos: auxilia na digestão, combate vermes, síndrome do intestino irritável e doenças gastrointestinais.
Vale saber! Proibido o uso sem orientação profissional - médico ou fitoterapeuta. O óleo de hortelã não pode ser administrado em pacientes com refluxo gastroesofageal ou úlceras gástricas ativas. Também não pode ser aplicado no rosto, especialmente sobre o nariz de crianças. Como efeitos colaterais foram descritas reações alérgicas (dermatite de contato, fogachos e dor de cabeça).

215. Hortelã-do-norte

Nome científico: *Plectranthus amboinicus* (Lour.) Spreng.
Outros nomes: hortelã de folha grossa, hortelã grande, malva de cheiro, malva do reino, malvarisco, cuban orégano, menta mexicana, orégano brujo, orégano francês e tomilho espanhol.
Família: Lamiaceae.
Origem: África.
Partes usadas: folhas.
Características: herbácea grande, perene e aromática. Atinge de 40 cm a 1 m de altura.
Efeitos terapêuticos: digestivo, tônico estomacal e antisséptico.
Usos: indicada em gripes e resfriados.
Vale saber! Proibido o uso sem orientação profissional - médico ou fitoterapeuta.

216. Hortelã pimenta

Nome científico: *Menta piperita* L.
Outros nomes: hortelã-pimenta, sândalo e hortelã-inglesa.
Família: Lamiaceae.
Origem: Oriente.
Partes usadas: folhas e flores.
Características: planta perene, com rizoma lenhoso e caule quadrangular. As folhas são opostas, com margens dentadas. As flores são de coloração lilás ou branca, reunidas em espigas terminais.
Efeitos terapêuticos: antiespasmódico, carminativo, estomacal, estimulante e vermífugo.
Usos: combate vermes intestinais, azia, gastrite e cólica. É analgésico estomacal e intestinal, digestivo e estimulante das funções cardíacas.

Vale saber! Proibido o uso sem orientação profissional – médico ou fitoterapeuta. Pode causar insônia.

217. Hortelã-rasteiro
Nome científico: *Mentha crispa*.
Outros nomes: hortelã de horta.
Família: Lamiaceae.
Origem: China, Japão e Europa.
Partes usadas: folhas e flores.
Características: erva rasteira com folhas crespas. O nome deriva da deusa latina Ninfa, filha de Cocilus, que foi amante de Plutão.
Efeitos terapêuticos: antisséptico, aromático, digestivo, antiespasmódico, estomáquico, expectorante.
Usos: indicada em casos de indigestão, como vermífugo e expectorante.
Vale saber! Proibido o uso sem orientação profissional – médico ou fitoterapeuta. Não pode ser consumida durante a gravidez, no período de amamentação e por crianças.

218. Hortelã-portuguesa

Nome científico: *Mentha spicata* L.
Outros nomes: hortelã, hortelã de panela, hortelã rasteira e menta vilosa.
Família: Lamiaceae.
Origem: Europa.
Partes usadas: folhas.
Características: erva perene, ereta e com 30 a 40 cm de altura. Seu aroma é forte e bem característico. Suas folhas podem ser maiores que as folhas da hortelã comum.
Efeitos terapêuticos: antimicrobiano e antioxidante.
Usos: é indicada para enjoo, náuseas e problemas digestivos. Seu mais recente uso medicinal é no tratamento contra ameba, giárdia e tricomonas.
Vale saber! Proibido o uso sem orientação profissional – médico ou fitoterapeuta. Não pode ser consumido por crianças.

219. Hortelã variegata
Nome científico: *Mentha suaveolens* Ehrh.
Outros nomes: menta de prado.
Família: Lamiaceae.
Origem: Europa e Mediterrâneo.
Partes usadas: folhas.
Características: atinge em torno de 40 cm de altura, possui folhas mescladas verde com branco. Também podem ocorrer hastes com folhas totalmente brancas, que não prosperam por muito tempo, pois não apresentam clorofila. Seu aroma lembra o do abacaxi, porém com a mesma refrescância das mentas. É uma variedade rara, considerada ornamental.
Efeito terapêutico: antimicrobiano.
Usos: os óleos essenciais são indicados no combate a várias bactérias.
Vale saber! Proibido o uso sem orientação profissional – médico ou fitoterapeuta. Não pode ser consumida durante a gravidez, no período de amamentação e por crianças. Seus efeitos colaterais são diarreia e alergia e urticária.

220. Imperatória
Nome científico: *Peucedanum ostruthium* (L.) W.D.J.Koch.
Outros nomes: imperatória.
Família: Apiaceae.
Origem: regiões montanhosas da Europa.
Partes usadas: rizomas.
Características: decorativa e aromática, com pequenas flores brancas. Os rizomas possuem aroma picante e têm textura rugosa na parte externa.
Efeitos terapêuticos: digestivo, estimulante, tônico, diurético, carminativo e expectorante.
Usos: o chá do rizoma possui efeitos digestivo e diurético. É indicada em casos de distúrbios digestivos ou dor de dente. Elimina inchaços e catarro.
Vale saber! Proibido o uso sem orientação profissional – médico ou fitoterapeuta. Pode ocasionar alergia.

221. Incenso
Nome científico: *Commiphora myrrha* (Nees) Engl.
Outros nomes: mirra.
Família: Burseraceae.
Origem: Oriente Médio.
Partes usadas: óleo essencial, resina e folhas.
Características: árvore espinhosa, de folhas caducas, que pode atingir 5 metros de altura, com flores vermelhas e amarelas e

frutos pontiagudos. A má aparência dessa planta é compensada pelo aroma da resina, importante essência aromática comercializada pelo mundo há muitos anos.
Efeitos terapêuticos: adstringente, anestésico, anti-inflamatório, antisséptico, aromático, cicatrizante, desinfetante, desodorante, fixador, fortalecedor do tecido gengival, fungicido e revitalizante.
Usos: o óleo e o chá das folhas são usados em massagens para dores musculares, dor de cabeça e como repelente de insetos.
Vale saber! Proibido o uso sem orientação profissional – médico ou fitoterapeuta. Seu uso só pode ser externo. Se ingerida, a planta é tóxica.

222. Índigo

Nome científico: *Indigofera tinctoria* L.
Outros nomes: anileira, índigo-do-brasil e indigófera.
Família: Fabaceae.
Origem: América.
Partes usadas: raízes e folhas.
Características: a árvore pode chegar até 1,80 metro de altura, com caules finos e compridos e pequenas folhas. Esta planta sempre foi conhecida por ser uma grande fonte de corante de cor azul.
Efeitos terapêuticos: anti-helmíntico, antitérmico, sedativo, purgativo e corante.
Usos: é indicado contra vermes intestinais, icterícia e febre, além de empregado topicamente contra a sarna.
Vale saber! Proibido o uso sem orientação profissional – médico ou fitoterapeuta. Não pode ser consumida durante a gravidez e no período de amamentação. Além disso, só pode ser ministrada por, no máximo, uma semana.

223. Infalível

Nome científico: *Fernaldia pandurata* (A.DC.) Woodson.
Outros nomes: infalível, loroco.
Família: Apocynaceae.
Origem: Cerrado brasileiro e América Central.
Partes usadas: raiz e rizoma.
Características: a raiz é fibrosa e profunda, contém alcaloides lorocina e cloroquina que são tóxicos ao ser humano. Seu talo é fraco e pubescente e a flor é usada na alimentação humana.
Efeitos terapêuticos: anti-inflamatório e cicatrizante.
Usos: as flores podem ser consumidas em saladas. A raiz é usada como anti-inflamatório e para ajudar na cicatrização da pele proveniente de mordida de cobra.
Vale saber! Proibido o uso sem orientação profissional – médico ou fitoterapeuta. Pode causar náuseas e vômitos.

224. Inhame

Nome científico: *Colocasia esculenta* (L.) Schott.
Outros nomes: batata-dos-trópicos, orelha-de-elefante
Família: Araceae.
Origem: Ásia.
Partes usadas: rizoma, haste e folha.
Características: planta trepadeira que produz tubérculos, perene, ereta, com rizomas que podem pesar mais de 1 kg, feculentos, e largamente usado como alimento em todo o país. Possui folhas grandes, aveludadadas e com nervuras grossas, podendo atingir até 1 m de comprimento.
Efeito terapêutico: antiestático.
Usos: como alimento, é indicado para desnutrição, convalescença, falta de energia, anemia e edema reumático. Pode ser usada, também, para engrossar papinhas de frutas, substituindo as farinhas comerciais.
Vale saber! Proibido o uso sem orientação profissional – médico ou fitoterapeuta. Como é calórico, não deve ser consumido em excesso.

225. Insulina vegetal

Nome científico: *Cissus sicyoides* L.
Outros nomes: mãe-boa, cipó-pucá, cipó-puci, aquite, anil-trepador, caavurana-de-cunhan, cipó-da-china, cortina-japonesa, diabetil, insulina-vegetal, proeza-japonesa, tinta-dos-gentios, uva-brava, uva-do-mato.
Família: Vitaceae.
Origem: Brasil.
Parte usada: folha.
Características: herbácea trepadeira, perene, vigorosa, com ramos e folhas carnosas. Possui gavinhas opostas às folhas e raízes aéreas pêndulas.
Efeitos terapêuticos: hipotensor, sudorífico, antirreumático, anti-inflamatório, estomáquico, hipoglicemiante e anti-hemorroidal.

Usos: usada como hipoglicemiante e no tratamento da diabetes quando consumida. Em uso externo também trata reumatismo, furúnculos, abscessos e gânglios inflamados.
Vale saber! Proibido o uso sem orientação profissional - médico ou fitoterapeuta. Não pode ser consumida durante a gravidez, no período de amamentação e por pessoas com hipoglicemia.

226. Ioimbina

Nome científico: *Pausinystalia johimbe.* (K.Schum.) Pierre ex Beille.
Outros nomes: pau-de-cabinda.
Família: Rubiaceae.
Origem: África.
Partes usadas: casca do tronco.
Características: árvore que pode atingir até 30 m de altura, possui casca rugosa de cor avermelhada a marrom-acinzentada. Suas folhas medem de 24 cm a 47 cm de comprimento por 10 cm a 17 cm de largura.
Efeitos terapêuticos: afrodisíaco, vasodilatador, tônico e hipotensor.
Usos: estimulante moderado para evitar sonolência e indicado para tratamento de angina. Considerado um afrodisíaco para ambos os sexos, pode ser utilizado para tratar impotência, frigidez e depressão.
Vale saber! Proibido o uso sem orientação profissional - médico ou fitoterapeuta. Não pode ser usada por pessoas com distúrbios circulatórios, renais, hepáticos, diabetes, úlceras gástricas, grávidas e lactantes.

227. Ipê-preto

Nome científico: *Tabebuia avellanedae* Lorentz ex Griseb.
Outros nomes: ipê-roxo, lapacho, pau d'arco.
Família: Bignoniaceae.
Origem: América Tropical.
Partes usadas: casca, cerne e flores.
Características: árvore frondosa de coloração roxa, podendo chegar a 20 m de altura, com tronco rugoso. O cerne do tronco tem cor avermelhada, as flores roxas reúnem-se em belos cachos que revestem todos os ramos desfolhados. O fruto é uma vagem com sementes aladas.
Efeitos terapêuticos: diurético, depurativo, adstringente, hemostático, imunoestimulante, expectorante, anti-inflamatório, fungicida, bactericida, antivirótico, anti-infeccioso, antidiarreico, febrífugo, cardiotônico, sedativo e analgésico.
Usos: para amenizar dores reumáticas, edema dos pés, além de ser imunoestimulante e analgésico.
Vale saber! Proibido o uso sem orientação profissional - médico ou fitoterapeuta. Não pode ser consumida durante a gravidez e no período de amamentação.

228. Ipê-roxo

Nome científico: *Tabebuia impetiginosa* (Mart. ex DC.) Standl.
Outros nomes: ipê-rosa, ipê-roxo-de-sete-folhas, pau d'arco, peúva.
Família: Bignoniaceae.
Origem: América Tropical.
Partes usadas: casca e folhas.
Características: árvore perene, com folhas compostas e palmadas, com 5 folíolos que caem no inverno e dão lugar à floração. As flores em forma de trombeta são numerosas, de coloração rósea ou arroxeada, de acordo com a espécie. Seu tronco é elegante e oferece madeira de excelente qualidade.
Efeitos terapêuticos: adstringente, analgésico, antimicrobiano, anti-inflamatório, anti-infeccioso, anti-tumoral, antinevrálgico, antissifilítico, antibactericida, antifúngico, depurativo e diurético.
Usos: em tratamentos de alergia, anemia, diabetes, catarro da uretra, coceiras, dores musculares, colite, lúpus, úlceras, mal de Parkinson, malária, osteomielite, problemas respiratórios, psoríase, candidíase, queimaduras, cólicas menstruais e corrimentos.
Vale saber! Proibido o uso sem orientação profissional - médico ou fitoterapeuta. Doses elevadas do chá podem causar náuseas, vômitos, diarreia e efeito anticoagulante do sangue.

229. Ipeacuanha

Nome científico: *Cephaelis ipecacuanha* (Brot.) A.Rich.
Outros nomes: cagosanga, canela-da-menor, cipó-emético, ipeca, ipê-caá-coene, ipecapoaie, poiaia-cinzenta.
Família: Rubiaceae.
Origem: Brasil.
Parte usada: raiz.
Características: árvore perene com folhas compostas e palmadas, com 5 folíolos que caem no inverno e dão lugar à floração. As flores em forma de trombeta são numerosas, de coloração rósea ou arroxeada, de acordo com a espécie, e despontam em volumosas inflorescências. Seu tronco é elegante e oferece madeira de excelente qualidade.
Efeitos terapêuticos: adstringente, analgésico, antiblenorrágico, antimicrobiano, anti-inflamatório, anti-infeccioso, antinevrálgico, antissifilítico, antibactericida, antifúngico, depurativo e diurético.
Usos: é uma planta usada pela homeopatia,

mas o chá da raiz tem propriedade diurética e pode diminuir inchaços, retenção de líquido e eliminar toxinas do organismo através da urina. A alta presença de ferro na planta estimula a produção de hemácias, o que pode auxiliar no tratamento de anemias. Também é indutora de vômito.
Vale saber! Proibido o uso sem orientação profissional – médico ou fitoterapeuta. Doses elevadas do chá podem causar náuseas, vômitos, diarreia e efeito anticoagulante do sangue.

230. Jaborandi-de-minas
Nome científico: *Piper jaborandii* Vell.
Outros nomes: borandi, capoty, cataiguacu, cutia, erva-de-soldado, jaborandi-capoti, jaborandi-da-mata-virgem, jaborandi-do-norte, jaborandi-falso, jaborandi-manso, jamborandirana, joao-borandi, nandu, desata nós, peteca.
Família: Piperacetazina.
Origem: América do Sul.
Partes usadas: folhas e raízes.
Características: planta de porte arbustivo, medindo de 1,8 a 2,0 m de altura. O caule é cilíndrico, de coloração verde-clara, nodoso, áspero, e as folhas são simples.
Efeitos terapêuticos: sudorífico, diurético e sialagogo (salivante).
Usos: decocção das folhas e raízes pode tratar alopecia, amenorreia, dor de dente, exoftalmia, hemoptise, leucorreia, metrite e papeira.
Vale saber! Proibido o uso sem orientação profissional – médico ou fitoterapeuta. Essa planta possui a propriedade de provocar tremores na língua.

231. Jabuticabeira
Nome científico: *Plinia cauliflora* (Mart.) Kausel.
Outros nomes: jabuticaba-açu, jabuticaba-paulista.
Família: Myrtaceae.
Origem: Mata Atlântica.
Parte usada: fruto.
Características: a árvore pode alcançar até 15 m de altura, tem porte piramidal, muito ramificada, copa alongada e densa, tronco liso com diâmetro entre 30 a 40 cm. Suas folhas são simples, opostas, lanceoladas e não caem durante o ano. Os frutos são bagas globosas, comestíveis, saborosos, com aproximadamente 3 cm de diâmetro.
Efeitos terapêuticos: antioxidante e antialérgico.
Usos: a fruta pode ser consumida in natura ou pode ser feito chá a partir de suas cascas. É um fruto nutritivo, e seu consumo é indicado para asma, deficiência vitamínica, diarreia, inflamação da pele, ajuda na queima de gordura e no bom funcionamento do sistema nervoso central. A fruta é rica em antocianinas, um tipo potente de antioxidante que atua na eliminação de moléculas instáveis de radicais livres.
Vale saber! Proibido o uso sem orientação profissional – médico ou fitoterapeuta. Como é bem doce, deve ser consumida com cautela.

232. Jaca
Nome científico: *Artocarpus heterophyllus* Lam.
Outros nomes: Jaca.
Família: Moraceae.
Origem: Índia.
Partes usadas: frutos, raízes, resina e sementes.
Características: a árvore atinge geralmente 20 m de altura, tem copa densa, folhagem verde-escura e brilhante. Fruto tipo composto, originado pelo espessamento da infrutescência, que se torna carnosa na maturação, tem casca espessa, mole, áspera, de coloração verde-amarelada quando maduro.
Efeitos terapêuticos: antiasmático, antidiarreico, antitussígeno, cicatrizante e diurético.
Usos: consumida ao natural ou no preparo de doces, compotas ou geleias. Sua semente, assada ou cozida, substitui castanhas e é utilizada na fabricação de farinha para purês e bolos. A resina da planta tem propriedade cicatrizante e a raiz combate a asma. As sementes atuam em desarranjos intestinais e o fruto é diurético e antitussígeno.
Vale saber! Proibido o uso sem orientação profissional – médico ou fitoterapeuta. Extrato de jaca pode causar sonolência. Pessoas com alergia ao pólen de bétula podem apresentar alergia.

233. Jacarandá

Nome científico: *Jacaranda mimosicéria* D.Don.

Outros nomes: Jacarandá.
Família: Bignoniaceae.
Origem: Brasil.
Partes usadas: folhas, flores secas, raiz e casca.
Características: a árvore pode alcançar até 15 m de altura, tem porte piramidal, muito ramificada, copa alongada e densa, tronco liso com diâmetro entre 30 a 40 cm. Suas folhas são simples, opostas, lanceoladas e não caem durante o ano. Os frutos são bagas globosas, comestíveis, saborosos, com aproximadamente 3 cm de diâmetro, e aparecem fixados ao caule.
Efeitos terapêuticos: antisséptico e antibiótico.
Usos: o extrato aquoso de qualquer uma das partes consumíveis ou óleo essencial da folha em uso externo é eficiente contra infecções bacterianas, gonorreia, sífilis, epilepsia, apetite descontrolado, feridas e infecções da pele, nevralgias e varizes.
Vale saber! Proibido o uso sem orientação profissional - médico ou fitoterapeuta. O óleo essencial pode causar irritação na pele se usado puro.

234. Jacatupé

Nome científico: *Pachyrhizus erosus* (L.) Urb.
Outros nomes: feijão-macuco, feijão-batata, feijão-de-batata, feijão-jacatupé, linguiça-vegetal, Yeticopé e yacatupé (tupi); patate-cochon e mexikanische yams-bohne.
Família: Fabaceae.
Origem: América Central.
Parte usada: raiz.
Características: planta trepadeira com grandes túberas subterrâneas e comestíveis, da qual se produz um amido finíssimo semelhante à araruta. As folhas são forrageiras, com flores alvas e vagens achatadas. Pode atingir até três metros de altura.
Efeitos terapêuticos: antitussígeno e diurético.
Usos: as raízes são eficazes no tratamento de afecções das vias urinárias, da febre e nefrite.
Vale saber! Proibido o uso sem orientação profissional - médico ou fitoterapeuta. As sementes são tóxicas e não podem ser ingeridas de forma alguma.

235. Jambo

Nome científico: *Syzygium malaccense* (L.) Merr. & L.M.Perry.
Outros nomes: jambo-rosa, jambo-vermelho e eugenia.
Família: Myrtaceae.
Origem: Ásia.
Parte usada: fruto.
Características: árvores com ramos acinzentados, folhas opostas, elípticas de coloração verde-escura, brilhante com a face inferior mais clara. As flores são brancas, meio esverdeadas e perfumadas. Tem frutos com baga globosa, de tons amarelo-rosado ou arroxeado. A polpa é suculenta, perfumada e de sabor muito agradável.
Efeitos terapêuticos: adstringente, antibacteriano, antiviral, diurético e estomáquico.
Usos: excelente fonte de vitaminas, minerais e fibras. Indicada para tratar catarro nos pulmões, diabetes, diarreia, disenteria, enxaqueca, fungo, gases, herpes simples (Vírus-1 e 2 e o Vesicular Stomatitis Virus) queimadura e tosse.
Vale saber! Proibido o uso sem orientação profissional - médico ou fitoterapeuta. Diabéticos devem consumir com moderação, pois o fruto possui bastante açúcar.

236. Jambolão

Nome científico: *Syzygium cumini* (L.) Skeels.
Outros nomes: jamelão, jambulão, jalão, jambol.
Família: Myrtaceae.
Origem: Índia.
Partes usadas: folha, semente, casca e fruto.
Características: o fruto é pequeno e de formato ovoide. Torna-se de cor roxo-escura quando completamente maduro. Sua pele é fina, lustrosa e aderente. A polpa também é roxa, carnosa, tem sabor agradável e envolve um caroço único e grande.
Efeitos terapêuticos: hipoglicemiante, adstringente, estomáquico, carminativo, antiescorbútico e diurético.
Usos: o consumo alivia diarreia aguda e crônica, aumento do baço, retenção de urina, diabetes mellitus ou glicosúria e dores de garganta.
Vale saber! Proibido o uso sem orientação profissional - médico ou fitoterapeuta. A ingestão oral excessiva de produtos ricos em taninos vegetais pode ser perigosa para a saúde.

237. Jambu

Nome científico: *Acmella oleracea* (L.) R.K.Jansen.
Outros nomes: agrião-do-Brasil, agrião-do-Pará, pimenta-d'água, botão-de-ouro, jambu-açu, mastruço, agrião-da-mata.
Família: Compositae.
Origem: Brasil.
Partes usadas: folhas e inflorescência.
Características: erva de hastes tenras e suculentas, cresce nos córregos e em lugares úmidos. Possui pequenas flores brancas e suas folhas são comestíveis quando frescas. De sabor picante, quase sem cheiro, é utilizada como condimen-

to, principalmente no norte do País, para preparar o famoso "molho-de-tucupi".
Efeitos terapêuticos: anestésico, antisséptico, digestivo e antioxidante.
Usos: contra anemia, malária, escorbuto, distúrbio estomacal, dispepsia e como estimulante da atividade estomáquica. As folhas e flores quando mastigadas dão a sensação de formigamento nos lábios e na língua, devido à ação anestésica local, por isso é usada para dor de dente como anestésico, além de ser recomendada como estimulante do apetite.
Vale saber! Proibido o uso sem orientação profissional – médico ou fitoterapeuta. Não pode ser consumida na gravidez e no período de amamentação.

238. Janaúba

Nome científico: *Euphorbia umbellata* (Pax) Bruyns.
Outros nomes: janaguba, janaúba, dona-joana, raivosa, jasmim-manga, sabeuuna, tiborna, sucuúba, sucuúba-da-amazônia, angélica da mata e banana-de-papagaio.
Família: Euphorbiaceae.
Origem: África tropical.
Partes usadas: folha, látex, raiz e caule.
Características: arbusto perene, que pode atingir de 2,5 a 3 metros de altura. Muito conhecida no interior do Brasil como "Leiteiro", é utilizado para a formação de cercas vivas em quintais e sítios. Possui folhas ovaladas, caule fino e pequenas inflorescências.
Efeitos terapêuticos: anestésico, antisséptico, digestivo, antioxidante e sialagogo.
Usos: indicado para tratar verruga, sífilis, problemas cardíacos, menstruação excessiva, dor de garganta, psoríase, impetigo, malária e tosse.
Vale saber! Proibido o uso sem orientação profissional – médico ou fitoterapeuta. Não pode ser consumida na gravidez e no período de amamentação.

239. Jasmim Carolina

Nome científico: *Gelsemium sempervirens* (L.) J.St.-Hil.
Outros nomes: falso-jasmim, jasmim-amarelo-da-carolina, jasmim-carolina, gelsémino.
Família: Gelsemiaceae.
Origem: América Central e Estados Unidos.
Partes usadas: rizomas e raízes na homeopatia.
Características: planta perene, com ramos que atingem mais de 5 metros de comprimento. As folhas são verdes e brilhantes em forma de lança, de 5 a 10 cm de comprimento. Tem flores amarelas, com aroma agradável.
Efeitos terapêuticos: vasodilatador; broncodilatador; diminuição do tônus do nervo vago, resultando na diminuição da frequência cardíaca e na paralisia do sistema nervoso central.
Usos: na homeopatia é indicado na fraqueza e prostração muscular, sonolência, lassidão, torpor, embotamento, vertigem, tremores, febres intermitentes, especialmente oriundas de infecções gastrointestinais, casos de influenza, de forma catarral, neurastenia, depressão, paralisia de vários grupos de músculos, dor de cabeça, histeria, inflamações intraoculares e dismenorreia.
Vale saber! Proibido o uso sem orientação profissional – médico ou fitoterapeuta. É considerada tóxica se não for manipulada da maneira correta e ingerida na dose indicada. Qualquer manuseio deve ser feito por fitoterapeuta ou profissional de igual qualificação.

240. Jatobá

Nome científico: *Hymenaea courbaril* L.
Outros nomes: jatobá-mirim, jatobazeiro, jutai-açu, jatai, jutaí, jatobá-de-anta, jatobá-de-porco, jatobá-roxo, olho-de-boi, pão-de-ló-de-mico, jataipeba, jatai-amarelo, farinheira, imbiuva.
Família: Leguminosae.
Origem: Brasil.
Partes usadas: casca do caule, fruto, seiva e resina.
Características: atinge até 20 m de altura, tem copa ampla e densa, tronco mais ou menos cilíndrico de até 1 m de diâmetro, reto e ramos glabros. As folhas atingem até 14 cm de comprimento e as flores são brancas, grandes, reunidas em inflorescências terminais. O fruto é um legume curto, doce, comestível, com até 13 cm de comprimento.
Efeitos terapêuticos: aperiente, vermífugo, expectorante, antiespasmódico, estomáquico, adstringente, peitoral, tônico para o cérebro, antioxidante e laxante.

Usos: contra bronquite, tosse, asma, diarreia, disenteria e cólicas intestinais. É estimulante do apetite e tônico.
Vale saber! Proibido o uso sem orientação profissional - médico ou fitoterapeuta. Não pode ser consumido durante a gravidez e no período de amamentação.

241. Jenipapo
Nome científico: *Genipa americana* L.
Outros nomes: jenipapeiro, jenipa, jenipapo-da-américa, jenipaba.
Família: Rubiaceae.
Origem: Américas.
Parte usada: fruto.
Características: o jenipapo é o fruto do jenipapeiro, uma árvore tropical de médio porte, que chega até 20 m. O fruto é farto durante quase todos os meses do ano. Torna-se mais agradável para o consumo quando amadurece e amolece no pé.
Efeitos terapêuticos: digestivo, hepático, laxante e tônico.
Usos: o fruto pode ser consumido in natura, em forma de sucos, sorvetes ou cremes. É rico em ferro e ajuda no combate da anemia. Melhora a circulação sanguínea e problemas nos rins; estimula o apetite, ajuda a combater inflamações do sistema respiratório e na eliminação do excesso de líquido no organismo. É eficaz em afecções do baço, do fígado e das vias urinárias.
Vale saber! Proibido o uso sem orientação profissional - médico ou fitoterapeuta. Consumido em excesso, pode causar constipação.

242. Jerimum
Nome científico: *Cucurbita pepo* L.
Outros nomes: abobrinha italiana, abóbora-amarela, abóbora-da-guiné, abóbora-de-carne-branca, abóbora-de-carneiro, abóbora-grande, abóbora-moganga, abóbora-moranga, abóbora-de-porco, abóbora-porqueira, abóbora-quaresma, abobreira-grande, cabaceira, cucurbita-major-rotunda, cucurbita-potiro, girimum, jeremum, jurumum, zapalito-de-tronco e zapalo.
Família: Cucurbitaceae.
Origem: Américas Central.
Partes usadas: folhas, flores, sementes e polpa.
Características: é uma planta rasteira, com gavinhas compostas e folhas alternas, palmadas e membranosas. As flores são amarelas e campanuladas, de dois sexos. A feminina é redonda ou oblonga, com ramos rasteiros e longos que produzem grandes frutos comestíveis.
Efeitos terapêuticos: anti-helmíntico, anti-inflamatório, antifebril, antitérmico, bactericida, diurético, emoliente, estomáquico, hepático, tenífugo, umectante e vermífugo.
Usos: o suco das flores é estomáquico. O fruto pode ser consumido cozido; em pedaços ou em forma de purê. O cataplasma das folhas funciona em queimaduras, inflamações e dores de ouvido. O suco das sementes trituradas combate a febre, as inflamações das vias urinárias e as doenças renais.
Vale saber! Proibido o uso sem orientação profissional - médico ou fitoterapeuta. O consumo das sementes em excesso pode provocar reação alérgica.

243. João de capote
Nome científico: *Nicandra physalodes* (L.) Gaertn.
Outros nomes: balãozinho, bexiga, bucho-de-rã, joá, juá-de-capote, lanterna-da-china, maçã-do-peru, mata-fome e quintilho.
Família: Solanaceae.
Origem: América do Sul.
Partes usadas: folhas, fruto e raiz.
Características: herbácea anual, robusta, ereta, de 40 a 140 cm de altura, possui caule glabro e fortemente sulcado, com folhas também glabras, de 7 a 14 cm de comprimento.
Efeitos terapêuticos: calmante, diaforético, estupefaciente, diurético e midriático.
Usos: a infusão das folhas e flores possui o efeito de purificar o sangue, fortalecer o sistema imunológico, aliviar dores de garganta e ajudar a diminuir as taxas de colesterol. A seiva em pequenas doses é usada como calmante.
Vale saber! Proibido o uso sem orientação profissional - médico ou fitoterapeuta. A seiva possui potencial sedativo, e pode causar sonolência. O fruto é tóxico e não deve ser consumido.

244. João-gomes
Nome científico: *Talinum paniculatum* (Jacq.) Gaertn.
Outros nomes: balãozinho, bexiga, bucho-de-rã, joá, juá-de-capote, lanterna-da-china, maçã-do-peru, mata-fome e quintilho.
Família: Portulacaceae.
Origem: Amazônia.
Partes usadas: tubérculos, sementes e folhas.
Características: planta perene de folha larga, raiz de cor alaranjada bastante comprida, que pode medir até 80 cm. Possui pequenas flores de cores rosa e violeta e sementes de tom castanho.
Efeitos terapêuticos: antiescorbútico, béquico, cicatrizante, calicida, diurético, depurati-

vo, emenagogo (aumenta o fluxo menstrual ou provoca menstruação), emoliente, mucilaginoso, refrigerante e vulnerário.
Usos: todas as partes da planta podem ser usadas. Suas folhas são comumente consumidas como hortaliças. A partir delas, pode-se também preparar cataplasma para curar feridas na pele, combater coceiras, eczemas, erisipela, calos, corte, debilidade orgânica e edemas. A decocção das raízes pode tratar escorbuto, neurastenia, tosse, gastralgia e tuberculose pulmonar.
Vale saber! Proibido o uso sem orientação profissional – médico ou fitoterapeuta. Nõ pode ser consumido na gravidez e no período de amamentação. As folhas podem causar irritação em peles sensíveis.

245. Jojoba
Nome científico: *Simmondsia chinensis* (Link) C.K. Schneid.
Outros nomes: jojoba.
Família: Simmondsiaceae.
Origem: América do Norte.
Parte usada: óleo da semente.
Características: arbusto grande, perene, atinge altura de até 2,5 m. Apresenta folhas simples, oblongas, ásperas, de cor verde-azulada. As flores formam pequenos aglomerados de pétalas vistosas e seus frutos aparecem em forma de baga, com diâmetro de 2,5 cm, parecidos com a castanha.
Efeitos terapêuticos: hidratante e cicatrizante.
Usos: o óleo da semente é usado como cosmético na produção de xampus e condicionadores para tratamento capilar, atuando como potente hidratante. É considerado um dos melhores produtos para cuidados com a pele, pois é cicatrizante e hidratante.
Vale saber! Proibido o uso sem orientação profissional – médico ou fitoterapeuta. Seu uso é apenas externo. Por isso, não pode ser ingerido de nenhuma forma.

246. Jujuba

Nome científico: *Ziziphus jujuba* Mill.
Outros nomes: jujuba.

Família: Rhamnaceae.
Origem: China.
Partes usadas: sementes, frutos e folhas.
Características: árvore de médio porte, chegando a 12 m de altura. Tem folhas brilhantes, flores pequenas e frutos redondos e pequenos, semelhantes às uvas.
Efeitos terapêuticos: analéptico, paliativo e béquico, analgésico, tranquilizante, anticonvulsivante e tônico capilar.
Usos: seu consumo pode tratar insônia, ansiedade, diabetes, e é eficiente para melhorar a memória e a cognição em idosos.
Vale saber! Proibido o uso sem orientação profissional – médico ou fitoterapeuta. A jujuba é contraindicada para pessoas com parasitas intestinais.

247. Jurubeba
Nome científico: *Solanum paniculatum* L.
Outros nomes: jurubeba-verdadeira, jupeba, juribeba, jurupeba, gerobeba e joá-manso.
Família: Solanaceae.
Origem: Brasil.
Partes usadas: raiz, folhas e frutos.
Características: caule e ramos espinhosos, folhas semelhantes a corações, glabras sinuosas e verde-escuras na face superior e pubescentes na inferior. Apresenta pecíolos espinhosos e nervuras salientes. As flores são de cor lilás em panículas e os frutos apresentam-se em bagas esféricas.
Efeitos terapêuticos: tônico, desobstruente e digestivo.
Usos: estimula as funções do fígado e do baço e é indicada em casos de insuficiência hepática. Na medicina popular, é útil para estimular as funções digestivas e reduzir o inchaço do fígado e da vesícula.
Vale saber! Proibido o uso sem orientação profissional – médico ou fitoterapeuta. Como a planta apresenta alcaloides e esteroides, recomenda-se evitar o uso prolongado, pois a utilização excessiva das substâncias é tóxica ao organismo humano.

248. Karitê
Nome científico: *Butyrosperum parkii* Kotschy.
Outros nomes: karité.
Família: Sapotaceae.
Origem: Mali e Burkina Faso (África).
Parte usada: manteiga do fruto.
Características: árvore robusta, medindo até 20 m de altura, com tronco de até 1 m de diâmetro. Só produz os primeiros frutos quando alcança 25 anos de idade, e chega à plenitude aos 40 ou 50 anos.

O fruto em forma de uma grande ameixa pode medir até 6 cm. A polpa é comestível enquanto fresca e contém de 1 a 3 sementes, envolvidas por uma casca fina e quebradiça.
Efeitos terapêuticos: alergênica, hidratante, antioxidante celular e fotoprotetora.
Usos: em uso externo, indicado para dores reumáticas (massagem) e na congestão da mucosa nasal nas rinites (aplicação local).
Vale saber! Proibido o uso sem orientação profissional – médico ou fitoterapeuta. É levemente irritante quando em contato com os olhos.

249. Kava-kava

Nome científico: *Piper methysticum* G.Forst.
Outros nomes: kava.
Família: Piperaceae.
Origem: Polinésia.
Partes usadas: raízes e rizomas.
Características: planta herbácea, dioica, que pode atingir 3 m de altura. As folhas são alternas e simples, com até 20 cm de comprimento. As flores, diminutas, são agrupadas em espigas solitárias.
Efeitos terapêuticos: anticonvulsiva.
Usos: ansiedade, tensão, insônia.
Vale saber! Proibido o uso sem orientação profissional – médico ou fitoterapeuta. Existe consenso a respeito da possibilidade do fitoterápico causar dano hepático. Teoricamente, associado a alguns fármacos, como acarbose, amiodarona, atorvastatina, carbamazepina, diclofenaco, isoniazida, itraconazol, cetoconazol, lovastatina e tamoxifeno, entre outros, ocorreria potencialização do risco de dano hepático. Também pode causar o aumento da depressão sobre o sistema nervoso central.

250. Kiwi

Nome científico: *Actinidia chinensis* Planch.
Outros nomes: quiuí e quivi.
Família: Actinidiaceae.
Origem: sudeste da China.
Parte usada: fruto.
Características: planta trepadeira sarmentosa, vigorosa, pilosa, que pode crescer até 9 m de comprimento. As folhas são extremamente ásperas e os brotos são avermelhados. As flores são perfumadas, dioicas e são polinizadas por insetos. O fruto tem formato de ovo e é peludo. A polpa é translúcida, de cor verde-esmeralda e cheia de pequenas sementes negras no centro.
Efeitos terapêuticos: antioxidante, remineralizante, diurético, febrífugo e sedativo.
Usos: previne a degeneração macular senil (lesão degenerativa, que surge com a idade, e afeta a visão, podendo dificultar ou impedir atividades importantes, como a leitura. Embora a degeneração macular reduza a visão da parte central do campo visual, ela não afeta a visão lateral ou periférica.
Vale saber! Proibido o uso sem orientação profissional – médico ou fitoterapeuta. Há relatos de alergia ao kiwi e casos de anafilaxia. É frequente a associação da fruta com a síndrome de alergia oral – a reação começa minutos após o contato da fruta com a mucosa labial. Há, também, relatos de dermatite de contato. A pancreatite aguda subsequente à reação alérgica é rara. A superdosagem pode causar diarreia.

251. Labaça crespa

Nome científico: *Rumex crispus* L.
Outros nomes: língua-de-vaca.
Família: Polygonaceae.
Origem: Europa.
Partes usadas: folhas, sumo e raízes.
Características: erva daninha e planta comum das beiras das estradas, com raiz profunda. Tem caule aéreo, ereto, ramoso, que pode atingir 1 m de altura. De porte pequeno, com folhas oval-lanceoladas, medindo até 15 cm de comprimento. As flores de cor verde apresentam sabor adstringente, algumas vezes amargo.
Efeitos terapêuticos: adstringente, antibacteriano, diurético, febrífugo, laxante e purgante.
Usos: indicada para tratar acne, anemia, constipação, convalescença, doenças venéreas, eczema, enfisema, laringite, psoríase, sarna e urticárias.
Vale saber! Proibido o uso sem orientação profissional – médico ou fitoterapeuta. Pode provocar dermatite de contato.

252. Labaça

Nome científico: *Rumex obtusifolius* L.
Outros nomes: azeda-graúda, consólida-brava e confrei-bravo.

Família: Poligonáceas.
Origem: Europa.
Partes usadas: raiz e folhas.
Características: planta pouco ramificada, de coloração amarelada. O caule, não ramificado, atinge até 1 m de altura. As folhas têm bordos dentados e são reunidas em cachos com coloração esverdeada.
Efeitos terapêuticos: depurativo, desintoxicante hepático, estimulante da produção do suco biliar, laxante e regularizador das funções intestinais.
Usos: digestivo, pois ativa a função hepática e a produção de bile, e é indicada para dermatites, eczemas e erisipela.
Vale saber! Proibido o uso sem orientação profissional – médico ou fitoterapeuta. Tradicionalmente é considerada uma planta segura, mas não deve ser usada durante a gravidez e no período de amamentação. O consumo da raiz fresca pode causar irritação das mucosas e vômitos.

253. Lágrima-de-Nossa-Senhora

Nome científico: *Vismia guianensis* (Aubl.) Pers.
Outros nomes: capiá, capim-de-nossa-senhora, capim-de-contas, capim-miçanga, capim-missanga, capim-rosário, conta-de-lágrimas, contas-de-Nossa-Senhora, contas, lágrimas-de-jó, lágrimas-de-Cristo e lágrimas-de-São-Pedro.
Família: Poaceae.
Origem: América do Sul.
Partes usadas: folhas, rizoma, sementes (sem o envoltório rígido).
Características: planta de porte herbáceo, semelhante morfologicamente ao milho, porém de menor porte. Os frutos são de cores branca, cinza, e amarronzada.
Efeitos terapêuticos: antidiarreico, analéptico, tônico, depurativo, emoliente, anti-hidrópico, diurético, nutritivo, antirreumático e antiasmático.
Usos: em casos de abcesso pulmonar, doenças catarrais, apendicite, beribéri, edema, espasmos musculares, espasmos bronquiais, excitação nervosa, febre, inchaço, hiperglicemia, lombalgia, males dos rins, pneumonia lombar e reumatismo.
Vale saber! Proibido o uso sem orientação profissional – médico ou fitoterapeuta. Não deve ser usada durante a gravidez e no período de amamentação.

254. Lambari

Nome científico: *Stachys lanata* Moench.
Outros nomes: lambarizinho, língua-de-vaca, orelha-de-lebre, orelha-de-cordeiro, peixe-de-pobre, peixe-frito, peixinho-frito e sálvia-peluda.
Família: Lamiaceae.
Origem: Turquia.
Partes usadas: folhas.
Características: planta perene, de porte entre 20 e 40 cm de altura. As folhas ornamentais são grossas e revestidas com penugem. As flores pequenas e de coloração arroxeada localizam-se na extremidade das hastes eretas.
Efeitos terapêuticos: béquico (substância com a propriedade de acalmar irritações da faringe) e emoliente.
Usos: para acalmar a tosse e as irritações da faringe. Desidratadas, as folhas desta planta agem como um ótimo isolante térmico.
Vale saber! Proibido o uso sem orientação profissional – médico ou fitoterapeuta. Não foram encontradas contraindicações e efeitos colaterais.

255. Laminaria

Nome científico: *Laminaria digitata* (Huds.) Lamour.
Outros nomes: Laminaria.
Família: Laminariaceae.
Origem: costa do Continente Europeu.
Partes usadas: algas.
Características: são algas castanhas feofíceas que aparecem ao longo das costas. Em períodos de maré baixa, é possível observá-las brilhar sobre as rochas. São identificadas ao examinar os seus estipes, pseudocaules simples que se ramificam em sua base. A espécie Laminaria tem coloração que varia do marrom-oliva ao marrom-escuro. A folha mede geralmente de 100 a 200 centímetros de comprimento.
Efeitos terapêuticos: remineralizante, vitamínico, estimulante do metabolismo geral, hipolipemiante (controla os níveis de colesterol), antiulceroso e anti-hemorrágico.
Usos: como coadjuvante no tratamento do hipotiroidismo, sobrepeso, arteriosclerose e como uma fonte de iodo. Externamente, é usada em hemorragias dentais e ulcerações dérmicas.
Vale saber! Proibido o uso sem orientação profissional – médico ou fitoterapeuta. Deve-se administrar durante curtos períodos de tempo, devido a um possível aparecimento de sintomas tóxicos provocados pela acumulação de iodo. É contraindicado no hipertiroidismo, em tratamentos com cardiotônicos, hipertensão arterial e desidratação.

256. Laranja azeda

Nome científico: *Citrus × aurantium* L.
Outros nomes: pecta-solâ.
Família: Rutáceas.
Origem: Ásia (Índia, sudeste da China e sul de Vietnã).
Partes usadas: flores, folhas, frutos e casca.
Características: árvore sempre verde, com ramas e uma altura de cerca de 8 a 10 metros. Folhas ovaladas lanceoladas de até 8 cm de largura, sinuosas e brilhantes. As flores aromáticas são de cor branca ou rosa e o fruto é globoso, de 7,5 cm de diâmetro, e de cor laranja quando está maduro.
Efeitos terapêuticos: antiespasmódico, bactericida, expectorante, vermífugo e carminativo.
Usos: para palpitações, diarreia e quadros depressivos.
Vale saber! Proibido o uso sem orientação profissional – médico ou fitoterapeuta. Pode apresentar fenômenos de hipersensibilidade, sobretudo sob exposição solar após o uso externo de loções com óleos de origem cítrica. No caso do vitiligo, a fotossensibilidade provocada (em especial do óleo de bergamota) é considerada terapêutica.

257. Laranja doce

Nome científico: *Citrus sinensis* (L.) Osbeck.
Outros nomes: laranja, laranja-açúcar, laranja-de-umbigo, laranja-bahianinha, laranja-lima, laranja-natal, laranja-pera-do-rio, laranja-rubi, laranja-valência, laranja-hamlin, laranja-bahia, laranja-sanguinea, laranja-pera e laranjeira.
Família: Rutaceae.
Origem: China.
Partes usadas: folhas, frutos, óleo essencial.
Características: árvore pequena com tronco e galhos finos, cascas acinzentada, provida de espinhos longos. As folhas são alternas e de cor verde-brilhante; enquanto as flores são solitárias reunidas nas extremidades dos ramos, de coloração branca e com fragrância marcante. Os frutos variam de tamanho, cor e sabor. Sob a casca encontram-se glândulas amarelas repletas de óleo essencial e uma grande bainha que envolve os gomos translúcidos repletos de suco.
Efeitos terapêuticos: analgésico, anti-helmíntico, anti-hemorrágico, antirreumático, antitérmico, aperiente, calmante do sistema nervoso, ciático, depurativo, digestivo diurético, estimulante, regulador intestinal, sudorífero e tônico.
Usos: epilepsia, dores de estômago e no combate à falta de vitamina C, ajudando na prevenção de gripes, resfriados e até de anemia. Desintoxica o organismo e melhora dores ciáticas, prisão intestinal, nefrite, reumatismo e restaura o fluxo menstrual.
Vale saber! Proibido o uso sem orientação profissional – médico ou fitoterapeuta. A casca do fruto deve ser manuseada com cuidado, pois o sumo pode causar fotossensibilização e queimaduras.

258. Lavanda

Nome científico: *Lavandula dentata* L.
Outros nomes: lavanda-comum e lavanda-francesa.
Família: Lamiaceae.
Origem: Mediterrâneo.
Partes usadas: folhas e flores.
Características: herbácea perene, aromática, de altura em torno de 60 cm. Suas folhas têm coloração cinza-esverdeada e flores lilás.
Efeitos terapêuticos: calmante e digestivo.
Usos: combate cólicas, indigestão, fermentações e gases intestinais. O óleo essencial é muito usado para perfumar e acalmar.
Vale saber! Proibido o uso sem orientação profissional – médico ou fitoterapeuta.

259. Ledum

Nome científico: *Ledum palustre* L.
Outros nomes: rosmarinho silvestre.
Família: Ericaceae.
Origem: Europa.
Partes usadas: caule e folhas.
Características: mede aproximadamente de 50 a 90 cm de altura, tem folhas alternas, persistentes e lineares, com pelos na face inferior. As flores são brancas, dispostas em umbela terminal.
Efeitos terapêuticos: anti-inflamatório, expectorante e antisséptico.
Usos: em doenças reumáticas, equimoses por queda ou traumatismo, feridas causadas por instrumentos picantes e picadas de insetos.
Vale saber! Proibido o uso sem orientação profissional – médico ou fitoterapeuta. O ledol, substância presente na planta, é apontado como narcótico.

260. Lentilha

Nome científico: *Lens esculenta* Moench.
Outros nomes: lenticela.
Família: Fabaceae.

Origem: Síria.
Partes usadas: sementes.
Características: trepadeira anual com flores pequenas, de cor branca ou violeta. O fruto é uma vagem curta com uma a duas sementes discoides.
Efeitos terapêuticos: anti-helmíntico, antianêmico, antidiarreico, anti-inflamatório, energizante, fortalecedor, mineralizante, tônico, nutritivo e vitaminizante.
Usos: para aliviar anemia, desnutrição, diarreia, deficiência vitamínica e para eliminar vermes intestinais e fortalecer o sistema nervoso.
Vale saber! Proibido o uso sem orientação profissional – médico ou fitoterapeuta. Como nutriente rico em metal, deve ser usada dentro das doses prescritas. O consumo excessivo de selênio pode causar queda de cabelos, enfraquecimento das unhas e alterações do esmalte dentário.

261. Levante
Nome científico: *Mentha sylvestris* L.
Outros nomes: hortelã-silvestre.
Família: Laminariáceas.
Origem: Europa e África.
Partes usadas: folhas.
Características: planta herbácea rizomatosa (com caules subterrâneos) que emite haste quadrangular de coloração verde ou arroxeada. Como todas as mentas, o levante possui um caule quadrangular, de cor púrpura e mede entre 30 e 60 cm de altura, com folhas de cor verde-escura estriadas de tom roxo e aroma característico. Raramente floresce, pois geralmente é estéril. Prolifera-se por meio de mudas.
Efeitos terapêuticos: calmante, vermífugo, antiespasmódico e antelmíntico.
Usos: calmante, vermífugo, antiespasmódico e antelmíntico. Também é usada como aromatizante.
Vale saber! Proibido o uso sem orientação profissional – médico ou fitoterapeuta.

262. Levístico
Nome científico: *Levisticum officinale* W.D.J.Koch.
Outros nomes: levítico, erva-maggi e folhas de ligústica.
Família: Apiaceae.
Origem: Ligúria, Europa.
Partes usadas: folhas, flores e raízes.
Características: planta perene, que cresce até 60 cm de altura. Os talos verdes são ocos e as folhas, compostas e bem divididas. Sua flor, de cor amarela, logo se transforma em castanha.
Efeitos terapêuticos: afrodisíaco, diurético potente, anestésico, cicatrizante, estomáquico, expectorante e tônico.
Usos: para cálculo renal, eliminação de catarro, cistite, gota, reumatismo, dor de cabeça, inchaço edematoso nos pés, obstrução da mucosa dos órgãos respiratórios, perturbação cardíaca ligada a problemas gástrico e intestinal.
Vale saber! Proibido o uso sem orientação profissional – médico ou fitoterapeuta. Não pode ser usada durante os períodos de gestação e amamentação e quando houver disfunções ou inflamação renal aguda. Potencializa o efeito de anticoagulantes, é hipertensivo e pode causar dermatite de contato e fotossensibilização.

263. Lichia

Nome científico: *Lespedeza capitata* Michx.
Outros nomes: litchi.
Família: Sapindaceae.
Origem: China.
Partes usadas: frutos.
Características: árvore subtropical com até 12 m de altura, com flores miúdas e insignificantes. Os frutos têm casca rugosa e de cor vermelha. A polpa é gelatinosa, translúcida, de sabor doce e exótico.
Efeitos terapêuticos: antiescorbútico, antitérmico, antitussígeno e diurético.
Usos: em quantidade moderada, combate tosse e dor de estômago.
Vale saber! Proibido o uso sem orientação profissional – médico ou fitoterapeuta.

264. Lioopódio
Nome científico: *Lycopodium clavatum* L.
Outros nomes: pé-de-lobo.
Família: Lycopodiaceae.
Origem: Grã-Bretanha.
Partes usadas: esporos secos.
Características: samambaia rasteira, muito difundida no Brasil. Os licopódios possuem raiz longa, que se desenvolve horizontalmente no solo e produz caules verdes e aprumados. Dos caules brotam

galhos que se ramificam e se abrem em leque. Os galhos são cobertos de folhas pequenas. De um a três cones se desenvolvem nas pontas dos galhos e encerram os esporos para a reprodução, que têm uso medicinal.
Efeitos terapêuticos: diurético e sedativo.
Usos: em tratamentos de artrite reumatoide, cistite catarral, desordem urinária e dos rins, em doença de pele e no combate à febre e à gastrite.
Vale saber! Proibido o uso sem orientação profissional - médico ou fitoterapeuta. Não pode ser usada durante a gestação e lactação. É aplicada externamente para doenças cutâneas e irritações. É considerada uma planta tóxica, pois contém Iycopodine, que é venenoso por paralisar os nervos motores.

265. Licopus
Nome científico: *Lycopus virginicus* L.
Outros nomes: corneta d'água.
Família: Lamiaceae.
Origem: América do Norte.
Partes usadas: folhas e óleo essencial.
Características: pequena e estirada planta cujas folhas escondem, junto à intersecção da folha com o caule, minúsculas coroas de pequenas flores brancas.
Efeitos terapêuticos: tônico cardíaco.
Usos: dilatação do coração (hemoptise), pulso irregular, icterícia, sangramento hemorroidal, taquicardia ligada à doença de Basedow-Graves, um distúrbio da glândula tireoide, na qual o próprio organismo produz anticorpos contra o tecido da tireoide.
Vale saber! Proibido o uso sem orientação profissional - médico ou fitoterapeuta.

266. Lilás-da-Índia
Nome científico: *Melia azedarach* L.
Outros nomes: azerdaque, lírio da China, lírio do Japão, lilás do Japão, cinamomo, Santa Bárbara e paraíso.
Família: Meliaceae.
Origem: Índia.
Partes usadas: casca da raiz, frutos e folhas.
Características: árvore de folhas caducas e de curta duração, tronco curto e copa difusa e aberta. A casca é superficialmente fissurada, com ramos jovens revestidos por pelos estrelados caducos e folhas de até 90 cm. A inflorescência apresenta flores fragrantes, de cor lilás, e frutos tipo drupa, levemente arredondados, com cerca de 15 mm de diâmetro, de cor amarela.
Efeitos terapêuticos: antibacteriano, anti-helmíntico, antiviral, antivírus da imunodeficiência humana e antileucêmico.
Usos: empregado internamente como vermífugo e, externamente, para lavar feridas, sendo útil contra doenças reumáticas e nevrálgicas.
Vale saber! Proibido o uso sem orientação profissional - médico ou fitoterapeuta. Não pode ser usado em casos de diarreia crônica. Em doses elevadas causa alterações do ritmo cardíaco, diarreia, vômitos e choque. As medidas usuais para intoxicação deverão ser tomadas. Entre os sintomas de intoxicação apresentados estão: cólica, vômitos, sede intensa, sudorese, paralisia e respiração irregular.

267. Lima
Nome científico: *Citrus limetta* Risso.
Outros nomes: limoeiro, limão-eureka, limão-gênova, limão-feminello, limão-monochelo, limão-Lisboa, limão-verde e limão-verdadeiro.
Família: Rutáceas.
Origem: Pérsia.
Partes usadas: folhas e frutos.
Características: árvores de vigor e tamanho médios, produtivas, com folhas semelhantes ao limoeiro. As flores apresentam cor branca e brotos de tom verde. Os frutos têm tamanho médio, achatados com uma depressão circular envolvendo um mamilo proeminente.
Efeitos terapêuticos: calmante, diurético e refrescante.
Usos: azia, amidalite, acne, caspa, diabetes melito, diarreia, difteria, enxaqueca, para favorecer o aproveitamento do ferro e prevenir tosse e resfriado.
Vale saber! Proibido o uso sem orientação profissional - médico ou fitoterapeuta. Aplicado externamente, não se deve expor a pele ao sol, pois o suco provoca queimaduras e manchas. A aromaterapia com o óleo é contraindicada para diabéticos e desaconselhada para quem tem pressão baixa.

268. Limão-cravo
Nome científico: *Citrus × limonia* Osbeck.

Outros nomes: limão rosa, limão cavalo, limão francês e limão vinagre.
Família: Rutáceas.
Origem: China.
Partes usadas: folhas e frutos.
Características: produzem grande quantidade de frutos, com muitas sementes.
Efeitos terapêuticos: sedativo, antiespasmódico, sudorífico, vermífugo, antiescorbútico, alcalinizante, depurativo e tônico digestivo.
Usos: combate dores reumáticas, diarreia, astenia, dispepsia, escorbuto, hipertensão arterial, aterosclerose e doenças das vias biliares.
Vale saber! Proibido o uso sem orientação profissional – médico ou fitoterapeuta. Aplicado externamente, não se deve expor a pele ao sol, pois o suco provoca queimaduras e manchas. A aromaterapia com óleo é contraindicada para diabéticos, desaconselhada para quem tem pressão baixa e, em doses elevadas, tem efeito convulsivo.

269. Limão Taiti
Nome científico: *Citrus aurantiifolia* (Christm.) Swingle
Outros nomes: limão, limoeiro, lima-ácida e lime.
Família: Rutaceae.
Origem: sudeste da Ásia.
Partes usadas: folhas e frutos.
Características: fruto redondo, pequeno e muito suculento. Apresenta casca fina e lisa, de cor verde ou amarela. A polpa tem de cinco a seis sementes, é rica em suco e de sabor ácido, porém agradável.
Efeitos terapêuticos: adstringente, alcalinizante, antianêmico, antidepressivo, anti-inflamatório, antisséptico, antitérmico, bactericida, depurativo, diurético, expectorante, refrescante, sedativo e vitaminizante.
Usos: acidez estomacal, amidalite, acne, artrite, asma, caspa, cirrose, colesterol, diarreia, difteria, doenças do fígado, da bexiga e do coração. Favorece o aproveitamento do ferro.
Vale saber! Proibido o uso sem orientação profissional – médico ou fitoterapeuta. Aplicado externamente, não se deve expor a pele ao sol, pois o suco provoca queimaduras e manchas. A aromaterapia com óleo de limão é contraindicada para diabéticos e para quem tem pressão baixa.

270. Limão-siciliano
Nome científico: *Citrus limon* (L.) Osbeck.
Outros nomes: limão-galego, limão e limão-verdadeiro.
Família: Rutaceae.
Origem: Ásia tropical.
Partes usadas: folhas e frutos.
Características: árvore de médio porte, de folhas perenes, verdes e brilhantes. As flores são de cor rosa na parte externa e branca internamente. Seus frutos são globosos, com casca de coloração amarela.
Efeitos terapêuticos: sedativo, antiespasmódico, sudorífico, vermífugo, antiescorbútico, alcalinizante, depurativo e tônico digestivo.
Usos: estimula o metabolismo hepático e a desintoxicação. O sumo é eficaz em gargarejo, para tratar aftas, gengivite e garganta inflamada. Também estimula o apetite, auxilia a digestão e melhora a absorção de ferro. A ação sobre o fígado ajuda a reduzir reações alérgicas e elimina produtos residuais. Já as sementes são antissépticas, servindo para tratar candidíase e outros problemas fúngicos. A casca e a parte branca têm níveis elevados de óleo essencial e de bioflavonoides, o que torna o extrato precioso para problemas de saúde crônicos de circulação, como arteriosclerose, varizes e má circulação periférica. O sumo e o óleo essencial ajudam a cicatrizar borbulhas de acne, frieiras e picadas de insetos.
Vale saber! Proibido o uso sem orientação profissional – médico ou fitoterapeuta. Aplicado externamente, não se deve expor a pele ao sol, pois o suco provoca queimaduras e manchas. A aromaterapia com óleo de limão é contraindicada para diabéticos, para quem tem pressão baixa e, em doses elevadas, pode provocar tremores, delírio e vertigens.

271. Limonete
Nome científico: *Aloysia citriodora* Palau.
Outros nomes: cedrina, cidrão, cidrilha, cidrilho, cidró, erva-luísa, falsa-erva-cidreira, e salva-limão.
Família: Verbenaceae.
Origem: Argentina e Chile.
Partes usadas: folhas e flores.
Características: planta arbustiva aromática, que cresce até 7 m e exala um forte aroma de limão. Os ramos são estriados com caule anguloso e as folhas são muito perfumadas.
Efeitos terapêuticos: antibacteriano, antiespasmódico, antimalárico, aromático, carminativo, cardíaco, depressor do sistema nervoso central, descongestionante, digestivo, estomáquico, febrífugo, sedativo e tônico.
Usos: doenças do coração, asma, bronquite, congestão nasal, diarreia, dor de cabeça e de estômago, febre, flatulência, gripe, in-

chaço dos olhos e infecção intestinal.
Vale saber! Proibido o uso sem orientação profissional – médico ou fitoterapeuta. Deve-se evitar a exposição ao sol após utilizar compressas. O uso prolongado pode irritar o aparelho digestivo e causar sonolência.

272. Linária
Nome científico: *Linaria vulgaris* Mill.
Outros nomes: linho selvagem, campo de erva e alecrim bêbado.
Família: Escrofulariaceae.
Origem: Europa.
Partes usadas: planta inteira (em floração).
Características: planta perene, que pode chegar a 3,3 m de altura. As folhas inclinam-se linearmente de 1 a 2 cm de comprimento e, às vezes, podem ser cobertas por pelos longos. Cresce em prados, ao longo das bordas das estradas, em florestas de pinheiro, ao longo dos bordos de campos e culturas.
Efeitos terapêuticos: peitoral e béquico (propriedade de acalmar a tosse e as irritações da faringe).
Usos: diurético, laxante, para cistite e icterícia.
Vale saber! Proibido o uso sem orientação profissional – médico ou fitoterapeuta. É uma planta tóxica e provoca efeitos colaterais cardíacos.

273. Língua de andorinha
Nome científico: *Rumex acetosella* L.
Outros nomes: azedinha.
Família: Polygonaceae.
Origem: Ásia e Europa.
Partes usadas: folhas frescas.
Características: arbusto vivaz, de caule fistuloso, ereto, estriado e frequentemente avermelhado, com até 80 centímetros de altura. As folhas são carnosas e as flores apresentam coloração avermelhada. O fruto assemelha-se a uma cápsula lisa e escura.
Efeitos terapêuticos: anti-inflamatório, adstringente, diurético e laxante.
Usos: acnes, feridas, melanoma, prisão de ventre e retenção de líquidos. As partes aéreas podem ser utilizadas para purificar o sistema urinário.
Vale saber! Proibido o uso sem orientação profissional – médico ou fitoterapeuta. Não pode ser usada em crianças e doses excessivas podem causar transtornos gastrointestinais ou reações cutâneas.

274. Língua de sapo
Nome científico: *Linum usitatissimum* L.
Outros nomes: erva de vidro e bredo-de-muro.
Família: Lináceas.
Origem: África.
Partes usadas: sementes.
Características: herbácea anual de 40 a 80 cm de caule ereto, com folhas alongadas e estreitas. As flores são de cor azul-clara e o fruto é uma cápsula globulosa com 10 sementes de cor escura e sabor adocicado. Usado industrialmente na fabricação de tecidos.
Efeitos terapêuticos: laxante, emoliente, demulcente e estrogênico.
Usos: indicado como suplemento alimentar, nos sintomas da menopausa, problemas digestivos e distúrbios respiratórios.
Vale saber! Proibido o uso sem orientação profissional – médico ou fitoterapeuta. O óleo contido na farinha de linhaça cria ranço muito rapidamente, provocando irritação na pele. Use sempre farinha recente para preparar cataplasmas e dilua-a em pelo menos 5 vezes o volume de água. As sementes verdes podem ser tóxicas.

275. Língua de tucano
Nome científico: *Eryngium campestre* L.
Outros nomes: cardo corredor e cardo de palma.
Família: Apiaceae.
Origem: Portugal.
Partes usadas: raízes, brotos e folhas.
Características: planta perene de 30 a 60 cm de altura, de cor verde-esbranquiçada, com caule ereto e robusto. Possui folhas ovais, flores de coloração brancas e frutos em cálice cobertos de escamas.
Efeitos terapêuticos: diurético.
Uso: para diabetes.
Vale saber! Proibido o uso sem orientação profissional – médico ou fitoterapeuta. É desaconselhável o uso por três dias seguidos.

276. Lírio de maio
Nome científico: *Convallaria majalis* L.
Outros nomes: gonvalária e lírio-dos-vales.
Família: Liliaceae.
Origem: Europa.
Partes usadas: todas.
Características: de pequeno porte, alcança até 25 cm de altura e espalha-se horizontalmente. As folhas largas crescem aos pares, lisas, brilhantes e de forma oval. As florzinhas brancas, delicadas e perfumadas, despontam pendentes em inflorescências eretas. Os frutos são bagas pequenas e vermelhas, com sementes duras.

Efeitos terapêuticos: antiespasmódico, cardiotônico, diurético, laxante e purgante.
Usos: em doenças cardiovasculares, edema pulmonar, epilepsia e perda de memória.
Vale saber! Proibido o uso sem orientação profissional – médico ou fitoterapeuta. Não pode ser usada durante a gravidez e amamentação. É extremamente tóxica, e seu uso deve ser feito apenas sob supervisão médica. Até o plantio do lírio-do-vale deve ser cercado de cuidados, principalmente na proximidade de crianças. Entre os feitos colaterais estão: náuseas, vômitos, dor de cabeça, desordens na percepção das cores, arritmia cardíaca e paralisia do centro respiratório.

277. Lírio do brejo

Nome científico: *Hedychium coronarium* J. Koenig.
Outros nomes: bastão-de-São-José, borboleta, borboleta-amarela, cardamomo-do-mato, escalda-mão, flor-de-lis, gengibre-branco, jasmim, jasmim-borboleta, jasmim-do-brejo, lágrima-de-moça, lágrima-de-napoleão, lágrima-de-vênus, lírio-branco, lírio-do-vale, napoleão, narciso, olímpia e piri.
Família: Zingiberaceae.
Origem: Ásia.
Partes usadas: rizoma e flores.
Características: planta de crescimento rápido, o que valoriza seu caráter ornamental, podendo chegar até 2 metros de altura. Sua flor é perfumada, assemelhando-se ao jasmim. O rizoma tem sabor semelhante ao gengibre, porém mais suave, sendo usado como fécula na indústria alimentar.
Efeitos terapêuticos: béquico, excitante, tônico, antirreumático e cardiotônico.
Usos: no combate de bactérias gram-positivo (Stafilococcus aureus, Lactobacillus spp, Streptococcus pyogenes, Streptococcus pneumoniae, Clostridium tetani e Enterococcus faecalis) e Gram-negativos (Pseudomonas aeruginosa, Haemophilus influenzae, Escherichia coli, Helicobacter pylori, Vibrio cholerae, Treponema pallidum, Salmonella e Shigella).
Vale saber! Proibido o uso sem orientação profissional – médico ou fitoterapeuta. Não foram encontradas contraindicações na literatura fitoterápica.

278. Lírio florentino

Nome científico: *Iris × germanica var. florentina* (L.) Dykes.
Outros nomes: também conhecida como íris, íris-germânica, lírio, lírio-cardano e lírio-da-Alemanha.
Família: Iridaceae.
Origem: Europa mediterrânica.
Partes usadas: óleo essencial e rizoma.
Características: privado das raízes, é achatado e duro, com 10 a 15 cm de comprimento por 3 a 4 mm de diâmetro. O aroma lembra o da violeta e seu sabor é um pouco amargo. A espécie apresenta flores de cor rosa.
Efeitos terapêuticos: anti-helmíntico, anticonvulsivante, cicatrizante, diurético, emoliente, purgativo.
Usos: em ferida infeccionada, abscesso, convulsão epiléptica, doença respiratória, pleurite, tosse, vermes intestinais, doença estomacal, disfunção da bexiga e picada de cobra.
Vale saber! Proibido o uso sem orientação profissional – médico ou fitoterapeuta. Não pode ser usado durante a gravidez e amamentação. Em doses elevadas é um purgante drástico. Em estado fresco pode produzir gastrite e vômitos. Topicamente pode originar dermatites de contato.

279. Losna do mato

Nome científico: *Anthemis cotula* L.
Outros nomes: não existem.
Família: Asteraceae.
Origem: Europa.
Parte usada: aérea.
Características: toda a planta emana um odor forte, picante e ácido, considerado desagradável. Os caules são eretos ou ascendentes e ramificados na sua metade superior. A altura varia entre 3 a 75 cm e a planta pode assumir um porte ereto ou esparramado.
Efeitos terapêuticos: tônico, emético, antiespasmódico e epispástico.
Usos: cólica e diarreia.
Vale saber! Proibido o uso sem orientação profissional – médico ou fitoterapeuta – e durante a gravidez e amamentação.

280. Losna

Nome científico: *Artemisia absinthium* L.
Outros nomes: erva-dos-velhos, losna, losna-maior ou losna-de-dioscórides e sintro. No Brasil: alvina, erva-santa e erva-de-bichos.
Família: Compostas.
Origem: Ásia, Europa e norte da África.
Partes usadas: folhas e pequenos capítulos florais.
Características: planta que alcança até 80 cm de altura, herbácea, vivaz, com folhas alternas rendilhadas e flores pequenas de cor amarela, formando capítulos. Todas as partes têm um cheiro penetrante, mas agradável, e um sabor aromático muito amargo.
Efeitos terapêuticos: vermífugo, digestivo, tônico e gástrico.
Usos: indicado em casos de dispepsia, insuficiência hepática, menstruação irregular e dolorosa. Também pode ser usada contra piolhos e outros insetos.
Vale saber! Proibido o uso sem orientação profissional - médico ou fitoterapeuta - e durante a gravidez e amamentação. O suco ou extrato não deve ser usado, pois é tóxico. Também não pode ser usado por quem estiver fazendo tratamento radioterápico, em pessoas com irritações gástricas e intestinais e nas propensas à congestão cerebral. O óleo essencial, sobretudo a tujona, é tóxico. Usar somente na dose recomendada e durante o tempo de tratamento especificado pelo médico. Doses excessivas podem causar alucinações, convulsões, perturbações da consciência (absintismo: degeneração irreversível do sistema nervoso central).

281. Lótus

Nome científico: *Nelumbo nucifera* Gaertn.
Outros nomes: flor-de-lótus-da-índia, lótus egípcio, lótus-sagrado e raiz-de-lotus.
Família: Nelumbonaceae.
Origem: Ásia e Oceania.
Partes usadas: todas.
Características: planta aquática com folhas grandes, arredondadas e levemente onduladas. As flores, formadas no verão, são belas e podem ser brancas ou róseas. Produz frutos com sementes comestíveis.
Efeitos terapêuticos: antidiarreico, antifebrífugo, antitussígeno, emoliente catarral e estomacal.
Usos: em doenças respiratórias, sangramento uterino, catarro pulmonar, cólera, diarreia, distúrbio estomacal, enfisema pulmonar, febre, gripes, laringite, pneumonia, rinite, suores da menopausa, tosse, vômito, para desobstruir as vias respiratórias e eliminar as secreções.
Vale saber! Proibido o uso sem orientação profissional - médico ou fitoterapeuta.

282. Louro-cereja

Nome científico: *Prunus laurocerasus* L.
Outros nomes: louro-cerejo, loiro-cerejo, loiro-inglês, loureiro-cerejeira, loureiro-de-trebizonda, loureiro-real e loureiro-romano.
Família: Rosaceae.
Origem: Ásia ocidental e sul da Europa.
Partes usadas: folhas.
Características: pode atingir 9 metros de altura e tem folhas entre 6 e 15,2 cm de comprimento. As flores, de coloração branca, são perfumadas e nascem em cachos em forma de taça, com cinco pétalas e quase meia polegada de diâmetro. Os frutos medem 1,3 cm com drupas que amadurecem.
Efeito terapêutico: anti-inflamatório.
Uso: em tratamento de infecções bronco-pulmonares.
Vale saber! Proibido o uso sem orientação profissional - médico ou fitoterapeuta. As folhas contêm ácido cianídrico e podem ser letais dentro de curto espaço de tempo.

283. Louro nobre

Nome científico: *Laurus nobilis* L.
Outros nomes: louro de apolo, loureiro nobre e loureiro de molho.
Família: Laureáceas.
Origem: Ásia.
Partes usadas: folhas e frutos.
Características: planta que pode atingir até 6 metros de altura, com folhas perenes, lanceoladas, brilhantes na face superior e foscas na inferior. Suas flores são pequenas e de cor branca ou amarela. O fruto é uma baga oval, como uma azeitona, inicialmente de cor verde e, quando maduro, adquire uma coloração negra, contendo uma semente só. As flores masculinas e femininas crescem em plantas separadas. As folhas verdes emanam um odor aromático característico, e quando mastigadas possuem um sabor amargo e ácido.

Efeitos terapêuticos: carminativo, diurético, emenagogo, antirreumático e anti-inflamatório.
Usos: facilita a digestão, combate a inapetência e regula o ciclo menstrual.
Vale saber! Proibido o uso sem orientação profissional – médico ou fitoterapeuta.

284. Lúpulo
Nome científico: *Humulus lupulus* L.
Outros nomes: pé de galo e engatadeira.
Família: Moráceas.
Origem: Europa, Ásia e América.
Partes usadas: flores e o lupulino (pó amarelo que recobre as flores).
Características: trepadeira cujos exemplares femininos produzem inflorescências globulosas (com forma de pinha) quando o fruto amadurece. Famoso pelo sabor amargo quando usado para fazer cerveja, o lúpulo é um sedativo forte e um ingrediente comum em muitos soníferos.
Efeitos terapêuticos: sedativo, digestivo, tônico e afrodisíaco.
Usos: para favorecer o sono, em casos de enxaqueca, digestão difícil e no combate às lombrigas.
Vale saber! Proibido o uso sem orientação profissional – médico ou fitoterapeuta. O uso excessivo pode provocar náuseas.

285. Maçã
Nome científico: *Pyrus malus* L.
Outros nomes: desconhecidos.
Família: Rosáceas.
Origem: Ásia.
Partes usadas: frutos.
Características: árvore de porte médio e bastante ramificada, com tronco curto. As folhas são alternas, dentadas e ovais, e as flores brancas e pequenas. O pseudofruto é a parte branca e comestível e o fruto verdadeiro é a parte interna do pseudofruto, onde estão contidas as sementes.
Efeitos terapêuticos: antidiarreico, laxante, diurético e depurativo.
Usos: funciona como reguladora das funções intestinais, combate artrite, reumatismo, cálculos urinários, febre, diabetes, verrugas, diminui o colesterol e ajuda a limpar os dentes.
Vale saber! Proibido o uso sem orientação profissional – médico ou fitoterapeuta. Devido à presença e a quantidade de HCN, as sementes da maçã não devem ser ingeridas em grandes quantidades.

286. Macadâmia
Nome científico: *Macadamia integrifolia* Maiden & Betche.
Outros nomes: noz macadâmia.
Família: Proteaceae.
Origem: Austrália, Nova Zelândia e Malásia.
Partes usadas: frutos.
Características: a árvore atinge 15 m de altura, possui folhas lisas de borda ondulada e coloração acinzentada. As flores são brancas, reunidas em cachos, e as frutas são um tipo de noz de casca dura, arredondada e avermelhada.
Efeitos terapêuticos: lubrificante, hidratante, anti-inflamatório, antialérgico, antioxidante celular, fotoprotetor.
Usos: seu consumo é indicado para controlar colesterol, obesidade, constipação, diverticulite e colite ulcerativa. Na indústria cosmética é usada como hidratante para pele e cabelos.
Vale saber! Proibido o uso sem orientação profissional – médico ou fitoterapeuta. Seu consumo deve ser moderado, pois o fruto é bastante calórico.

287. Macaé
Nome científico: *Leonurus sibiricus* L.
Outros nomes: agripalma, erva macaé, João magro, marroio, quinino dos pobres, mané magro, lavantina, mané-turé, rubim e pau-pra-tudo.
Família: Lamiaceae.
Origem: Malásia.
Partes usadas: folhas e flores.
Características: planta herbácea ereta, de 30 cm a 1 m de altura, com caule fino, folhas simples, profundamente divididas, membranáceas, discolores e pecioladas. As flores são pequenas, fixas e apresentam coloração rosada.
Efeitos terapêuticos: estomáquico, febrífugo, antirreumático e eupéptico.
Usos: para tratar diarreia infantil, vômitos, inflamações, bronquite e coqueluche, febre e reumatismo.
Vale saber! Proibido o uso sem orientação profissional – médico ou fitoterapeuta. Não pode ser usado durante a gestação e no período de amamentação.

288. Macela

Nome científico: *Achyrocline satureioides* (Lam.) DC.
Outros nomes: macela-do-campo, macelinha, macela-amarela, camomila-nacional, carrapichinho-de-agulha, marcela, losna-do-mato, macela-do-sertão, chá-de-lagoa.
Família: Compositae.
Origem: América do Sul.
Partes usadas: inflorescências, sumidades floridas secas.
Características: planta herbácea de aproximadamente 1 m de altura. Caule, ramos e folhas são cobertos por pelos esbranquiçados. Folhas lineares, flores em grupos de 5 a 10 reunidas em inflorescência de coloração amarela.
Efeitos terapêuticos: anti-inflamatório, calmante, bactericida, antidiarreico, antiespasmódico, digestivo, estomáquico e antiviral.
Usos: em tratamentos digestivos, flatulência, má digestão, colecistite, diarreia, cólica abdominal, azia, contrações musculares bruscas, inflamações, disfunções gástricas, inapetência, disenteria, distúrbio menstrual, dor de cabeça, cistite, nefrite e tosse.
Vale saber! Proibido o uso sem orientação profissional – médico ou fitoterapeuta. Algumas pessoas podem apresentar sensibilidade ao seu consumo e apresentar reações alérgicas.

289. Madressilva

Nome científico: *Lonicera japonica* Thunb.
Outros nomes: desconhecidos.
Família: Caprifoliaceae.
Origem: Ásia.
Partes usadas: folhas.
Características: trepadeira de ramos curtos, perene, rizomatosa, de colmos lenhosos, possui folhas ovadas, elípticas, flores carnosas de coloração branca e amarela.
Efeitos terapêuticos: antianginoso (previne e trata a angina – dor no peito).
Usos: as folhas são usadas em gargarejos no tratamento da angina.
Vale saber! Proibido o uso sem orientação profissional – médico ou fitoterapeuta. Sua ingestão tem como efeitos colaterais congestão, entorpecimento e taquicardia.

290. Madressilva-de-jardim

Nome científico: *Lonicera caprifolium* L.
Outros nomes: madressilva-silvestre e madressilva-dos-bosques.
Família: Caprifoliaceae.
Origem: Europa.
Partes usadas: flores.
Características: arbusto que cresce até 3 m de altura. Produz fruto tipo baga ovoide, de cor vermelha.
Efeitos terapêuticos: anti-inflamatório e cardiotônico.
Usos: para combater inflamação nos olhos e fortalecer o coração.
Vale saber! Proibido o uso sem orientação profissional – médico ou fitoterapeuta. A raiz é tóxica e não pode ser consumida.

291. Magnólia

Nome científico: *Magnolia officinalis* Rehder & E.H.Wilson.
Outros nomes: magnoleira.
Família: Magnoliaceae.
Origem: China.
Partes usadas: casca e flores.
Características: árvore que atinge até 20 m de altura, de casca grossa e marrom, folhas grandes e ovais, de flores perfumadas com coloração rosácea.
Efeitos terapêuticos: adstringente, antisséptico, antibacteriano, antiespasmódico, aromático, carminativo, digestivo, diurético, estimulante, febrífugo, relaxante muscular, sedativo e tônico.
Usos: em tratamentos de úlcera, diarreia, vômito, tosse, asma, tifo, malária, salmonelose, para o controle da hipertonia e tremores da doença de Parkinson.
Vale saber! Proibido o uso sem orientação profissional – médico ou fitoterapeuta. Doses elevadas podem causar sonolência.

292. Maitake

Nome científico: *Grifola frondosa*.
Outros nomes: cogumelo-maitake.
Família: Meripilaceae.
Origem: Japão.
Partes usadas: frutos.
Características: cogumelo comestível de aparência crespa, que cresce em ramos junto à base de carvalhos. Chega a atingir 50 cm de diâmetro na base. Um único ramo pode pesar até 45 kg.
Efeitos terapêuticos: imunoestimulante, regulador da glicemia e anti-hipertensivo.
Usos: na prevenção da constipação, para perda de peso, fortalecimento do sistema imunológico e redução da pressão arterial.
Vale saber! Proibido o uso sem orientação profissional – médico ou fitoterapeuta. Não deve ser administrado junto com álcool, pois pode provocar hipotensão arterial.

293. Malmequer-do-campo

Nome científico: *Grindelia robusta* Nutt.
Outros nomes: girassol-silvestre, grindélia e malmequer-do-campo.
Família: Asteraceae.
Origem: Américas.
Partes usadas: folhas superiores, flores, brotos e resina.
Características: planta de aspecto subarbustivo, formando tufos de 50 cm a 90 cm de altura. As flores se desenvolvem solitárias, na extremidade da ramificação, e são semelhantes às do girassol. Apresentam, ainda, odor balsâmico e sabor amargo persistente.
Efeitos terapêuticos: balsâmico, antiespasmódico, aromático, diaforético, diurético, expectorante, hipotensor, relaxante cardíaco, sedativo, tônico.
Usos: ajuda a combater a cistite, estimula a capacidade pulmonar, é expectorante, ajuda a relaxar espasmos associados com asma, bronquite e músculos lisos, como o coração. Em uso externo é usada para tratar paralisia e reumatismo, eczema, impetigo, varizes e lesões de herpes.
Vale saber! Proibido o uso sem orientação profissional – médico ou fitoterapeuta. Pode abaixar a pressão sanguínea e dosagens excessivas podem irritar os rins.

294. Malva

Nome científico: *Malva sylvestris* L.
Outros nomes: malva, malva-alta, malva-de-botica e malva-grande.
Família: Malvaceae.
Origem: Europa Ocidental, norte da África e Ásia.
Partes usadas: folhas, frutos, sementes.
Características: erva de pequeno porte, ereta e decumbente. Possui ramos de casca fibrosa, folhas simples com nervação, e serreadas de flores vistosas, púrpura ou rósea dispostas nas axilas foliares.
Efeitos terapêuticos: adstringente, mucilaginoso, expectorante, anti-inflamatório, laxativo e antisséptico.
Usos: presente na farmacopela brasileira, tem uso científico comprovado como expectorante, anti-inflamatório e antisséptico da cavidade bucal. É usado para tratar bronquite, tosse, asma, enfisema pulmonar, coqueluche, colite, constipação intestinal, contusões, afecções da pele, boca e garganta, furúnculos, abscessos e picada de insetos.
Vale saber! Proibido o uso sem orientação profissional – médico ou fitoterapeuta. É contraindicado para diabéticos e não pode ser usado por mais de 15 dias.

295. Malva-comum

Nome científico: *Malva parviflora* L.
Outros nomes: malva-de-botica, malva-de-cheiro, malvaceae e malvaísco.
Família: Malvaceae.
Origem: Europa e Oriente Médio.
Partes usadas: folhas secas, flores e raízes.
Características: planta anual, sublenhosa de caules ásperos chegando a medir até 60 cm de altura. Possui flores azuis, amarelas ou púrpuras. Folhas lobadas, com bordos ondulados, que podem ser pubescentes.
Efeitos terapêuticos: emoliente, anti-inflamatório, calmante, oftálmico, odontálgico e peitoral.
Usos: em tratamentos de úlceras, afecções da boca e laringe, halitose, alivia dor de ouvido e das pálpebras.
Vale saber! Proibido o uso sem orientação profissional – médico ou fitoterapeuta. Não deve ser usada por diabéticos e tem propensão a acumular nitratos em níveis tóxicos.

296. Malva-da-índia

Nome científico: *Alcea rosea* L.
Outros nomes: alcea, alteia, malva-rosa, malva real.
Família: Malvaceae.
Origem: África tropical e Índia.
Partes usadas: folhas, flores e raízes.
Características: planta herbácea e bienal, de florescimento vistoso de coloração rosa e porte alto, atingindo até 1,5 m de altura.
Efeitos terapêuticos: calmante, emoliente, desinflamatório, expectorante, hidratante.
Usos: combate asma, colite, inflamação das mucosas, inflamações crônicas do estômago e dos intestinos e tosse.
Vale saber! Proibido o uso sem orientação profissional – médico ou fitoterapeuta. Não deve ser usada por diabéticos. A planta pode ser parasitada por fungos Puccinia malvacearum deixando-as man-

chadas e cheias de pústulas pardas. Nesse caso, não podem ser usadas.

297. Malva-falsa

Nome científico: *Pelargonium aciculatum* E.M. Marais.
Outros nomes: malva-falsa, malva-branca.
Família: Geraniaceae.
Origem: África.
Partes usadas: folhas e flores.
Características: erva perene, pendente, medindo de 20 cm a 50 cm de altura. Possui flores brancas e se adapta bem em pequenos vasos e em canteiros.
Efeitos terapêuticos: emoliente e anti-inflamatório.
Usos: em infecções e inflamações na gengiva e garganta.
Vale saber! Proibido o uso sem orientação profissional - médico ou fitoterapeuta. Só pode ser usada externamente.

298. Mama-cadela

Nome científico: *Brosimum gaudichaudii* Trécul.
Outros nomes: mama-cachorra, mamica-de-cadela, burle, burrule, salva-vidas, chicletinho-do-cerrado, algodão-do-campo, mururerana, inhore, inharé, espinho-de-vintém, conduru e algodãozinho.
Família: Moraceae.
Origem: Cerrado brasileiro.
Partes usadas: casca das raízes, frutos e folhas.
Características: espécie arbustiva, caducifólia, possui casca cinzenta, grossa, folhas alternas, sem pelos na face superior e pilosa na face inferior. O fruto é carnoso, amarelo, origina-se de diversas flores e não se abre quando maduro.
Efeitos terapêuticos: fotossensibilizante, antigripal, antioxidante, cicatrizante, depurativo e estomáquico.
Usos: no tratamento de discromia, vitiligo, psoríase, hanseníase, leucodermia, micose, dermatite, eczemas, gripe, resfriado, bronquite, doenças reumáticas, intoxicações crônicas e má circulação sanguínea.
Vale saber! Proibido o uso sem orientação profissional - médico ou fitoterapeuta. Não pode ser usada na gravidez e na amamentação.

299. Mamão

Nome científico: *Carica papaya* L.
Outros nomes: mamão, mamão-do-amazonas, mamãozinho e mamão-papaia.
Família: Caricaceae.
Origem: América tropical.
Partes usadas: fruto, raiz, caule, folhas, sementes e látex.
Características: planta de crescimento rápido, podendo atingir até 5 m de altura. Possui caule oco, reto, cilíndrico e mole com casca fina. Apresenta flores brancas e amareladas e o fruto é uma baga de cor verde-escuro, que se torna amarelada ou alaranjada quando amadurece.
Efeitos terapêuticos: anti-inflamatório, calmante, cicatrizante, digestivo, diurético, emoliente, esfoliativo, nutritivo, vermífugo, laxante e refrescante.
Usos: no tratamento de gastrite, hemorragias renais, eczemas, verrugas, úlceras, rouquidão, tosse, bronquite, gripe, diabetes, asma, icterícia, como tônico para os nervos e depurativo do sangue.
Vale saber! Proibido o uso sem orientação profissional - médico ou fitoterapeuta. Algumas substâncias contidas no mamão podem suprimir os efeitos do hormônio progesterona na mulher, ocasionando abortos. Por este motivo não é recomendado o consumo por mulheres grávidas.

300. Mamona

Nome científico: *Ricinus communis* L.
Outros nomes: mamoneira, palma-christi, carrapateiro e rícino.
Família: Euforbiáceas.
Origem: Abissínia e outras partes da África.
Partes usadas: folhas e óleo extraído das sementes (óleo de rícino).
Características: arbusto ou árvore anual, cujo porte atinge até 3 m de altura, com caule ereto e ramos herbáceos, grossos, lisos e fistulosos. As folhas são alternas, grandes, em formato de estrela e frutos rodeados de espinhos com três sementes em seu interior.
Efeitos terapêuticos: vermífugo, purgante, emoliente, cicatrizante, catártico, anticancerígeno e analgésico.
Usos: no combate de parasitas intestinais, eczemas, herpes, erupções, feridas, queimaduras e calvície.
Vale saber! Proibido o uso sem orientação profissional - médico ou fitoterapeuta. Só deve ser manipulada por fitoterapeuta ou profissional igualmente habilitado. Não pode ser consumido na gravidez e lactação. A ingestão das sementes mastigadas causa náuseas, vômitos, cólicas abdominais, diarreia mucosa e sanguinolenta e, nos casos mais graves, podem ocorrer convulsões, coma e até óbito.

301. Mandacaru

Nome científico: *Cereus giganteus* Engelim.

Outros nomes: jamacaru, cardeiro, urumbeba, urumbeva, saguaro e cactus.
Família: Cactaceae.
Origem: Brasil.
Partes usadas: flores, caule e polpa dos frutos.
Características: planta arbustiva, xerófita, podendo chegar até 16 m de altura. Produz um fruto doce e suculento semelhante à pitaya.
Efeitos terapêuticos: diurético e cardiotônico.
Usos: para eliminar catarro da bexiga, evitar retenção de líquido e como estimulante e tônico para o coração.
Vale saber! Proibido o uso sem orientação profissional – médico ou fitoterapeuta. O suco fresco é irritante para a mucosa oral, provocando sensação de queimação, náuseas, vômito e diarreia. Não pode ser usado por gestantes e lactantes.

302. Mandioca

Nome científico: *Manihot esculenta* Crantz.
Outros nomes: aipi, aipim, castelinha, macaxeira, maniva, maniveira, pão-de-pobre, uaipi.
Família: Euphorbiaceae.
Origem: Brasil.
Partes usadas: raízes e folhas.
Características: planta de porte arbustivo, perene, resistente à seca e que pode chegar até 5 m de altura. Possui raízes do tipo tubérculo, grossas e alongadas, podendo atingir até 2,5 metros de comprimento, 15 centímetros de diâmetro.
Efeitos terapêuticos: antisséptico, aperiente, cicatrizante, demulcente e diurético.
Usos: na alimentação, pois é uma planta muito nutritiva, indicada para abrir o apetite, tratar feridas, chagas, abscesso, conjuntivite, diarreia, disenteria, hérnia, inflamações em geral, cansaço e picada de cobra.
Vale saber! Proibido o uso sem orientação profissional – médico ou fitoterapeuta. A mandioca brava, geralmente vendida já tratada em forma de farinha e fécula, precisa passar por um tratamento especial para a retirada do veneno. Algumas substâncias da planta causam intoxicação.

303. Mandrágora

Nome científico: *Mandragora officinalis* Mill.
Outros nomes: mandrágora e mandrake.
Família: Solanaceae.
Origem: do Mediterrâneo ao Himalaia.
Partes usadas: raízes.
Características: planta perene e folhas enrugadas com a veia central medindo de 15 a 40 cm de comprimento. As raízes possuem forma alongada e cilíndrica e as flores florescem de setembro a outubro.
Efeitos terapêuticos: alucinógeno, sedativo, analgésico, emético e purgativo.
Usos: somente na homeopatia como ansiolítico, relaxante muscular, analgésico e calmante. Também é indicada para aliviar cólica abdominal, cefaleia e dor ciática, além de funcionar como antidepressivo.
Vale saber! Proibido o uso sem orientação profissional – médico ou fitoterapeuta. Só deve ser manipulada por fitoterapeuta. Consumida in natura pode ser tóxica.

304. Mandrágora-americana

Nome científico: *Podophyllum peltatum* L.
Outros nomes: limão bravo, maçã de maio, maçã de porco, maçã índia e limão selvagem.
Família: Berberidaceae.
Origem: América do Norte.
Partes usadas: raízes.
Características: herbácea perene, sem caules, em formato de pequenas rosetas de folhas ovaladas, com grandes raízes bifurcadas. Apresenta flores de coloração violácea.
Efeitos terapêuticos: estimulante estomacal, sedativo, catártico, purgativo, hepático, tônico, emético.
Usos: em pequenas doses pode tratar tosse, bronquite, cólica, hidropisia, biliosidade, dispepsia e doenças de pele.
Vale saber! Proibido o uso sem orientação profissional – médico ou fitoterapeuta. Em doses elevadas causa náusea, vômitos e inflamação do estômago e intestinos. Não pode ser usada por gestantes e lactantes.

305. Manga

Nome científico: *Mangifera índica* L.
Outros nomes: manga.
Família: Anacardiaceae.
Origem: Ásia.
Partes usadas: fruto, caule, flor e folhas.
Características: árvore de grande porte, com copa frondosa e folhas alternas, inteiras e duras. As flores são pequenas e terminais e seu fruto é uma drupa ovoide de diversas cores quando maduros, com polpa suave e suculenta.
Efeitos terapêuticos: vermífugo, antibiótico, antidismenorreico, antiescorbútico, adstringente, diaforético, diurético e laxante.

Usos: é uma boa fonte de vitaminas A e C, ajuda a tratar diarreia, disenteria crônica, catarro da bexiga, uretrite, reumatismo, difteria, hemorragia, sangramento de hemorroidas, febre, dores no peito, diabetes, hipertensão, fissuras na pele dos pés, sarna e micose.
Vale saber! Proibido o uso sem orientação profissional - médico ou fitoterapeuta. É considerada uma fruta "pesada". Por isso, seu consumo não é indicado para gestantes e crianças muito novas. O látex presente na casca do fruto pode causar irritação na pele.

306. Mangostão

Nome científico: *Garcinia × mangostana* L.
Outros nomes: garcínia, mangosta, mangusta e mangusto.
Família: Clusiaceae.
Origem: Sudeste asiático.
Partes usadas: casca do fruto, casca do caule e folhas.
Características: árvore média, de até 10 m de altura, de copa cônica, folhas grandes, rígidas e coloração verde-escura a brilhante. O fruto é esférico.
Efeitos terapêuticos: antibacteriano, antifúngico, anti-inflamatório, antioxidante, antitumoral, antialérgico e antiviral.
Usos: nos tratamentos de diarreia, disenteria, infecções do trato geniturinário, feridas, inflamação crônica do intestino, acne, eczema e doenças da pele.
Vale saber! Proibido o uso sem orientação profissional - médico ou fitoterapeuta. Não deve ser consumido em associação com medicamentos anticoagulantes.

307. Manjericão

Nome científico: *Ocimum basilicum* L.
Outros nomes: alfavaca, basilicão, basil e manjericão-de-folha-larga.
Família: Lamiaceae.
Origem: Índia.
Partes usadas: folhas e talos.
Características: planta herbácea perene, medindo entre 30 cm e 50 cm de altura. Possui flores de cor lilás e agrupadas em inflorescências do tipo espiga.
Efeitos terapêuticos: anti-inflamatório, antioxidante, diurético, estimulante do fígado, refrescante e sudorífico.
Usos: suas folhas são comumente consumidas em saladas, molhos e chás. Possui efeito estimulante no fígado, alivia inflamações dos brônquios, gases intestinais, vertigens, espasmos gástricos, depressão, perdas de memória, dores menstruais e insônias.
Vale saber! Proibido o uso sem orientação profissional - médico ou fitoterapeuta. Deve ser evitado por hipoglicêmicos, pois o consumo pode reduzir os níveis de açúcar no sangue.

308. Manjericão-roxo

Nome científico: *Ocimum purpurascens* L. ex B.D.Jacks.
Outros nomes: manjericão-italiano.
Família: Lamiaceae.
Origem: Índia.
Partes usadas: folhas e talo.
Características: planta subarbustiva perene, com folhas roxas e azuladas.
Efeitos terapêuticos: calmante e sedativo.
Usos: alivia a gastrite e a dor de cabeça. Contra o estresse, pode ser misturado à água do banho.
Vale saber! Proibido o uso sem orientação profissional - médico ou fitoterapeuta. Não pode ser usado durante a gravidez e a amamentação.

309. Manjerona

Nome científico: *Origanum majorana* L.
Outros nomes: flor-do-himeneu, manjerona-doce e manjerona-verdadeira.
Família: Lamiaceae.
Origem: Mediterrâneo e Oriente Médio.
Partes usadas: ramos e folhas.
Características: herbácea de caule quadrangular, um pouco lenhosa na base e flexível na parte superior. Possui pequenas touceiras de 40 a 60 cm de altura. As folhas são pequenas, ovais, opostas, pecioladas, de coloração verde-acinzentada na face superior e aveludadas na face inferior. As flores, de coloração branca, violácea ou rosada, também são pequenas.
Efeitos terapêuticos: digestivo, expectorante, antiespasmódico, antigripal, carminativo, sedativo, hipotensor e expectorante.
Usos: auxilia na cura do reumatismo e da artrite, torcicolos, dor de cabeça, insônia, ansiedade, distúrbios digestivos e respiratórios, dor muscular e entorses.
Vale saber! Proibido o uso sem orienta-

ção profissional – médico ou fitoterapeuta. O uso excessivo causa cefaleia e sonolência. O óleo essencial só deve ser usado sob prescrição profissional, pois possui inúmeras restrições.

310. Maracujá

Nome científico: *Passiflora alata* Curtis.
Outros nomes: flor-da-paixão, maracujá-açu, maracujá-amarelo, maracujá-comprido, maracujá-comum-de-refresco, maracujá-mamão, maracujá-melão, maracujá-silvestre, maracujá-suspiro, passiflora e maracujá-grande.
Família: Passifloraceae.
Origem: América tropical.
Partes usadas: folhas, frutos e sementes.
Características: planta trepadeira com frutos comestíveis. Suas flores perfumadas e exóticas têm de 7 a 10 cm de diâmetro e florescem no final do verão ou início do outono. O seu néctar atrai abelhas, borboletas e pássaros e o fruto é amarelo ou alaranjado.
Efeitos terapêuticos: tem uso científico comprovado como ansiolítico e sedativo leve. É também diurético, depurativo, anti-inflamatório, calmante, antitérmico, vermífugo e antiespasmódico.
Usos: para tratar dores de cabeça de origem nervosa, ansiedade, perturbações nervosas da menopausa, insônia, taquicardia nervosa, doenças espasmódicas, nevralgias e asma.
Vale saber! Proibido o uso sem orientação profissional – médico ou fitoterapeuta. Não deve ser usado por gestantes, lactantes e pessoas com pressão baixa.

311. Maravilha

Nome científico: *Mirabilis jalapa* L.
Outros nomes: bonina, boas-noites, belas-noites, boa-morte, beijos-de-frade, jalapa-falsa, jalapa-do-mato e quatro-folhas.
Família: Nyctaginaceae.
Origem: México, Chile e Índia.
Partes usadas: folhas e flores.
Características: cresce até 1,5 m de altura, tem caule ereto e de cor avermelhada, e a raiz é grossa e carnosa. As flores vistosas têm perfume adocicado e coloração variada. Uma característica marcante é que abre-se às quatro da tarde e fecha-se pela manhã.
Efeitos terapêuticos: analgésico, anti-inflamatório, cicatrizante, depurativo, diurético e laxante.
Usos: ajuda na cicatrização, alivia cólicas, contusões, escoriações, feridas, herpes, leucorreia, mancha na pele, sarda, verme e DST.

Vale saber! Proibido o uso sem orientação profissional – médico ou fitoterapeuta. As sementes e raízes não podem ser usadas, pois são tóxicas.

312. Margarida

Nome científico: *Bellis perennis* L.
Outros nomes: margarida-comum, bela-margarida, bonina, bonita, mãe-de-família, margarida-rasteira e margaridinha.
Família: Compositae.
Origem: Europa.
Partes usadas: folhas e flores.
Características: possui pétalas das flores alargadas e delgadas, geralmente de cor branca ou amarela, que rodeiam um botão central de cor dourada ou amarela. Suas folhas têm formato oval e o caule é delgado e comprido, podendo ultrapassar 1 m de altura.
Efeitos terapêuticos: anódino, antidiarreico, antiespasmódico, antiantitússico, demulcente, digestivo, emoliente, expectorante, laxante, oftálmico, purgativo e tônico.
Usos: para tratar abscessos, asma brônquica, astenia, bronquite crônica, catarros das vias respiratórias (facilita a expectoração), catarros do estômago e dos intestinos, dores nas articulações e de gota, edemas, esgotamento nervoso, febre, feridas secundárias, furúnculos, gota, gripe, inflamação da boca, faringe e garganta, olhos doloridos ou lacrimejantes.
Vale saber! Proibido o uso sem orientação profissional – médico ou fitoterapeuta. É contraindicado para pessoas com gastrite e úlcera gastroduodenal.

313. Margarida-amarela

Nome científico: *Rudbéquia hirta* L.
Outros nomes: margarida-selvagem.
Família: Asteraceae.
Origem: América do Norte.
Partes usadas: flores, folhas e raízes.
Características: planta muito vistosa e florífera, com folhagem de bordas serrilhadas.
Efeitos terapêuticos: antibacteriano, antifúngico e tônico.
Usos: o chá é um tônico que provoca sensação de bem-estar, além de tratar infecções por fungos e bactérias.
Vale saber! Proibido o uso sem orientação profissional – médico ou fitoterapeuta. Pode causar dermatite de contato.

314. Maria-sem-vergonha

Nome científico: *Catharanthus roseus* (L.) G.Don.
Outros nomes: vinca, vinca-de-gato, vin-

ca-de-madagascar, boa-noite e bom-dia.
Família: Apocynaceae.
Origem: Madagascar.
Partes usadas: raiz, folhas e partes aéreas.
Características: possui folhas ramificadas, opostas, com nervura central bem definida e brilhante. As flores são de 5 pétalas, com cores e dimensões conforme a variedade podendo ser branca, roxa, vermelha e rósea.
Efeitos terapêuticos: hipoglicemiante, antisséptico, diaforético, diurético, emético, purgante, vermífugo e depurativo.
Usos: pode melhorar as funções cerebrais em idosos, distúrbios de audição e demência senil.
Vale saber! Proibido o uso sem orientação profissional – médico ou fitoterapeuta. É venenosa para os animais quando ingerida em grandes quantidades.

315. Marianinha
Nome científico: *Dichorisandra thyrsiflora* J.C.Mikan
Outros nomes: comelina, cana-do-brejo, cana-de-macaco, marianinha, trapoeraba e trapoeraba-azul.
Família: Commelinaceae.
Origem: Brasil.
Partes usadas: hastes e folhas.
Características: arbusto perene, de folhas largas, brilhantes e coriáceas, com a nervura central de cor verde-amarelada, com a face inferior arroxeada. É ramificada na base, apresentado ramos eretos. As flores despontam o ano todo, em inflorescências terminais de coloração azul-arroxeada.
Efeitos terapêuticos: emoliente, diurético e antirreumático.
Usos: é usada para tratar dor e inflamação nos rins e cistite.
Vale saber! Proibido o uso sem orientação profissional – médico ou fitoterapeuta. Não pode ser usada por gestantes e lactantes.

316. Marmelo
Nome científico: *Cydonia oblonga* Mill.
Outros nomes: marmelo.
Família: Rosaceae.
Origem: Europa Central e Mediterrâneo.
Partes usadas: folhas, frutos e sementes.
Características: planta arbustiva ou subarbórea, de ramos penugentos, folhas ovais e alternas. Produz um fruto carnudo e suculento, de cor amarelada.
Efeitos terapêuticos: adstringente, antisséptica, antidiarreica, antiespasmódica, calmante e nutriente.
Usos: para tratar queimadura, inflamação de garganta, diarreia, cólica, edema traumático, nevralgia facial e fissura na pele.
Vale saber! Proibido o uso sem orientação profissional – médico ou fitoterapeuta. Pode causar constipação se consumido em excesso.

317. Marroio
Nome científico: *Marrubium vulgare* L.
Outros nomes: marroio-branco, marroio-de-frança, marroio-vulgar, marrulho, bom-homem e erva-virgem.
Família: Lamiaceae.
Origem: Europa.
Características: planta vivaz lenhosa, com folhas simples de borda dentada. A flor é bilateralmente simétrica, com cinco pétalas fundidas em um tubo na cor branca e possui fruto seco que não se abre quando maduro.
Efeitos terapêuticos: digestivo e expectorante.
Uso: em tratamentos de tosse associada à bronquite.
Vale saber! Proibido o uso sem orientação profissional – médico ou fitoterapeuta. Não pode ser usada durante a gravidez e lactação. Não é bem tolerada por pessoas com histórico de gastroenterite.

318. Marroio negro
Nome científico: *Ballota nigra* L.
Outros nomes: bolota, erva-dos-pavios e erva-das-lamparinas.
Família: Lamiaceae.
Origem: Ásia central e Mediterrâneo.
Partes usadas: caule com folhas na floração.
Características: planta perene, herbácea, com caules ramificados de até 9 cm de altura. As flores podem ser vermelhas, roxas, rosas ou brancas.
Efeitos terapêuticos: calmante, depurativo, diaforético, diurético, relaxante, vermífugo e sudorífero.
Usos: no tratamento de ansiedade, enxaqueca, neurastenia, depressão, dor reumática e náusea.
Vale saber! Proibido o uso sem orientação

profissional – médico ou fitoterapeuta. Seu consumo pode provocar sonolência.

319. Melaleuca

Nome científico: *Melaleuca alternifolia* (Maiden & Betche) Cheel.
Outros nomes: árvore de chá e mirto de mel.
Família: Myrtaceae.
Origem: Austrália.
Partes usadas: folhas e óleo essencial.
Características: árvore de médio porte, com tronco de casca esbranquiçada. A inflorescência é uma espiga de 3 cm a 5 cm de comprimento, com flores sésseis com epicálice campanulado onde se fixam as sépalas.
Efeitos terapêuticos: antisséptico, antibiótico, bactericida, fungicida e antivirótico.
Usos: infecções bacterianas, virais ou fúngicas da pele, como pé de atleta, verrugas, impetigo, pruridos, herpes, acnes, psoríase e candidíase vaginal. Também é recomendável em casos de sinusite, bronquite, infecções estomacais, lombrigas, reumatismo, nevralgias, contrações musculares e gota.
Vale saber! Proibido o uso sem orientação profissional – médico ou fitoterapeuta. O uso interno do óleo pode causar confusão, sonolência, fraqueza e seu uso externo dermatite de contato.

320. Melancia

Nome científico: *Citrullus lanatus* (Thunb.) Matsum. & Nakai.
Outros nomes: melancia.
Família: Cucurbitaceae.
Origem: África.
Partes usadas: frutos.
Características: a melancieira é uma planta hortícola, herbácea, rasteira e trepadeira, possui caules ou ramas rastejantes, angulosos, pubescentes e estriados. As flores são solitárias e amarelas e o fruto é do tipo pepônio, de casca espessa, polpa suculenta e peso de 1 a 25 kg.
Efeitos terapêuticos: antioxidante, calmante, diurético, laxante e refrigerante.
Usos: o fruto, consumido in natura ou em sucos, pode diminuir o ácido úrico, a acidez estomacal, tratar bronquite crônica, gota, obesidade, pressão alta e reumatismo.
Vale saber! Proibido o uso sem orientação profissional – médico ou fitoterapeuta. Consumida em excesso pode provocar diarreia.

321. Melão-de--São-Caetano

Nome científico: *Momordica charantia* L.
Outros nomes: cruá, melãozinho e melão-amargo.
Família: Cucurbitaceae.
Origem: Índia e China.
Partes usadas: folha, fruto, haste e semente.
Características: planta trepadeira, com flores amarelas e fruto oblongo, que se assemelha a um pepino pequeno. O fruto novo é verde, mudando para tonalidade alaranjada quando maduro.
Efeitos terapêuticos: antibiótico, antimutagênico, antioxidante, antileucêmico, antiviral, antidiabético, afrodisíaco e pediculicida.
Usos: tem uso científico comprovado como escabicida e pediculicida (combate sarna, pereba, piolho). Usado popularmente para regularizar o fluxo menstrual, aliviar cólica menstrual, tratar hemorroidas, febre, furúnculos e abscessos.
Vale saber! Proibido o uso sem orientação profissional – médico ou fitoterapeuta. Consumida em excesso pode causar coma hipoglicêmico, distúrbios hepáticos, cefaleias e convulsões em crianças.

322. Mentrasto

Nome científico: *Ageratum conyzoides* (L.) L.
Outros nomes: catinga-de-bode, erva-de-são-joão-falsa, celestina, erva-de--santa-lúcia, mentraço, mentruz, picão--roxo e camará-opela.
Família: Compositae.
Origem: Brasil.
Partes usadas: parte aérea e folhas.
Características: erva anual, pilosa, ramosa de caule cilíndrico medindo até 1 metro de altura. Possui folhas ovadas, flores esbranquiçadas ou lilases dispostas em capítulos. O fruto-semente é um aquênio pequeno de coloração escura.
Efeitos terapêuticos: analgésico, anti--inflamatório, antirreumático, febrífugo, carminativo, emenagogo e tônico.
Usos: nos tratamentos de amenorreia e menopausa, cólicas menstruais, gases intestinais, distensão do abdômen, cólica uterina, resfriados, tosse, rinite alérgica, sinusite, afecções das vias urinárias,

reumatismo agudo, artrose, contusões e dores musculares.
Vale saber! Proibido o uso sem orientação profissional – médico ou fitoterapeuta. É contraindicada para diabéticos. Altas doses provocam hipertensão arterial.

323. Mil-folhas
Nome científico: *Achillea millefolium* L.
Outros nomes: aquiléia, atroveran, erva-de-carpinteiro, erva-dos-carreteiros, mil em rama, milefólio, mil folhada, novalgina, nariz sangrento e erva-dos-militares.
Família: Compositae.
Origem: Europa e Ásia.
Partes usadas: todas.
Características: possui rizoma rastejante, haste reta e folhas verdes brilhantes, longas, estreitas e subdivididas em inúmeros segmentos lineares finíssimos. Suas flores são brancas ou rosadas e possuem um leve perfume. Seus frutos são duros e amargos.
Efeitos terapêuticos: tem uso científico comprovado como antidispéptico, antiflatulento, anti-inflamatório, colerético e antiespasmódico, registrado na Farmacopeia Brasileira. O uso popular também cita como estomáquico, expectorante, cicatrizante e antirreumático.
Usos: como estimulante de apetite, para lavar feridas e evitar hemorragias. Recomendada para inflamações gástricas e intestinais, associadas a problemas biliares.
Vale saber! Proibido o uso sem orientação profissional – médico ou fitoterapeuta. Em doses elevadas pode causar irritações na pele, pois possui efeitos fotossensibilizantes.

324. Milho
Nome científico: *Zea mays* L.
Outros nomes: abati, auati, avati e painzo.
Família: Poaceae.
Origem: América do Sul.
Partes usadas: barba (estilos) e espigas (estigmas).
Características: planta herbácea de alto porte medindo até 2,5 m de altura, com caules eretos com folhas alternadas e largas. Suas flores são reunidas em espigas de tamanho grande, rodeadas por brácteas membranosas. O fruto é uma espiga, redondo, brilhante e de cor amarelada.
Efeitos terapêuticos: diurético, antiespasmódico, anti-inflamatório e emenagogo.
Usos: as barbas de milho atuam sobre o sistema urinário, acalmando e protegendo os rins, a bexiga e o aparelho urinário.
Vale saber! Proibido o uso sem orientação profissional – médico ou fitoterapeuta. Os estilos não podem ser consumidos por gestantes e lactantes. O consumo pode interferir em terapias hipoglicemiantes e anti-hipertensivas.

325. Miosótis
Nome científico: *Myosotis alpestris* F.W.Schmidt.
Outros nomes: não-se-esqueça-de-mim e Verônica.
Família: Boraginaceae.
Origem: Europa.
Partes usadas: flores.
Características: planta perene, de até 30 cm, possui caule roliço, em rama e é densamente pilosa. As flores têm cores azuis pontilhadas de amarelo e apresentam a particularidade de possuir grãos de pólen de diferentes tamanhos.
Efeitos terapêuticos: antiastênico, adstringente e oftálmico.
Usos: para tratar doenças oculares, cicatrizar feridas e conter sangramento nasal.
Vale saber! Proibido o uso sem orientação profissional – médico ou fitoterapeuta. Não foram encontradas reações adversas na literatura fitoterápica.

326. Mirtilo
Nome científico: *Vaccinium myrtillus* L.
Outros nomes: arando, arandeiram, airela, blueberry e uva do monte.
Família: Ericaceae.
Origem: Europa e Estados Unidos.
Partes usadas: fruto e folha.
Características: planta de porte arbustivo, com frutos em forma de baga de cor azul-escura, pequenos e redondos. Apresenta, em seu interior, muitas sementes.
Efeitos terapêuticos: adstringente, tônico, antibacteriano, hipoglicemiante, antioxidante e anti-inflamatório.
Usos: seu consumo ajuda a tratar diarreias, a melhorar a visão noturna e auxilia na redução de colesterol ruim.
Vale saber! Proibido o uso sem orientação profissional – médico ou fitoterapeuta. Pacientes com gastrite ou úlceras gastroduodenais devem evitar o uso do mirtilo.

327. Morango
Nome científico: *Fragaria vesca* L.
Outros nomes: moranguinho-do-mato, morango-silvestre e framboesa-silvestre.
Família: Rosaceae.
Origem: Europa.
Partes usadas: raiz, folha e fruto.

Características: planta perene, de altura variável entre 20 a 30 cm. O caule é subterrâneo, de raízes pardas, de onde brotam as folhas longamente pecioladas. Os frutos possuem intensa coloração vermelha quando maduros, com sabor e aroma deliciosos.
Efeitos terapêuticos: adstringente, diurético, laxante, tônico e depurativo.
Usos: para aliviar desordens gastrointestinais e inflamação da boca. Possui boas doses de vitamina C, iodo, ferro, cálcio, fósforo, além de ser eficaz no tratamento da gota reumática.
Vale saber! Proibido o uso sem orientação profissional – médico ou fitoterapeuta. Não deve ser usado em caso de alergia e diabetes. O uso externo pode provocar reações alérgicas.

328. Moringa

Nome científico: *Moringa oleifera* Lam.
Outros nomes: acácia-branca, árvore-rabanete-de-cavalo, cedro, moringueiro e quiabo-de-quina.
Família: Moringaceae.
Origem: Himalaia.
Partes usadas: folha, semente e fruto.
Características: arbusto oleaginoso, de até 12 m de altura, possui caule delgado, muitas vezes único e copa aberta em forma de sombrinha. As flores são perfumadas, de cor creme ou branca e o fruto é uma cápsula de formato triangular com muitas sementes.
Efeitos terapêuticos: rica em proteínas, vitaminas, aminoácidos e minerais. É aceleradora de crescimento de órgãos humanos, animais e vegetais.
Usos: sua principal riqueza está no altíssimo valor nutricional das folhas e frutos. É usada para tratar anemia e doenças dos olhos.
Vale saber! Proibido o uso sem orientação profissional – médico ou fitoterapeuta. Não pode ser consumida por gestantes e lactantes.

329. Mostarda

Nome científico: *Brassica campestris* L.
Outros nomes: mostarda.
Família: Cruciferae.
Origem: Europa.
Partes usadas: semente e raiz.
Características: planta ereta, atingindo até 2 metros de altura. Possui caule ramificado com folhas de formas variadas e flores amarelas, dispostas em cachos terminais.
Efeitos terapêuticos: anti-inflamatório e rubefaciente.
Usos: combate afecções do aparelho urinário, reduz a incidência de furúnculos, atua no tratamento de feridas na pele e auxilia no combate e prevenção à cárie.
Vale saber! Proibido o uso sem orientação profissional – médico ou fitoterapeuta. Quando aplicada na pele, não deve ficar muito tempo sobre o mesmo local, pois pode ocasionar queimaduras ou bolhas.

330. Mostarda-preta

Nome científico: *Brassica nigra* (L.) K. Koch.
Outros nomes: mostarda-preta e mostarda-negra.
Família: Brassicaceae.
Origem: Ásia oriental.
Partes usadas: sementes.
Características: planta com parte inferior coberta por pelos que desaparecem à medida que se afastam da base. Suas flores são pequenas e amarelas.
Efeitos terapêuticos: antirreumático e emenagogo.
Usos: em tratamentos respiratórios, reumáticos e menstruais.
Vale saber! Proibido o uso sem orientação profissional – médico ou fitoterapeuta. Em contato com a pele pode causar ulceração. Nunca deve ser usada por via oral, pois pode provocar processos de gastroenterite, convulsões e até a morte por colapso cardiorrespiratório.

331. Mucuna

Nome científico: *Mucuna pruriens* (L.) DC.
Outros nomes: feijão-maluco, feijão-louco, feijão-macaco, nescafé, pó-de-mico, fava-coceira e cabeça-de-frade.
Família: Leguminosae.
Origem: Índia.
Partes usadas: sementes.
Características: é uma trepadeira anual, cresce de 3 m a 18 m de altura. Suas flores vão do branco ao roxo escuro e pendem em longos cachos. A planta produz cachos de vagens em cujo interior encon-

tram-se sementes conhecidas como "feijão-mucuna".
Efeitos terapêuticos: antiparkinsoniana, hipoglicêmica, hipocolesterolêmica, antioxidante, afrodisíaca, anticoagulante, antimicrobiana, vermífuga, analgésica, anti-inflamatória, antipirética, diurética, anabólica, androgênica, antiespasmódica e imunomoduladora.
Usos: como coadjuvante no tratamento de Mal de Parkinson, asma, tosse, diarreia, mordida de cão, pleurite, micose, picada de cobra, úlceras, sífilis, edema e vermes intestinais.
Vale saber! Proibido o uso sem orientação profissional – médico ou fitoterapeuta. Doses elevadas podem causar superestimulação, aumento da temperatura corpórea e insônia. Não pode ser usada durante a gravidez e lactação.

332. Muirapuama
Nome científico: *Ptychopetalum olacoides* Benth.
Outros nomes: marapuama e pau-homem.
Família: Olacaceae.
Origem: Amazônia.
Partes usadas: raiz e casca.
Características: árvore de tamanho médio, com até 5 m de altura. As flores são pequenas, brancas e possuem fragrância similar ao jasmim.
Efeitos terapêuticos: tônico muscular, cardiotônico, antidepressivo, afrodisíaco, estimulante do sistema nervoso central e analgésico.
Usos: no tratamento da calvície, dispepsia, cansaço, fraqueza gastrointestinal, impotência, infertilidade, aumento da libido, irregularidades menstruais, paralisia muscular, distúrbios reprodutivos, reumatismo, estresse e disenteria.
Vale saber! Proibido o uso sem orientação profissional – médico ou fitoterapeuta. Pode elevar a pressão arterial e não pode ser usada durante a gravidez e lactação.

333. Mulungu
Nome científico: *Erythrina verna* Vell.
Outros nomes: suinã, árvore-de-coral, sapatinho-de-judeu e bico-de-papagaio.
Família: Leguminosae.
Origem: Brasil.
Partes usadas: casca do caule.
Características: árvore mediana de folhas compostas e flores vermelhas. Suas sementes são arredondadas e lisas. Possui frutos pequenos, do tipo vagem.
Efeitos terapêuticos: sedativo, hipnótico.
Usos: o extrato da casca é usado em banhos para acalmar a excitação do sistema nervoso e também no combate à insônia. Além disso, é analgésico e muito usado contra a pressão alta e bronquite asmática.
Vale saber! Proibido o uso sem orientação profissional – médico ou fitoterapeuta. Pode causar depressão e paralisia muscular.

334. Mussambé
Nome científico: *Cleome spinosa* Jacq.
Outros nomes: sete-marias, mussambé-de-espinho, beijo-fedorento e mussambe-miúdo.
Família: Capparidaceae.
Origem: América Central.
Partes usadas: folhas e flores.
Características: planta semi-arbustiva, perene, espinhenta, podendo chegar a 1,6 m de altura. Caule reto e cilíndrico, folhas alternas de tamanho médio e flores de pétalas ovaladas ou em filetes violáceos, brancos ou róseos.
Efeitos terapêuticos: tônico, digestivo, antiasmático e estimulante.
Usos: em tratamentos de asma, bronquite, tosse, otite supurada, feridas e dores de cabeça.
Vale saber! Proibido o uso sem orientação profissional – médico ou fitoterapeuta. Não pode ser usada por gestantes, lactantes e diabéticos.

335. Nabo
Nome científico: *Brassica napus* L.
Outros nomes: colza de primavera.
Família: Brassicaceae.
Origem: Europa e Ásia Central.
Partes usadas: folhas e raiz.
Características: planta herbácea, bienal, de folhas oblongas, ásperas, pubescentes de coloração verde médio a verde-escuro, com flores amarelas agrupadas numa haste floral. O tubérculo é comestível e de baixo valor calórico.
Efeitos terapêuticos: aperiente, purificador do sangue, refrescante, emoliente, tônico, diurético, alcalinizante, expectorante, laxativo e revolutivo.
Usos: a raiz e as folhas podem ser consumidas como alimento, cruas ou cozidas. Auxiliam no tratamento de inflamações intestinais, hemorroidas, tosse, coqueluche, bronquite crônica, laxante natural e redutor de hiperacidez gástrica.
Vale saber! Proibido o uso sem orientação profissional – médico ou fitoterapeuta. Seu consumo pode provocar flatulência. Contém substâncias que interferem na produção de hormônios da tireoide.

336. Narciso
Nome científico: *Narcissus poeticus* L.
Outros nomes: narciso dos poetas.
Família: Amaryllidaceae.
Origem: Mediterrâneo.
Partes usadas: flores e bulbo.
Características: planta herbácea, bulbosa e vivaz, cresce entre 20 cm e 40 cm de altura. A flor é extremamente perfumada.
Efeitos terapêuticos: afrodisíaco, antiespasmódico e sedativo.
Usos: no tratamento de coqueluche e tosse e em compostos afrodisíacos.
Vale saber! Proibido o uso sem orientação profissional - médico ou fitoterapeuta. Não consumir nem aplicar topicamente, pois pode ser tóxico em doses elevadas. Pode causar dermatite e irritação de contato e em uso interno causa catarse, inflamação gastrintestinal e vômito. Não pode ser usado por gestantes e lactantes.

337. Nenúfar
Nome científico: *Nymphaea lotus* L.
Outros nomes: ninfeia, nenufar-branco, lótus branco, lótus-do-Egito, lírio-dos-lagos e lua-da-água.
Família: Nymphaeaceae.
Origem: África.
Partes usadas: flores secas e raízes.
Características: planta aquática, que pode crescer até os 45 cm de altura. Suas folhas são grandes, emersas, de coloração verde-escura na parte superior e avermelhada na inferior. Suas flores são solitárias e surgem em longos pedúnculos, de coloração branca com muitos estames de anteras amarelas no centro.
Efeitos terapêuticos: narcótico, mucilaginoso, calmante, antiafrodisíaco e emoliente.
Usos: no combate de doenças nos rins e bexiga, e no auxílio de cicatrização de feridas. Devido as suas propriedades antiafrodisíacas, os eremitas egípcios utilizavam essa planta para suportar os rigores do celibato.
Vale saber! Proibido o uso sem orientação profissional - médico ou fitoterapeuta. Não pode ser consumida por gestantes e lactantes. Pode causar sonolência.

338. Nigela
Nome científico: *Nigella sativa* L.
Outros nomes: aleprive, aliprive, cominhos negros, diabo-na-mata e nigela-bastarda.
Família: Ranunculaceae.
Origem: Irã.
Partes usadas: sementes.
Características: planta de caule ramificado de cor verde acinzentada, que pode atingir 60 cm de altura. As flores são azul-claras e o fruto é verde quando não está maduro e castanho após a maturação. As sementes, onde se encontram suas propriedades e benefícios, possuem uma coloração negra.
Efeitos terapêuticos: analgésico, carminativo, depurativo, anti-histamínico, antioxidante, anti-infeccioso e broncodilatador.
Usos: possui ácidos graxos que são essenciais ao sistema imunológico, dando-lhe o poder de prevenir infecções, alergias e controlar doenças crônicas. O consumo do seu óleo também tem o poder de purificação e desbloqueio do sistema linfático. Tem efeito na redução do nível de açúcar no sangue.
Vale saber! Proibido o uso sem orientação profissional - médico ou fitoterapeuta. Só deve ser manipulada por fitoterapeuta ou profissional de igual qualificação para a extração do óleo de suas sementes. Consumida de forma incorreta ou em quantidades não recomendadas pode ser tóxica.

339. Nim-indiano
Nome científico: *Azadirachta indica* A. Juss.
Outros nomes: amargosa, neem, niim e nim.
Família: Meliaceae.
Origem: Índia.
Partes usadas: semente, folha e casca.
Características: árvore de grande porte, podendo ter 18m de altura. Os frutos são drupas lisas, amareladas, com polpa carnosa não comestível. Da semente extrai-se o óleo de nim.
Efeitos terapêuticos: fungicida, inseticida, bactericida, repelente, anti-inflamatório, antipirético, anti-histamínico, analgésico, vasodilatador e antimalárico.
Usos: Na medicina Ayurveda é usado nos tratamentos de hanseníase, intestinais, desordens respiratórias, constipação, reumatismo, sífilis crônica, úlceras, infecções de pele e escabiose. O óleo de nim é usado como inseticida e repelente.
Vale saber! Proibido o uso sem orientação profissional - médico ou fitoterapeuta. Não pode ser consumido por gestantes, lactantes ou mulheres que desejem engravidar.

340. Ninfeia
Nome científico: *Nymphaea odorata* Aiton.
Outros nomes: ninfeia branca, aguapé-da-flor-branca, lírio aquático, lírio-d'água, patinha d'água, gigoga e orelha-de-burro.
Família: Nymphaeaceae.

Origem: América do Norte.
Parte usada: rizoma.
Características: planta ornamental e aquática, de folhas arredondadas. As flores são brancas e possuem a característica de abrirem-se à noite e fecharem-se depois que o sol esquenta.
Efeitos terapêuticos: adstringente, antisséptico, antiblenorrágico, antidiarreico, calmante, emoliente, mucilaginoso e sedativo.
Usos: como calmante, no controle da compulsão sexual obsessiva, disenteria, diarreia, gonorreia, leucorreia e bronquite. É usada também para combater infecções da uretra e vagina e doenças de pele.
Vale saber! Proibido o uso sem orientação profissional – médico ou fitoterapeuta. Não pode ser consumido por gestantes e lactantes.

341. Nogueira

Nome científico: *Juglans regia* L.
Outros nomes: nogueira-do-ceilão e nogueira-da-índia.
Família: Juglandaceae.
Origem: Ásia.
Partes usadas: folhas, casca verde dos frutos e gemas.
Características: árvore de grande porte, caule de casca acinzentada e rugosa, folhas compostas, pequenas e de cor branca e flores verdosas. O fruto é uma drupa verde e carnosa, na qual fica a noz comestível usada para a fabricação de um óleo muito apreciado.
Efeitos terapêuticos: adstringente, tônico, depurativo, hipoglicemiante, cicatrizante e antisséptico.
Usos: em tratamentos de psoríase, herpes, eczema, corrimento vaginal, feridas e ulcerações.
Vale saber! Proibido o uso sem orientação profissional – médico ou fitoterapeuta. Não pode ser consumido por gestantes e lactantes. Pode provocar hipoglicemia se consumido em grande quantidade.

342. Noni

Nome científico: *Morinda citrifolia* L.
Outros nomes: morinda.
Família: Rubiaceae.
Origem: Ásia e Austrália.
Partes usadas: casca e polpa do fruto, folhas e flores.
Características: árvore de 3 a 8 m de altura, com veias vincadas, flores tubulares pequenas e brancas e fruto oval.
Efeitos terapêuticos: antibacteriano, antiviral, antifúngico, antitumoral, analgésico, hipotensivo e anti-inflamatório.
Usos: no tratamento do diabetes, hipertensão, nas infecções de urina, no combate contra stress e cansaço, contra dores de estômago, redução do colesterol, tratamento da febre, doenças dos olhos e problemas da pele, gengivite, constipação, dificuldades respiratórias, tosse, náuseas, cólicas, artrite, asma, disenteria. Além de aliviar os sintomas de TPM.
Vale saber! Proibido o uso sem orientação profissional – médico ou fitoterapeuta. Não pode ser consumido por gestantes e lactantes. Não deve ser consumido associado a anticoagulantes, pois corta o efeito do medicamento. Deve ser consumido com moderação por pacientes com histórico de doença renal, por sua alta concentração de potássio.

343. Noveleiro

Nome científico: *Viburnum opulus* L.
Outros nomes: bola-de-neve, noveleiro, novelo, novelo-da-china, espirema e rosa-de-gueldres.
Família: Adoxaceae.
Origem: Europa e Ásia.
Partes usadas: casca dos galhos.
Características: arbusto perene, medindo até 3,6 m de altura, com numerosas flores de cor branca. Os frutos são vermelhos, ácidos e comestíveis.
Efeitos terapêuticos: antiespasmódico, adstringente, redutor da pressão arterial anti-inflamatório, cardiotônico e sedativo.
Usos: para aliviar cólica relacionada ao período menstrual, nervosismo, ansiedade, dores relacionadas ao sistema digestivo e urinário, relaxante muscular e cãibras.
Vale saber! Proibido o uso sem orientação profissional – médico ou fitoterapeuta. Não pode ser consumido por gestantes e lactantes. Consumido em grande quantidade, pode provocar diarreia, náuseas, indigestão e vômitos.

344. Noz-de-cola

Nome científico: *Cola nitida* (Vent.) Schott & Endl.
Outros nomes: abaja, café-de-sudão, cola-africana, cola-de-balayi, cola-medicinal, cola-vera, colaeira, colateira, coleira, goucou, guru, mangone, nangone, noz-de-guran, noz-de-sudão, noz-degondja, obi, orobo, oubi e riquezu.
Família: Sterculiaceae.
Origem: África Ocidental e Indonésia.
Partes usadas: amêndoas.
Características: a semente (noz) extraída da planta é dura, desigual, sólida, de cor castanha-avermelhada e de tamanho muito variável. Possui de 2 a 5 cm de comprimento por cerca de 2 cm de largura.
Efeitos terapêuticos: antidiarreica, estimulante, excitante e tonificante do sistema nervoso e muscular.
Usos: consumida in natura trata diarreia. É usada para aliviar problemas estomacais, regularizar a circulação, revigorar o sistema nervoso e muscular.
Vale saber! Proibido o uso sem orientação profissional – médico ou fitoterapeuta. Pode provocar desordens nos padrões do sono, superexcitação, nervosismo e irritações gástricas. Não pode ser consumida por pessoas com ansiedade, gestantes e lactantes.

345. Noz-moscada

Nome científico: *Myristica fragrans* Houtt.
Outros nomes: moscadeira.
Família: Myristicaceae.
Origem: Indonésia.
Partes usadas: semente ralada e óleo de noz-moscada.
Características: árvore tropical robusta e de forte perfume. A semente produz um óleo muito utilizado nas massagens e na aromaterapia. A noz-moscada não é uma noz, mas o caroço de um fruto similar ao damasco.
Efeitos terapêuticos: digestivo, aperiente, afrodisíaco, anti-inflamatório, carminativo, diurético, emoliente, estomáquico, sedativo e tônico.
Usos: para aliviar cólicas menstruais e regularizar menstruações escassas. Revigora a mente e ajuda na recuperação dos sentidos após desmaios, além de ser tônica para os cabelos e aliviar dores musculares e reumáticas. É estimulante da regeneração de células hepáticas.
Vale saber! Proibido o uso sem orientação profissional – médico ou fitoterapeuta. O componente miristicina pode atuar como narcótico e tóxico se ingerido em grandes quantidades.

346. Noz-pecã

Nome científico: *Carya illinoinensis* (Wangenh.) K.Koch.
Outros nomes: pecã e nogueira-pecan.
Família: Juglandaceae.
Origem: América do Norte.
Partes usadas: casca da noz.
Características: árvore de grande porte, chegando a atingir 44 m de altura, perene, de tronco retilíneo e casca cinzenta e lisa. Os frutos são uma noz envolta em uma casca verde e espessa, que se torna marrom e se abre quando madura. A noz apresenta uma casca lenhosa e contém uma amêndoa com sabor doce e amanteigado.
Efeitos terapêuticos: antioxidante, nutriente, hipoglicemiante, emagrecedor, tônico, estimulante, desintoxicante, cicatrizante, depurativo e diurético.
Usos: o chá das cascas é muito usado para reduzir o colesterol e para combater o envelhecimento, problemas cardiovasculares, obesidade, diabetes e intoxicações. Também atua nas afecções do fígado, cólicas menstruais e em problemas respiratórios, como rinite alérgica, sinusite e bronquite. É usado como emagrecedor, pois provoca saciedade.
Vale saber! Proibido o uso sem orientação profissional – médico ou fitoterapeuta. Pode provocar reações alérgicas em pessoas sensíveis.

347. Oficial-de-sala

Nome científico: *Asclepias curassavica* L.
Outros nomes: algodãozinho-do-campo, algodãozinho-do-mato, camará-bravo, capitão-de-sala, capitão-da-sala, cavalheiro-da-sala, cega-olho, cega-olhos, chibança, dona-joana, erva-de-paina, erva-de-rato, erva-de-satã, erva-leiteira, falsa-erva-de-rato, flor-de-sapo, ipecacuanha-brava, ipecacuanha-das-antilhas, ipecacuanha-falsa, leiterinha, mané-mole, margaridinha, margaridinha-leiteira, mata-olho, paina-de-sapo, paina-de-seda, paininha.

Família: Asclepiadaceae.
Origem: Sudoeste dos EUA (Florida), América do Sul e Central.
Partes usadas: folhas, raízes e látex.
Características: planta de até 1 m de altura. O fruto é uma cápsula fusiforme com aproximadamente 8 cm de comprimento, contendo várias sementes marrons.
Efeitos terapêuticos: tônico sudorífico, febrífugo e antidiarreico.
Usos: em tratamentos cutâneos, como grânulos na pele, verrugas, infecções cutâneas, sarna, entre outras enfermidades, com uma pomada à base de manteiga e látex da planta. Usada também para combater cáries, dor de dente e diarreia.
Vale saber! Proibido o uso sem orientação profissional - médico ou fitoterapeuta. O látex é cáustico, causando sérias inflamações oftálmicas.

348. Oliva

Nome científico: *Olea europaea* L.
Outros nomes: azeitona e oliveira.
Família: Asclepiadaceae.
Origem: Mediterrâneo.
Partes usadas: toda a planta.
Características: árvore de até 20 metros de altura, com casca marrom-escura, ramos flexíveis e desprovidos de espinhos, folhas verde-escuras na face superior e acinzentadas na face inferior. Os frutos são do tamanho médio a grande, com bastante polpa e muito óleo, usados na produção de azeite.
Efeitos terapêuticos: adstringente, antirreumático, antisséptico, antiasmático, anti-inflamatório, depurativo, diurético, emoliente, laxante, aromático, nutritivo e vermífugo.
Usos: o óleo, além de usado para temperar alimentos, atua contra asma, alergias, colite, constipação, erupções cutâneas, estomatite, gastrite, gota, hipertensão arterial, pedras nos rins, queimaduras, toxinas no sangue, reumatismo, vermes intestinais. Na fitoterapia, as folhas de oliveira são utilizadas em cápsulas de pó de folha de oliveira, contra a hipertensão.
Vale saber! Proibido o uso sem orientação profissional - médico ou fitoterapeuta. Não pode ser usado durante a gravidez.

349. Olmo

Nome científico: *Ulmus campestris* L.
Outros nomes: ulmo e ulmeiro.
Família: Ulmaceae.
Origem: Europa.
Partes usadas: folhas e casca do caule.
Características: árvore de grande porte, com até 40 metros de altura. Possui folhas pequenas e brancas.
Efeitos terapêuticos: adstringente, anti-inflamatório, diurético e tônico.
Usos: ajuda a dissolver e expelir muco e toxinas, atua na cicatrização de feridas de pele e mucosas, contra gota, dermatose e reumatismo.
Vale saber! Proibido o uso sem orientação profissional - médico ou fitoterapeuta. Não pode ser usado por grávidas, lactantes e hipoglicêmicos.

350. Ora-pro-nóbis

Nome científico: *Pereskia aculeata* Mill.
Outros nomes: trepadeira-limão, groselha-de-barbados, lobrobo e carne-de-pobre.
Família: Cactaceae.
Origem: Américas.
Partes usadas: folhas e flores.
Características: planta trepadeira que apresenta folhas suculentas e comestíveis, cuja forma lembra a ponta de uma lança. As flores são pequenas e brancas com miolo amarelo, lembrando margaridas. Os frutos são bagas de polpa gelatinosa e pouco saborosa.
Efeitos terapêuticos: emoliente.
Usos: as folhas, ricas em proteína, aminoácidos essenciais, vitaminas A, B e C e minerais como cálcio, fósforo e ferro, são usadas na alimentação. Na medicina popular é empregada externamente como emoliente.
Vale saber! Proibido o uso sem orientação profissional - médico ou fitoterapeuta. O consumo em excesso pode causar diarreia.

351. Ora-pro-nóbis-verdadeira

Nome científico: *Pereskia grandifolia* Haw.
Outros nomes: cacto-rosa, jumbeba, rosa-madeira, rosa-mole e groselha-da-américa.
Família: Cactaceae.
Origem: Américas.
Partes usadas: folhas e flores.
Características: arbusto ou árvore, atinge até 5 m de altura. Possui folhas simples, inteiras, ovaladas e levemente carnosas, flores de coloração rosa e frutos em forma de pera, de cor verde-amarelada quando maduros.
Efeitos terapêuticos: antioxidante e emoliente.
Usos: em tratamentos de hipertensão arterial, diabetes, doenças associadas ao reumatismo, inflamação; para aliviar dores de estômago, úlceras e revitalização do corpo.
Vale saber! Proibido o uso sem orienta-

ção profissional – médico ou fitoterapeuta. Não foram encontradas contraindicações na literatura fitoterápica.

352. Orégano
Nome científico: *Origanum vulgare* L.
Outros nomes: orégão, manjerona silvestre e manjerona rasteira.
Família: Lamiaceae.
Origem: Mediterrâneo.
Partes usadas: folhas e óleo essencial.
Características: planta herbácea, que cresce em tufos rastejantes de 40 cm a 60 cm de comprimento, possui caule pubescente, quadrado e de cor púrpura, com folhas ovaladas opostas, com pequenas depressões. Suas flores são avermelhadas ou róseas.
Efeitos terapêuticos: tônico, digestivo, espasmolítico, expectorante, carminativo e antisséptico.
Usos: estimula as funções gástricas e biliares, é diurético, combate a tosse, doenças do pulmão e dores musculares. Trata digestão lenta, espasmos gastrointestinais, dores reumáticas, feridas, úlceras e micoses da pele. É um condimento aromático muito utilizado na culinária.
Vale saber! Proibido o uso sem orientação profissional – médico ou fitoterapeuta. Em altas doses, relaxa demais a musculatura corporal e aumenta o sono.

353. Orobó
Nome científico: *Cola acuminata* (P.Beauv.) Schott & Endl.
Outros nomes: ervilha-de-pombo, jero e obi.
Família: Sterculiaceae.
Origem: África.
Partes usadas: amêndoas.
Características: árvore de até 20 m de altura, com tronco ramificado desde a base. Possui flores amarelas pintadas de púrpura e frutos em forma de estrela, como a carambola.
Efeitos terapêuticos: estimulante, tônico e antidepressivo.
Usos: como suprimento energético, estimulante cerebral, combate o cansaço físico e mental, depressão, melancolia e enxaqueca.
Vale saber! Proibido o uso sem orientação profissional – médico ou fitoterapeuta. Não pode ser consumido por gestantes, lactantes, crianças, cardíacos, hipertensos, pessoas com insuficiência renal e que tenham úlceras gastrointestinais.

354. Ortosifão
Nome científico: *Orthosiphon stamineus* Benth.
Outros nomes: java.
Família: Lamiaceae.
Origem: Indonésia.
Partes usadas: folhas.
Características: planta de até 60 cm de altura, com caule quadrado e flores em forma de espiga de cores púrpura, azul ou branca.
Efeitos terapêuticos: diurético, colerético, antibacteriano, desinfetante e drenador.
Usos: no mercado fitoterápico é utilizado em dietas de emagrecimento, como depurativo, para reduzir o colesterol; contra a insuficiência renal, para dissolver cálculo biliar e renal e contra a retenção de líquidos. Também pode ser usado para tratar albuminúria, calcificação das artérias, diátese do ácido úrico, dor da bexiga e rins e reumatismo articular.
Vale saber! Proibido o uso sem orientação profissional – médico ou fitoterapeuta. É contraindicado no caso de insuficiência renal ou cardíaca ou quando se suspeite da existência de obstrução das vias biliares.

355. Oxicoco

Nome científico: *Vaccinium macrocarpon* Aiton.
Outros nomes: cranberry, uva-do-monte e mirtilo-vermelho.
Família: Ericaceae.
Origem: América do Norte.
Partes usadas: fruto.
Características: arbusto de porte baixo e perene. Produz folhas verdes coriáceas e flores de tom rosa-escuro. Os frutos são bagas vermelhas brilhantes.
Efeitos terapêuticos: antibacteriano, antibiótico, antiescorbútico, diurético, febrífugo e peitoral.
Usos: em tratamentos para aliviar problemas do sistema urinário. É rico em vitamina C e antioxidantes e pode prevenir infecções bacterianas da bexiga e uretra. Além disso, ajuda no combate contra formação de placas e cáries.
Vale saber! Proibido o uso sem orientação profissional – médico ou fitoterapeuta. O

uso é proibido para gestantes e lactantes e, consumido em grande quantidade, pode provocar diarreia e reações alérgicas.

356. Pinheiro-brasileiro
Nome científico: *Araucaria angustifolia* (Bertol.) Kuntze.
Outros nomes: pinheiro-do-paraná, araucária, curi, pinheiro-caiová, pinheiro-das-missões e pinheiro-São-José.
Família: Araucariaceae.
Origem: sul do Brasil.
Partes usadas: folhas, casca e pinhões.
Características: pode ter até 50 metros de altura e diferencia-se de outros pinheiros pela sua estrutura em candelabro e pelos seus saborosos pinhões.
Efeitos terapêuticos: emoliente, antisséptico, antifúngico, antiviral, digestivo, anti-inflamatório, antimicrobiano e diurético.
Usos: as folhas cozidas são usadas no combate à anemia e aos tumores provocados por distúrbios linfáticos. A infusão da casca mergulhada em álcool é empregada para tratar "cobreiro", reumatismo, varizes e distensões musculares. O óleo extraído de suas sementes alivia dores musculares, articulares, inflamações e infecções.
Vale saber! Proibido o uso sem orientação profissional – médico ou fitoterapeuta. Não foram encontrados relatos de intolerância na literatura consultada.

357. Paciência
Nome científico: *Rumex patientia* L.
Outros nomes: labaça, coenha e azeda-espinafre.
Família: Poligonaceae.
Origem: Europa.
Partes usadas: raiz e folha.
Características: possui hastes direitas com ramos de até 1,50 m de altura. Suas folhas são ovais, pontudas e onduladas, seguras por longo pecíolo. As flores são pequenas e esverdeadas.
Efeitos terapêuticos: depurativo, tônico, adstringente, febrífugo e laxativo.
Usos: externamente para tratar eczemas e afecções da pele, escorbuto e sarna.
Vale saber! Proibido o uso sem orientação profissional – médico ou fitoterapeuta. O uso da raiz fresca pode causar irritação das mucosas e vômitos.

358. Palmarosa
Nome científico: *Cymbopogon martini* (Roxb.) W.Watson.
Outros nomes: alcaguete e dedo-rosa.
Família: Poaceae.
Origem: Ásia.
Parte usada: óleo essencial do broto das folhas.
Características: herbácea perene que emite rebentos espessos e eretos como o capim-limão. As folhas são longas e finas, com forte aroma cítrico.
Efeitos terapêuticos: adstringente, afrodisíaco, antisséptico, antifúngico, aromático, bactericida, calmante, cicatrizante, estimulante, febrífugo, hidratante, refrescante, relaxante e tônico.
Usos: em tratamentos de acne, depressão, dermatite e para estimular os sistemas digestivo e circulatório.
Vale saber! Proibido o uso sem orientação profissional – médico ou fitoterapeuta. Seu uso é somente externo, em forma de pomada ou loção.

359. Papo-de-peru
Nome científico: *Aristolochia clematitis* L.
Outros nomes: mil-homens, angelicó, jarrinha, aristolóquia, aristolóquia-clematite, erva-de-parto e raiz-de-cobra.
Família: Aristolochiaceae.
Origem: Mediterrâneo e Ásia.
Partes usadas: folhas, madeira da raiz e flores.
Características: trepadeira que atinge até 1 m de altura. As flores são em formato de tubo e o fruto é uma cápsula globosa pendular de cerca de 3 cm de diâmetro.
Efeitos terapêuticos: relaxante, gástrico e febrífugo.
Usos: na medicina tradicional como indutor de parto, para relaxar cãibras e estimular o sistema vascular. Externamente pode ser usado para lavar feridas, tratar eczemas e erupções cutâneas.
Vale saber! Proibido o uso sem orientação profissional – médico ou fitoterapeuta. Não pode ser usado durante a gravidez e lactação. Consumido em dosagem incorreta pode provocar hemorragias internas, abortos e lesões renais e hepáticas.

360. Papoula
Nome científico: *Papaver somniferum* L.
Outros nomes: dormideira-do-oriente, papoula-dormideira, papoula-de-ópio e papoila.
Família: Papaveraceae.
Origem: Oriente central e oeste da Ásia.
Partes usadas: pétalas das flores e sementes.
Características: planta herbácea, coberta de pelos brancos e pode atingir mais de 1 m de altura. O seu caule é ereto, as suas folhas são divididas em lóbulos profundos e as flores possuem coloração vermelha, branca ou violácea.

Efeitos terapêuticos: anódino, antitussígeno, adstringente, sudorífico, hipnótico e sedativo.
Usos: na antiguidade era usada como sedativo para procedimentos médicos. Age no alívio da dor e combate disenteria, constipação, febre e insônia.
Vale saber! Proibido o uso sem orientação profissional – médico ou fitoterapeuta. Não pode ser usada durante a gravidez e lactação. O uso prolongado pode causar dependência.

361. Papoula-da-Califórnia
Nome científico: *Aristolochia clematitis* L.
Outros nomes: globo-do-sol.
Família: Papaveraceae.
Origem: Europa.
Partes usadas: raízes e folhas.
Características: pode atingir até 50 cm de altura, possui folhas finamente divididas e flores perfumadas. Elas permanecem fechadas durante a noite e em dias nublados.
Efeitos terapêuticos: analgésico, anódino, antiespasmódico, febrífugo, hipnótico, sedativo e soporífero.
Usos: sedativo leve, utilizado para tratar ansiedade, dor de cabeça, hiperatividade, incontinência urinária, inquietude, insônia e tensão.
Vale saber! Proibido o uso sem orientação profissional – médico ou fitoterapeuta. Não pode ser usada durante a gravidez e lactação.

362. Papoula-flor--vermelha

Nome científico: *Papaver rhoeas* L.
Outros nomes: borboleta, dormideira, dormideira-silvestre, papoula-das-searas, papoula-dos-cereais, papoula-ordinária e papoula-solitária.
Família: Papaveraceae.
Origem: Europa.
Partes usadas: pétalas das flores e sementes.
Características: planta de caules eretos e cobertos de ramos com folhas dentadas de ponta aguda. Suas flores possuem pétalas vermelhas, com pontas pretas em seu interior e filetes amarelados. O fruto é uma cápsula globosa, lisa e suculenta.
Efeitos terapêuticos: antiespasmódico, emoliente, hipnótico, peitoral, sedativo e sudorífero.
Usos: para aliviar tosse e nos tratamentos de coqueluche, bronquite, febre eruptiva, excitação nervosa e insônia.
Vale saber! Proibido o uso sem orientação profissional – médico ou fitoterapeuta. Não pode ser usada durante a gravidez e lactação. Essa planta possui traços de morfina nas pétalas e, por isso, o seu tratamento precisa ser acompanhado por um médico e não pode ser prolongado.

363. Parietária
Nome científico: *Parietaria officinalis* L.
Outros nomes: alfavaca-de-cobra, tiritana, erva das muralhas, saxífraga, erva de vidro, fura-paredes, quebra-pedras, erva-dos-muros, vitríolo, erva-de-Santa--Ana e erva-de-Nossa-Senhora.
Família: Urticaceae.
Origem: África.
Partes usadas: folhas e caule.
Características: pequena planta com folhas alongadas e flores verdes, podendo atingir até 30 cm de altura. Possui frutos que são aquênios ovoides de cor verde ou castanha.
Efeitos terapêuticos: diurético, anti-inflamatório, adstringente e emoliente.
Usos: para tratar afecções das vias urinárias e respiratórias, gastrite e disfunções do fígado. O uso tópico ajuda na cicatrização de feridas, furúnculos, queimaduras, fissuras anais e labiais.
Vale saber! Proibido o uso sem orientação profissional – médico ou fitoterapeuta. Não pode ser usada durante a gravidez, a lactação e por crianças.

364. Pariparoba
Nome científico: *Piper umbellatum* L.
Outros nomes: aguaxima, caapeba-verdadeira e malvaísco.
Família: Piperaceae.
Origem: Brasil.
Partes usadas: raiz, folha e caule.
Características: as flores são pequenas e se unem em espigas muito compactas, cilíndricas e amareladas. O fruto é uma baga pequena, comestível, com sementes.
Efeitos terapêuticos: antiofídico, colagogo, diurético, hepático, laxante, sudorífero e tônico.
Usos: nos tratamentos de disfunções do baço, contusões, erisipela, febre, feridas na pele e mucosa, afecções do fígado, inflamações nas pernas, pulmões, queima-

dura, reumatismo, tosse, distúrbios nos rins e uterinos.
Vale saber! Proibido o uso sem orientação profissional – médico ou fitoterapeuta. Não pode ser usada durante a gravidez e lactação. Doses elevadas podem provocar náusea, vômito, cólica, diarreia e dor de cabeça.

365. Pata-de-vaca
Nome científico: *Bauhinia forficata* Link
Outros nomes: unha-de-vaca, mororó e unha-de-boi.
Família: Leguminosae.
Origem: Brasil.
Partes usadas: raiz, folha e caule.
Características: planta com caule tortuoso, de casca fina, clara e muito ramificada. Folhas simples, flores grandes e brancas, frutos constituídos de vagens lenhosas, pequenos e achatados.
Efeitos terapêuticos: purgativo, diurético, antidiabético, vermífugo e expectorante.
Usos: para tratar problemas do aparelho urinário, diabetes, problemas renais e no controle de colesterol.
Vale saber! Proibido o uso sem orientação profissional – médico ou fitoterapeuta. Não pode ser usada durante a gestação e lactação e em pacientes com distúrbios da coagulação sanguínea e hipoglicêmicos.

366. Patchouli
Nome científico: *Pogostemon cablin* (Blanco) Benth.
Outros nomes: patchouly, patcholi, vetiver e oriza.
Família: Lamiaceae.
Origem: Indonésia e Malásia.
Partes usadas: raiz, folha e caule.
Características: planta com até 3 m, com caule de casca fina, clara e muito ramificada.
Efeitos terapêuticos: afrodisíaco, antibacteriano, antisséptico, antiacneico, antifúngico, anti-inflamatório, antimicrobiano, aromático, citostático, condicionante, demulcente, descongestionante, desodorante, emoliente, fixador, higienizante, recondicionador, rejuvenescedor, revitalizante e tônico.
Usos: usada em tratamentos para combater a insônia, para aliviar cólicas e para pessoas com dificuldade em concentração. Atua como desodorante corporal e combate acne. Na aromaterapia é usada como aterrador e estimulante da autoestima.
Vale saber! Proibido o uso sem orientação profissional – médico ou fitoterapeuta. Pode causar sonolência após o consumo.

367. Pau-Brasil
Nome científico: *Caesalpinia echinata* Lam.
Outros nomes: ibirapitanga (madeira-vermelha em tupi), pau-de-tinta, pau-rosado, pau-pernambuco.
Família: Leguminosae.
Origem: Brasil.
Partes usadas: resina, casca e semente.
Características: árvore de porte médio, com reentrâncias chamadas "sapopemas". Suas flores são amarelas e vermelhas e exalam um aroma cítrico. O fruto possui espinhos na parte externa.
Efeitos terapêuticos: adstringente, analgésico oral, tônico, antimicrobiano, antifúngico, anti-inflamatório, antinociceptivo, antitumoral, antioxidante e antisifilítica.
Usos: no combate de diarreia, disenteria e na limpeza e fortalecimento da gengiva.
Vale saber! Proibido o uso sem orientação profissional – médico ou fitoterapeuta. Não foram encontradas contraindicações na literatura fitoterápica.

368. Pau-ferro
Nome científico: *Caesalpinia ferrea* C.Mart.
Outros nomes: jucá, pau-ferro-da-índia, jucaína, icainha, muiarobi, ibirá-obi, muiré-itá e imirá-itá.
Família: Leguminosae.
Origem: Brasil.
Partes usadas: casca, entrecasca, folha, fruto, madeira, semente, raiz e fruto.
Características: tronco rígido, com folhas alternas espiraladas. As flores são amarelas e o fruto é uma vagem.
Efeitos terapêuticos: cicatrizante, antisséptico, fortificante, febrífugo, antidiarreico, béquico, antidiabético, desobstruente e anticatarral.
Usos: tem utilização científica comprovada como cicatrizante e antisséptico na forma de gel, segundo consta na Farmacopeia Brasileira. Usado também como fortificante para crianças e para tratar contusão, ferimento na pele, estancar hemorragia, luxação, tosse, bronquite, asma, coqueluche, amebíase, problemas hepáticos, cardíacos, renais e pulmonares, inflamação do fígado e baço e tuberculose.
Vale saber! Proibido o uso sem orientação profissional – médico ou fitoterapeuta. Não pode ser usado durante a gravidez e lactação e por hipoglicêmicos.

369. Pau-rosa
Nome científico: *Aniba rosaeodora* Ducke.
Outros nomes: itaúba e pau-rosa-itaúba.

Família: Lauraceae.
Origem: Amazônia.
Partes usadas: folha e caule.
Características: árvore de até 30 m de altura, com tronco reto, cilíndrico, com casca pardo-amarelada ou avermelhada que se desprende facilmente em grandes placas. Possui flores pequenas e brancas e seu fruto é do tipo baga com uma cúpula.
Efeito terapêutico: afrodisíaco.
Usos: na aromaterapia, ajuda no tratamento contra acne, rugas e cicatrizes. É afrodisíaco e combate ansiedade e estresse.
Vale saber! Proibido o uso sem orientação profissional – médico ou fitoterapeuta. Não pode ser usado durante a gravidez e lactação. O uso deve ser só externo.

370. Pau-santo

Nome científico: *Caesalpinia ferrea* C.Mart.
Outros nomes: guaiaco, guiacum e guyacan.
Família: Zygophyllaceae.
Origem: América tropical.
Partes usadas: madeira, casca e resina.
Características: árvore pequena, com tronco de casca branca e flores azuis. Sua resina escoa naturalmente, o óleo é sólido em temperatura ambiente e normalmente precisa ser aquecido para ser dissolvido.
Efeitos terapêuticos: anti-inflamatório, antirreumático, afrodisíaco, adstringente, balsâmico, diurético, repelente, laxativo e sudorífero.
Usos: suas propriedades sudoríficas ajudam a expelir as impurezas do sangue. Muito usada nos tratamentos de gota, artrite reumatoide e inflamação. Na aromaterapia atua como relaxante corporal.
Vale saber! Proibido o uso sem orientação profissional – médico ou fitoterapeuta. Não pode ser usada durante a gravidez e lactação. O uso deve ser só externo.

371. Penvinca

Nome científico: *Pelargonium graveolens* L'Hér.
Outros nomes: vinca e cangossa.
Família: Apocynaceae.
Origem: Europa e Ásia.
Partes usadas: folhas secas.
Características: herbácea perene, com até 25 cm de altura, possui folhas ovais e flores de cinco pétalas de cores azul, lilás, branca e rosa.
Efeitos terapêuticos: vasodilatador, estimulante, adstringente e cicatrizante.
Usos: combate fadiga e cansaço. Em uso externo pode tratar afta, gengivite, dor de garganta, hemorragias, secreção vaginal e amenizar hematomas.
Vale saber! Proibido o uso sem orientação profissional – médico ou fitoterapeuta. Não pode ser usada durante a gravidez e lactação. O uso deve ser só externo. Seu consumo apresenta risco de toxicidade para os rins e fígado.

372. Peixinho

Nome científico: *Stachys lanata* L.
Outros nomes: lambarizinho, língua de vaca, orelha de lebre, orelha de cordeiro, peixe de pobre, peixe-frito, sálvia e sálvia peluda.
Família: Lamiaceae.
Origem: Europa.
Partes usadas: folhas.
Características: espessa, medindo entre 40 cm e 80 cm de altura, é reconhecida pela folhagem de cor prata com penugem e formato elíptico e textura.
Efeitos terapêuticos: béquica e emoliente.
Usos: as folhas são comestíveis, geralmente fritas à milanesa como um peixe. Como planta medicinal, pode ser usada para acalmar a tosse e irritação da faringe.
Vale saber! Proibido o uso sem orientação profissional – médico ou fitoterapeuta. O contato com a penugem das folhas pode causar alergia tópica em peles sensíveis.

373. Pepino

Nome científico: *Cucumis sativus* L.
Outros nomes: concombre, cetriolo e gurke.
Família: Cucurbitaceae.
Origem: Ásia.
Partes usadas: sementes e frutos.
Características: hortaliça anual de caule flexível com gavinhas. Pode crescer rastejando pelo chão ou como trepadeira, se encontrar suporte. Suas flores são amarelas e divididas, os frutos são ovalados e compridos e tem a casca lisa ou enrugada, conforme a variedade.
Efeitos terapêuticos: calmante, refrescante, mineralizante, estimulante e anti-helmíntica.

Usos: consumido como alimento, é usado no tratamento de gota, artrites, reumatismo, problemas renais e do coração. É um ótimo tônico para o fígado, vesícula e rins. Pelo seu alto teor de enxofre, é essencial para a pele, cabelos e unhas.
Vale saber! Proibido o uso sem orientação profissional – médico ou fitoterapeuta. Pessoas sensíveis à cucurbitacina, um dos componentes químicos do pepino, podem apresentar quadro alérgico.

374. Pepino-do-diabo

Nome científico: *Ecballium elaterium* (L.) A.Rich.
Outros nomes: pepino-de-são-gregório.
Família: Cucurbitaceae.
Origem: Mediterrâneo.
Partes usadas: raiz e fruto.
Características: erva decumbente (o caule pende e se alastra sobre o solo), perene, de gavinhas peludas e folhas também peludas, palmadas e lobadas. O fruto é ovoide, parecido com um pequeno pepino, carnoso, com aproximadamente 4 cm de comprimento e coberto com numerosos pelos.
Efeitos terapêuticos: antimicrobiano, antifúngico, anti-inflamatório, analgésico, antirreumático e purgativo.
Usos: em tratamentos de sinusite crônica, febre, distúrbios hepáticos, icterícia, constipação, hipertensão, hidropisia, doenças reumáticas e renais e problemas cardíacos.
Vale saber! Proibido o uso sem orientação profissional – médico ou fitoterapeuta. Não pode ser usado durante a gravidez e lactação. Deve ser usada com muita cautela e apenas sob a supervisão de um profissional qualificado. Doses excessivas podem causar gastroenterite e morte.

375. Pequi

Nome científico: *Caryocar brasiliense* A.St.-Hil.
Outros nomes: piqui, piquiá bravo, amêndoa-de-espinho, grão-de-cavalo, pequiá pedra, pequerim e suari.
Família: Caryocaraceae.
Origem: Cerrado brasileiro.
Partes usadas: fruto, folha, óleo e flor.
Características: árvore de médio porte, com até 10 m de altura, tronco de casca áspera e rugosa. Possui fruto de tipo drupa, arredondado com casca de coloração verde e polpa de coloração amarela intensa, carnosa, com alto teor de óleo que envolve uma semente dura formada por grande quantidade de pequenos espinhos.
Efeitos terapêuticos: expectorante, tônico, afrodisíaco, leishmanicida, antimicrobiano e anti-inflamatório.
Usos: o consumo pode regular o fluxo menstrual, combater asma, bronquite, resfriado e coqueluche. O fruto é usado para preparar doces e salgadas típicos do centro-oeste do Brasil.
Vale saber! Proibido o uso sem orientação profissional – médico ou fitoterapeuta. O fruto é bastante calórico e deve ser consumido com moderação.

376. Pera

Nome científico: *Pyrus communis* L.
Outros nomes: pera-de-água.
Família: Rosaceae.
Origem: Mediterrâneo.
Partes usadas: folhas e frutos.
Características: planta de pequeno ou médio porte. Várias folhas se reúnem em um mesmo ramo e as flores são brancas, pintadas de roxo. O fruto é carnoso, doce e saboroso.
Efeitos terapêuticos: hipotensor, laxante, calmante da pele e refrescante.
Usos: o fruto pode ser consumido in natura. As folhas são usadas para fazer chá, que auxilia no tratamento de desordens da bexiga, fortalecendo o organismo de convalescentes, atua no combate da febre intestinal e em disfunções dos rins.
Vale saber! Proibido o uso sem orientação profissional – médico ou fitoterapeuta. Pode causar constipação, se consumida em excesso.

377. Periquitinho

Nome científico: *Alternanthera ficoidea* (L.) Sm.
Outros nomes: periquito, apaga-fogo e periquito-ameno.
Família: Amaranthaceae.
Origem: Brasil.
Partes usadas: folhas.
Características: herbácea, perene, bastante compacta de folhagem ornamental, medindo entre 10 cm e 30 cm. Suas folhas são pequenas, de coloração aver-

melhada ou verde-clara.
Efeitos terapêuticos: antiálgico e anti-inflamatório.
Usos: para aliviar dores no corpo, ajuda a diminuir o inchaço e as inflamações em machucados localizados.
Vale saber! Proibido o uso sem orientação profissional - médico ou fitoterapeuta. Não pode ser usada durante a gravidez e lactação. É importante saber a procedência de todas as folhas, pois a planta é facilmente atingida por pragas ou doenças.

378. Perpétua-roxa
Nome científico: *Gomphrena globosa* L.
Outros nomes: suspiro-roxo, imortal, perpétua e amaranto-globoso.
Família: Amaranthaceae.
Origem: América central, Índia e China.
Partes usadas: flores.
Características: planta herbácea, com até 40 cm de altura. As flores são roxas e podem ser utilizadas mesmo depois de secas, por isso são chamadas de perpétuas.
Efeitos terapêuticos: anti-inflamatório, calmante, expectorante e emoliente.
Usos: combate dores de cabeça, de garganta, rouquidão, tosse, bronquite, laringite, e alivia sintomas de asma, reduz o mau colesterol e atua como um calmante natural.
Vale saber! Proibido o uso sem orientação profissional - médico ou fitoterapeuta. Pode causar sonolência se consumida em excesso.

379. Pêssego
Nome científico: *Amygdalus persica* L.
Outros nomes: pêssego.
Família: Rosaceae.
Origem: Pérsia e China.
Partes usadas: folhas, flores e frutos.
Características: árvore de até 5 metros de altura, com folhas simples e flores pequenas. O fruto tem a casca recoberta por uma leve penugem e polpa sumarenta.
Efeitos terapêuticos: laxante e diurético.
Usos: as fibras do fruto ajudam a regular o funcionamento do intestino, estimulam a bexiga e os rins e acalmam a tosse. Externamente pode ser usado em contusões e como antifúngico.
Vale saber! Proibido o uso sem orientação profissional - médico ou fitoterapeuta. Pessoas com histórico de hiperacidez gástrica e diabetes devem consumir o fruto com moderação.

380. Picão-branco
Nome científico: *Galinsoga parviflora* Cav.
Outros nomes: botão-de-ouro, fazendeiro, erva-da-moda, fazendeiro-peludo e fazendeiro-de-folha-dentada.
Família: Compositae.
Origem: América Central, ilhas do Caribe e América do Sul.
Partes usadas: folhas.
Características: planta rasteira, herbácea, com pequenas flores de pétalas brancas e miolo.
Efeitos terapêuticos: vulnerária, aromática, excitante e antioxidante.
Usos: usada para curar feridas, acelerar a cicatrização de cortes, aliviar a irritação da pele causada por urtiga, e reduzir a glicemia e a hipertensão arterial.
Vale saber! Proibido o uso sem orientação profissional - médico ou fitoterapeuta. É considerada venenosa para animais. Não deve ser consumida por hipoglicêmicos.

381. Picão-preto
Nome científico: *Bidens pilosa* L.
Outros nomes: amor-seco, carrapicho, carrapicho-de-agulha, carrapicho-de-duas-pontas, carrapicho-picão, coambi, cuambu, erva-picão, fura-capa, goambu, picão, picão-amarelo, picão-das-horas, pico-pico e piolho-de-padre.
Família: Compositae.
Origem: América tropical.
Partes usadas: toda a planta.
Características: herbácea anual, com caule anguloso e manchas avermelhadas. O fruto é um aquênio preto.
Efeitos terapêuticos: bactericida, fungicida, estimulante, antiescorbútico, antiodontálgico, sialagogo, antidisentérico, antidiabético, antileucorreico e vulnerário.
Usos: no tratamento de febre aftosa, angina, diabetes, distúrbios menstruais, hepatite, laringite, vermes intestinais, inflamação, hepatite alcoólica, dores de cabeça, dente e garganta, feridas na pele, lacerações, malária, corrimento vaginal, hemorroidas e é protetora do fígado.
Vale saber! Proibido o uso sem orientação profissional - médico ou fitoterapeuta. Não pode ser usada durante a gravidez e lactação e por pacientes hipoglicêmicos ou em tratamento de câncer, diabetes e cardíacos.

382. Pimenta
Nome científico: *Capsicum frutescens* L.
Outros nomes: pimenta-de-cheiro, comari, chifre de veado, malagueta e dedo-de-moça.
Família: Solanaceae.
Origem: América Latina.
Partes usadas: frutos.
Características: o nome pimenta se refere a dezenas de espécies, principalmente

às do gênero Capsicum, entre as quais se destacam a dedo-de-moça, a malagueta e o pimentão. É uma planta de porte pequeno e com caule ereto e bem ramificado. As folhas são alternas, pontiagudas, lisas e pecioladas. As flores são solitárias e de cor branca. O fruto é uma baga carnosa, com a extremidade pontuda, quando jovens são verdes, tornando-se vermelhas quando amadurecem.
Efeitos terapêuticos: estimulante, antioxidante, analgésico, anti-inflamatório e vasomotor.
Usos: em tratamentos de artrite, reumatismo, falta de energia e colesterol alto.
Vale saber! Proibido o uso sem orientação profissional – médico ou fitoterapeuta. Não pode ser usada durante a gravidez e lactação. Doses elevadas podem irritar a área gastrointestinal.

383. Pimenta-da-Jamaica

Nome científico: *Pimenta dioica* (L.) Merr.
Outros nomes: allspice, pimenta dioica, murta-pimenta e pimenta-de-coroa.
Família: Myrtaceae.
Origem: América Central e Caribe.
Partes usadas: sementes.
Características: os frutos são pequenas bagas roxas, com tamanho semelhante a uma ervilha. Tem sabor levemente ardido, suave como o da pimenta-do-reino.
Efeitos terapêuticos: afrodisíaca, antisséptica e digestiva.
Usos: usada como especiaria no preparo de vários pratos, é um estimulante do sistema digestivo.
Vale saber! Proibido o uso sem orientação profissional – médico ou fitoterapeuta. Em grande quantidade pode causar diarreia. Algumas pessoas podem apresentar alergia.

384. Pimenta-de-macaco

Nome científico: *Piper aduncum* L.
Outros nomes: perta-ruão, pimenta-longa, tapa-buraco, jaborandi-do-mato, erva-de-jaboti, matico-falso e falso-jaborandi.
Família: Piperaceae.
Origem: América do Sul.
Partes usadas: folhas e frutos
Características: arbustos de até 8 m de altura com ramos cilíndricos e folhas aromáticas. As flores surgem em espigas pendentes e são adocicadas.
Efeitos terapêuticos: adstringente, antiofídico, colagogo, diurético, resolutivo e tônico do útero.
Usos: em banhos de assento para tratar blenorragia (gonorreia) e problemas uterinos, diarreia, afecções do fígado. Mascar as folhas diminui o mau hálito.
Vale saber! Proibido o uso sem orientação profissional – médico ou fitoterapeuta. Não pode ser usada durante a gravidez e lactação.

385. Pimenta-do-brejo

Nome científico: *Polygonum persicaria* L.
Outros nomes: pimenta-d'água, persicária, capiçoba, cataia, curage, acataia, capitiçoba, capitiçova e potincoba.
Família: Polygonaceae.
Origem: América do Sul.
Partes usadas: caule, folha, flor e fruto.
Características: planta herbácea, anual, de caule ereto, folhas lanceoladas, flores brancas, rosadas ou avermelhadas, agrupadas, formando espigas.
Efeitos terapêuticos: adstringente, antirreumático, anti-inflamatório, cicatrizante externo, diurético, estimulante, hemostático, sedativo e tônico.
Usos: em tratamentos de afecções e retenção urinárias, amenorreia, congestão cerebral, diarreia, eczema, erisipela, febre, fragilidade capilar, hemorroidas, infecções intestinais, reumatismo, varizes e verminose. Estanca hemorragias e favorece a coagulação do sangue.
Vale saber! Proibido o uso sem orientação profissional – médico ou fitoterapeuta. Não pode ser usada durante a gravidez, lactação e por crianças.

386. Pimenta-do-reino

Nome científico: *Piper nigrum* L.
Outros nomes: pimenta-branca, pimenta-preta e pimenta-verde.
Família: Piperaceae.
Origem: Ásia.
Partes usadas: frutos secos.
Características: trepadeira, de raízes aéreas que podem atingir até 1,20 m. Possui folhas ovais, flores pequenas e frutos com formato esférico.
Efeitos terapêuticos: aperiente e digestivo.
Usos: como condimento, para auxiliar a digestão, melhorar o apetite, tosse, constipação, problemas respiratórios e cardíacos, cólica, diabetes, anemia, hemorroidas, cólera, sífilis, dores de dente e garganta, rouquidão, inflamação da garganta, cegueira noturna e acidez estomacal.
Vale saber! Não pode ser usada durante a gravidez, lactação e por crianças. Pessoas com sensibilidade gastrointestinal ou que sofrem de doenças como gastrite, úlcera ou diverticulite devem evitar a ingestão.

387. Pimentão

Nome científico: *Capsicum annuum* L.
Outros nomes: pimentão-doce, páprica-doce e pimentão vermelho.
Família: Solanaceae.
Origem: América tropical.
Partes usadas: fruto seco.
Características: planta com caule ereto e ramificado, de até 1,5 m de altura. As flores são brancas, geralmente únicas em cada nó, e sustentam os frutos.
Efeitos terapêuticos: antidiarreico, antirreumático, antiemético, antiespasmódico, diurético e digestivo.
Usos: nos tratamentos de mialgia, torcicolo, alopecia, lombalgia, tensão muscular, reumatismo, entorses, frieiras ininterruptas, nevralgia, pleurisia e cinetose.
Vale saber! Proibido o uso sem orientação profissional – médico ou fitoterapeuta. O uso de doses superiores às recomendadas pode causar vômito, diarreia e gastrite.

388. Pimpinela-escarlate

Nome científico: *Anagallis arvensis* L.
Outros nomes: sagittalis e erva coral.
Família: Primulaceae.
Origem: Mediterrâneo.
Partes usadas: toda a planta.
Características: erva perene arbustiva, com até 1,2 m de altura, usada como planta ornamental devido à beleza de suas flores de pétalas azuis, violáceas, vermelhas e alaranjadas.
Efeitos terapêuticos: antifúngico, antiviral, cicatrizante, sedativo, expectorante, diurético e sudorífico.
Usos: somente para uso externo, como cicatrizante de feridas, micoses cutâneas, úlceras tróficas e herpes Zóster.
Vale saber! Proibido o uso sem orientação profissional – médico ou fitoterapeuta. Não pode ser usada durante a gravidez e lactação. A planta é considerada tóxica e não pode ser ingerida.

389. Pimpinela-menor

Nome científico: *Sanguisorba officinalis* L.
Outros nomes: pimpinela-hortense.
Família: Rosaceae.
Origem: Europa.
Partes usadas: folhas, flores e rizoma.
Características: erva decorativa, medicinal e alimentícia, com folhas pequenas e serradas e flores vermelhas ou e lilases.
Efeitos terapêuticos: adstringente, antibacteriano, antiemético, diurético, hemostático, tônico digestivo e vulnerário.
Usos: para aliviar queimadura de sol, catarro gastrintestinal, diarreia, hemorragias nasal e na gengiva, menstruação abundante, perturbação urinária, erupção cutânea, úlcera, afecção de gengiva e angina.
Vale saber! Proibido o uso sem orientação profissional – médico ou fitoterapeuta. Não pode ser usada durante a gravidez e lactação.

390. Pinhão

Nome científico: *Araucaria anguastifolia* (Bertol.) Kuntze.
Outros nomes: araucária e pinheiro-do-paraná.
Família: Araucariaceae.
Origem: Brasil.
Partes usadas: semente (pinhão), folha, casca e resina.
Características: árvore com até 50 m de altura. As pinhas maduras desfazem-se liberando as sementes, que são chamadas de pinhão.
Efeitos terapêuticos: antioxidante, cardiotônico, rico em ferro, magnésio e proteínas.
Usos: o consumo auxilia nos tratamentos de escrofulose, fadiga, anemia, herpes (cobreiro), reumatismo, varizes, distensões musculares e infecções do trato respiratório.
Vale saber! Proibido o uso sem orientação profissional – médico ou fitoterapeuta. Como alimento possui alto teor de gordura e valor energético. Deve ser consumido com moderação, para não provocar ganho de peso.

391. Pinheiro

Nome científico: *Pinus sylvestris* L.
Outros nomes: pinho, pinheiro-silvestre e pinheiro-da-escócia.
Família: Pinaceae.
Origem: Europa e Ásia.
Partes usadas: óleo essencial e broto.
Características: planta com até 30 m de altura. A casca do tronco é cinzenta e, quando fendida, deixa escorrer um óleo.
Efeitos terapêuticos: antisséptico, antimicrobiano, expectorante e hiperemiante.
Usos: no combate de tosses produtivas com expectoração, bronquite, resfriado e sinusite. Em uso externo alivia dores pro-

vocadas pelo reumatismo.
Vale saber! Proibido o uso sem orientação profissional – médico ou fitoterapeuta. Não é recomendado para pacientes que tenham asma brônquica crônica. Pode provocar alergias em pessoas com hipersensibilidade.

392. Pinhão-de-purga
Nome científico: *Prunus spinosa* L.
Outros nomes: pinhão-do-paraguai, pinhão-dos-barbados, prunheiro, andubi-guacú, abrunheiro e abrunheiro bravo.
Família: Rosaceae.
Origem: África e Índia.
Partes usadas: frutos bem maduros e flores secas.
Características: arbusto de ramificação tortuosa e abundante chegando a medir 6 m de altura. As flores brancas são agrupadas em cachos, e o fruto é uma drupa globosa de cor azul-arroxeada.
Efeitos terapêuticos: adstringente, diurético, laxativo suave, rico em vitamina C.
Usos: em tratamentos contra afecções da bexiga, perturbação digestiva e das vias urinárias, diabetes, hidropisia, obesidade e menopausa.
Vale saber! Proibido o uso sem orientação profissional – médico ou fitoterapeuta. As cascas do tronco, dos ramos e da raiz não podem ser usadas, pois podem provocar envenenamento e intoxicação.

393. Pinhão-roxo
Nome científico: *Jatropha gossypiifolia* L.
Outros nomes: pinhão-bravo, pião, mamoninho e purgante-de-cavalo.
Família: Euphorbiaceae.
Origem: América Central e Meridional, Índia e África Ocidental.
Partes usadas: folhas e frutos.
Características: arbusto com até 4 metros de altura, com fruto tipo cápsula trilocular.
Efeitos terapêuticos: hemostático, hemaglutinante, antibacteriano, antioxidante e cicatrizante.
Usos: em tratamentos de gota, reumatismo, cicatrização de feridas, aftas na mucosa bucal. Atua na coagulação do sangue e acelera a cicatrização de furúnculos.
Vale saber! Proibido o uso sem orientação profissional – médico ou fitoterapeuta. Só deve ser consumida a dosagem recomendada por profissionais da saúde. Superdosagens podem provocar náuseas, vômitos, cólicas abdominais, diarreia mucosa e sanguinolenta, dispneia, arritmia e parada cardíaca.

394. Pistache
Nome científico: *Pistacia vera* L.
Outros nomes: alfóstico, pistacheiro, pistacho e pistachio.
Família: Anacardiaceae.
Origem: Ásia Central.
Partes usadas: frutos.
Características: planta com até 3 m de altura. Possui copa densa, caule nodoso, cinzento e retorcido. Os frutos são comestíveis.
Efeitos terapêuticos: afrodisíaco, calmante, descongestionante, diurético e emoliente.
Usos: para limpeza e tonificação da pele e no alívio de coceira provocada por picada de inseto. Em uso interno atua nos tratamentos de bronquite, afecções do pulmão e para ativar a secreção urinária.
Vale saber! Proibido o uso sem orientação profissional – médico ou fitoterapeuta. Não deve ser usado durante a gravidez e lactação. Pode causar alergia em pessoas hipersensíveis a qualquer tipo de nozes.

395. Pita
Nome científico: *Agave americana* L.
Outros nomes: piteira, caroatá-açu, gravatá-açu, piteira, agave e aloe americana.
Família: Amarilidáceas.
Origem: México e Antilhas.
Partes usadas: raiz, folhas e seiva.
Características: arbusto perene, quase sem caule, com folhas convexas. O fruto é uma cápsula triangular com inúmeras sementes.
Efeitos terapêuticos: antiescorbútico, antissifilítico, antisséptico, depurativo do sangue, digestivo, diurético, estomáquico, expectorante, hemostático, hepático, laxante, resolutivo e vulnerário.
Usos: em tratamentos de anemia, blefarite, catarros bronquiais, feridas e irritações na pele e nos olhos, afecções do fígado e dos rins, hemorragia, icterícia, inchaços das pernas, inflamação do intestino.
Vale saber! Proibido o uso sem orientação profissional – médico ou fitoterapeuta. Não pode ser usado durante a gravidez e a lactação.

396. Pitanga

Nome científico: *Eugenia uniflora* L.
Outros nomes: pitanga-vermelha, pitanga-graúda, pitanga-grande e pitanga-roxa.
Família: Myrtaceae.
Origem: América do Sul.
Partes usadas: folhas e frutos.
Características: planta perene, arbustiva, com até 15 m de altura. Os frutos são bagas carnosas, sulcadas verticalmente.
Efeitos terapêuticos: calmante, anti-inflamatório, diurético, antioxidante e antimicrobiano.
Usos: previne formação de rugas na pele e ajuda a combater diarreias, inflamações da garganta e gengiva, febre, doenças estomacais, hipertensão, obesidade, reumatismo e bronquite.
Vale saber! Proibido o uso sem orientação profissional – médico ou fitoterapeuta. Seu uso não é recomendado para pacientes cardíacos, pois pode provocar hipotensão.

397. Pitaya

Nome científico: *Hylocereus undatus* (Haw.) Britton & Rose.
Outros nomes: pitaia, fruta-do-dragão, cato-barse, cardo-ananaz e rainha-da-noite.
Família: Cactaceae.
Origem: América Tropical.
Partes usadas: flor, fruto e semente.
Características: planta perene, trepadeira, com caule de onde se originam várias raízes que ajudam na absorção de nutrientes e fixação. O fruto tem sabor leve e adocicado.
Efeito terapêutico: laxante.
Usos: alivia os sintomas da gastrite, pode neutralizar substâncias tóxicas e metais pesados, atua na redução do colesterol e da pressão alta.
Vale saber! Proibido o uso sem orientação profissional – médico ou fitoterapeuta. Não pode ser usada durante a gravidez e a lactação. Não deve ser utilizada por pessoas com diabetes, por causa dos altos níveis de açúcar do fruto.

398. Planta-cadáver

Nome científico: *Monotropa uniflora* L.
Outros nomes: planta-fantasma, flor-de-cera.
Família: Ericaceae.
Origem: América do Norte, Himalaia, Japão e Europa Temperada.
Partes usadas: raiz.
Características: embora tenha aparência de fungo, é uma planta herbácea, perene e parasita. Por não possuir clorofila, suas flores são brancas.
Efeitos terapêuticos: antiespasmódico, hipnótico, sedativo, tônico e bactericida.
Usos: em tratamentos para combater espasmos, desmaios, epilepsia e convulsão.
Vale saber! Proibido o uso sem orientação profissional – médico ou fitoterapeuta. Não pode ser usada durante a gravidez e a lactação. Consumida em excesso pode provocar alucinações.

399. Podagraria

Nome científico: *Aegopodium podagraria* L.
Outros nomes: pequena-angélica, angélica menor e egopódio.
Família: Apiaceae.
Origem: Europa e Ásia.
Partes usadas: folhas e frutos.
Características: planta com até 1 m de altura. A forma e a disposição de suas folhas serradas lembram uma perna de cabra. Daí o seu nome científico, aegopodium podagraria, do grego aigós (cabra) e pódion (pezinho).
Efeitos terapêuticos: diurético, aromático e resolutivo.
Usos: em tratamentos para combater gota, reumatismo, varizes e enfermidades da pele.
Vale saber! Proibido o uso sem orientação profissional – médico ou fitoterapeuta. Não pode ser usada durante a gravidez e a lactação. Pode causar sonolência e tontura.

400. Poejo

Nome científico: *Mentha pulegium* L.
Outros nomes: menta-silvestre.
Família: Lamiaceae.
Origem: Mediterrâneo.
Partes usadas: toda a planta.
Características: erva rasteira com até 60 cm de comprimento. Possui folhas miúdas e delicadas com sabor e perfume semelhantes à hortelã.
Efeitos terapêuticos: carminativo, digestivo, vermífugo, expectorante, antisséptico e antiespasmódico.
Usos: combate fermentações intestinais, resfriados, tosse e o mau hálito.
Vale saber! Proibido o uso sem orientação profissional – médico ou fitoterapeuta. Por causa da presença do borneol, um tipo de álcool, seu uso não é recomenda durante a gravidez, a lactação e não pode ser usada por crianças.

401. Polígala

Nome científico: *Polygala senega* L.
Outros nomes: polygala e erva-leiteira.
Família: Polygalaceae.

Origem: América do Norte.
Partes usadas: raiz seca.
Características: planta perene, que cresce de forma agrupada a partir de um rizoma nodoso. A flor tem 5 pétalas brancas e o fruto, com até 3,5 mm, é seco e divide-se quando maduro.
Efeitos terapêuticos: expectorante, antisséptico e diurético.
Usos: em tratamentos para combater asma e bronquite.
Vale saber! Proibido o uso sem orientação profissional – médico ou fitoterapeuta. Não pode ser usada durante a gravidez e a lactação e por pessoas com doenças gastrointestinais. Quando consumida em excesso, pode provocar vômitos e diarreias.

402. Pomelo
Nome científico: *Citrus paradisi* Macfad.
Outros nomes: laranja-rosa e grapefruit.
Família: Rutaceae.
Origem: Caribe.
Partes usadas: polpa, suco, folhas e óleo da casca.
Características: tem copa grande, arredondada, crescimento aberto e ramos resistentes. As folhas são verde-escuras, os frutos são grandes e pesados.
Efeitos terapêuticos: estomáquico, tônico cardíaco e antibiótico.
Usos: em dietas de emagrecimento, para combater insônia e desordens urinárias.
Vale saber! Proibido o uso sem orientação profissional – médico ou fitoterapeuta. Contém componentes que podem causar dermatite em pessoas que têm contato excessivo com o óleo da parte externa da casca.

403. Potentilla
Nome científico: *Potentilla erecta* (L.) Raeusch.
Outros nomes: tormentilha e sete-em-rama.
Família: Rosaceae.
Origem: França.
Partes usadas: raiz.
Características: é uma pequena planta com flores amarelas, que chega a medir 40 cm de altura.
Efeito terapêutico: adstringente.
Usos: para aliviar a insolação, queimaduras, sintomas da tuberculose e diarreia crônica.
Vale saber! Proibido o uso sem orientação profissional – médico ou fitoterapeuta. Não pode ser usada durante a gravidez e a lactação.

404. Prímula
Nome científico: *Primula veris* L.
Outros nomes: erva-dos-burros e onagra.
Família: Portulacaceae.
Origem: América do Norte.
Partes usadas: flores, folhas e raízes.
Características: planta encontrada nas colinas de solo seco. As longas folhas, de até 5 centímetros, são pontudas e inteiriças e as flores amarelas brotam no fim do caule principal.
Efeitos terapêuticos: diurético, expectorante, adstringente, mucilaginoso e sedativo.
Usos: em tratamentos para combater artrite, enxaquecas, espasmos, inflamação das vias respiratórias superiores, insônia, tosses aguda e seca.
Vale saber! Proibido o uso sem orientação profissional – médico ou fitoterapeuta. Não pode ser usada durante a gravidez e a lactação e nem por pessoas que estejam usando anticoagulantes. A inalação pode provocar broncoespasmos.

405. Prunela
Nome científico: *Prunella vulgaris* L.
Outros nomes: brígula, brunella e erva-férrea.
Família: Lamiaceae.
Origem: Ásia.
Partes usadas: toda a planta.
Características: atinge até 25 cm de altura, possui flores violáceas agrupadas formando espigas.
Efeitos terapêuticos: adstringente, analgésico, antisséptico, antibiótico, anti-inflamatório, antitumoral, carminativo, cicatrizante, depurativo, diurético, febrífugo, sedativo, tônico e vermífugo.
Usos: em tratamentos para combater cólica, constipação, edema, faringite, febre, leucorreia, náusea, resfriado e verme intestinal. Na aromaterapia é usada para promover o bem-estar em geral.
Vale saber! Proibido o uso sem orientação profissional – médico ou fitoterapeuta. Não pode ser usada durante a gravidez e a lactação.

406. Prunus

Nome científico: *Prunus cerasus* L.
Outros nomes: ginja, amarena ou cerefolium ácida.
Família: Rosaceae.
Origem: Europa e Sudoeste Asiático.
Partes usadas: frutos e caule.
Características: pequena árvore com folhas pequenas e frutos ácidos.
Efeitos terapêuticos: carminativo, digestivo, diurético e emagrecedor.
Usos: em tratamentos de anemia, bronquite, cálcio, carência de ferro e afecções do fígado.
Vale saber! Proibido o uso sem orientação profissional – médico ou fitoterapeuta. Em altas doses, pode causar diarreia.

407. Psilium

Nome científico: *Plantago ovata* Forssk.
Outros nomes: plantago, erva-das-pulgas e zaragatoa.
Família: Plantaginaceae.
Origem: China e Ásia Central.
Partes usadas: sementes.
Características: planta com flores pequenas agrupadas em espigas ovoides e frutos com duas sementes lisas de cor castanha.
Efeitos terapêuticos: estimulante, sudorífico, antidiabético e laxante.
Usos: para controlar gases, diabetes tipo 2, induzir movimento intestinal, prisão de ventre, reduzir colesterol total, LDL e ácido úrico, e para o tratamento da obesidade.
Vale saber! Proibido o uso sem orientação profissional – médico ou fitoterapeuta. Não pode ser usada durante a gravidez e a lactação. Seu uso constante pode aumentar os níveis de sódio no organismo.

408. Pulmonária

Nome científico: *Stachys byzantina* K.Koch.
Outros nomes: peixinho, peixinho-da-horta, orelha-de-lebre e orelha-de-cordeiro.
Família: Lamiaceae.
Origem: Turquia, Armênia, Irã e Azerbaijão.
Partes usadas: folha, flor e raiz.
Características: planta de até 40 cm de altura, com flores de cor rósea ou violeta e fruto seco, que não se abre quando maduro.
Efeitos terapêuticos: antioxidante, antibacteriano e anti-inflamatório.
Usos: em tratamentos de afecções dos pulmões, asma, bronquite, dores de barriga, corpo e garganta, gripe, resfriado e doença da próstata.
Vale saber! Proibido o uso sem orientação profissional – médico ou fitoterapeuta. Não pode ser usada durante a gravidez e a lactação.

409. Pupunha

Nome científico: *Bactris gasipaes* Kunth.
Outros nomes: babunha e pupunheira.
Família: Arecaceae.
Origem: Amazônia.
Partes usadas: palmito e óleo da polpa.
Características: palmeira oleaginosa, com até 20 m de altura. Tem o caule recoberto por anéis de espinhos negros, com folhas longas e frutos com até 250 gramas.
Efeitos terapêuticos: antioxidante, nutritivo, fonte de fibra alimentar, proteína e minerais.
Usos: previne doenças degenerativas, fortalece o sistema imunológico, possui nutrientes que auxiliam no desenvolvimento ósseo e combate cáries.
Vale saber! Proibido o uso sem orientação profissional – médico ou fitoterapeuta. O palmito de pupunha em conserva não deve ser consumido por hipertensos, pois absorve o sódio da conserva.

410. Quássia

Nome científico: *Quassia amara* L.
Outros nomes: quássia-amarga, quássia-de-caiena, pau-amarelo, pau-tenente, quássia-da-jamaica, quássia-do-suriname, cássia, pau-amargo e pau-quássia.
Família: Simarubáceas.
Origem: América Tropical.
Partes usadas: casca e a madeira do tronco e da raiz.
Características: arbusto o pequeno, de casca cinzenta e lenho branco-amarelado. Possui folhas alternas e flores escarlates agrupadas em cachos. O fruto é semelhante ao do cafeeiro.
Efeitos terapêuticos: tônico estomacal, febrífugo, vermífugo, digestivo e aperitivo.
Usos: no combate de problemas digestivos e é fortificante do estômago.

Vale saber! Proibido o uso sem orientação profissional – médico ou fitoterapeuta. Em doses altas, provoca vômitos. Não deve ser usada durante o período menstrual e por portadores de úlcera gastroduodenal.

411. Quebra-demanda

Nome científico: *Justicia gendarussa* Burm.f.
Outros nomes: abre-caminho, quebra-tudo e vence-tudo.
Família: Acanthaceae.
Origem: América do Sul, oeste da África e Índia.
Partes usadas: folhas e ramos.
Características: planta herbácea ereta e ramificada de folhas lanceoladas. Apresenta pequenas inflorescências de valor secundário, cuja coloração varia do branco ao lilás.
Efeitos terapêuticos: analgésico e anti-inflamatório.
Usos: em tratamentos de asma, reumatismo e cólicas. Atualmente seu uso fora do contexto indígena é mais ligado ao poder energético que a crença popular lhe atribui, sendo muito utilizada em banhos e defumações de proteção.
Vale saber! Proibido o uso sem orientação profissional – médico ou fitoterapeuta. Não pode ser usada durante a gravidez e a lactação.

412. Quebra-pedra

Nome científico: *Phyllanthus niruri* L.
Outros nomes: malva-pedra e pombinha.
Família: Phyllanthaceae.
Origem: Índia e América Tropical.
Partes usadas: toda a planta.
Características: herbácea rasteira, com até 40 cm de altura. Suas hastes são eretas, lenhosas, finas e ramosas e as flores são pequenas, de coloração amarelo-esverdeadas.
Efeitos terapêuticos: diurético, litolítico, aperiente, analgésico, relaxante muscular e anti-infeccioso.
Usos: combate cálculos nos rins, problemas de estômago, cistite, gonorreia, cólicas, diabetes, disenteria, febre, gripe, icterícia, vaginite e dispepsia.
Vale saber! Proibido o uso sem orientação profissional – médico ou fitoterapeuta. Não pode ser utilizada por crianças, gestantes e lactantes. Em doses elevadas, pode ser tóxica e provocar desmineralização do organismo.

413. Quiabo

Nome científico: *Abelmoschus esculentus* (L.) Moench.
Outros nomes: abelmosco, bâmia, benda, bendé, calalu, gombô, quiabeiro-chifre-de-veado, quiabeiro-comum e quimbombó.
Família: Malvaceae.
Origem: sul da África e Ásia.
Partes usadas: raiz, folha, fruto e semente.
Características: arbusto com flores solitárias e fruto com forma de cápsula alongada com várias sementes.
Efeitos terapêuticos: emoliente, diurético, antiespasmódico, estimulante e sudorífero.
Usos: localmente, para tratamentos de sífilis, gonorreia, cortes, feridas e furúnculo. O consumo é indicado também para infecção catarral e ardor urinário.
Vale saber! Proibido o uso sem orientação profissional – médico ou fitoterapeuta. Pode provocar diarreia.

414. Quina

Nome científico: *Cinchona calisaya* Wedd.
Outros nomes: chinchona-vermelha, casca-peruana e casca-dos-jesuítas.
Família: Rubiáceas.
Origem: Américas Central e do Sul.
Partes usadas: folhas, cascas da raiz, dos ramos e do tronco.
Características: arbustos com até 30 m. A cápsula oblonga da semente mede aproximadamente 3 cm de comprimento e têm de 40 a 50 pequenas sementes.
Efeitos terapêuticos: febrífugo, antimalárico, tonificante, adstringente e cicatrizante.
Usos: nos tratamentos de malária e suas propriedades terapêuticas também estimula as funções intestinais, gástricas e hepáticas.
Vale saber! Proibido o uso sem orientação profissional – médico ou fitoterapeuta. Não deve ser consumido por gestantes, lactantes e crianças. Doses elevadas podem provocar dores de cabeça, tontura, surdez e irritação gástrica.

415. Quinino

Nome científico: *Cinchona pubescens* Vahl.
Outros nomes: chinchona.
Família: Rubiáceas.
Origem: Equador, Colômbia, Venezuela, Peru e Bolívia.
Partes usadas: casca dos ramos.
Características: árvore de pequeno porte, com até 30 cm de diâmetro no tronco. Os frutos são cápsulas cilíndricas com 3 ou 4 sementes.
Efeitos terapêuticos: adstringente, antitérmico, cicatrizante, vulnerário, febrífugo e antimalárico.

Usos: nos tratamentos de malária, febre, espasmo, gota, feridas e fibrilação cardíaca.
Vale saber! Proibido o uso sem orientação profissional – médico ou fitoterapeuta. O quinino só deve ser usado na forma de cápsulas após indicação do médico. O preparo da forma caseira não é indicado. Não pode ser consumido por gestantes, lactantes e crianças. Pode provocar enxaqueca, brotoeja, dor abdominal, surdez e cegueira.

416. Quinoa
Nome científico: *Chenopodium quinoa* Willd.
Outros nomes: quinua.
Família: Chenopodiaceae.
Origem: Andes, Colômbia, Peru e Chile.
Partes usadas: sementes.
Características: planta alimentícia, com até 3 m de altura. O fruto é seco, de coloração vermelha-amarelada e possui de 250 a 500 sementes em seu interior.
Efeitos terapêuticos: cicatrizante, nutritivo e galactagogo.
Usos: como alimento nutritivo, encontra-se hoje sob a forma de grãos, flocos e farinha. Na medicina popular é usada para tratar afecções de catarro, apendicite, fígado e para fortalecer o organismo durante e após a gestação.
Vale saber! Proibido o uso sem orientação profissional – médico ou fitoterapeuta. Não foram encontradas restrições de consumo na literatura pesquisada.

417. Rabanete-japonês
Nome científico: *Eutrema japonicum* (Miq.) Koidz.
Outros nomes: wasabi, pimenta-japonesa e malva-rosa-da-montanha.
Família: Brassicaceae.
Origem: Japão.
Partes usadas: raiz, folhas, haste e rizoma.
Características: planta herbácea perene, com cerca de 12 cm. Seu cheiro é forte e ardente e o sabor refrescante e picante.
Efeitos terapêuticos: anticancerígeno, antibacteriano, anticoagulante, antimicrobiano, digestivo e vermífugo.
Usos: como condimento na culinária japonesa, seu consumo inibe crescimento de células cancerígenas, impede a formação de coágulos sanguíneos, elimina vermes e auxilia a digestão.
Vale saber! Proibido o uso sem orientação profissional – médico ou fitoterapeuta. O uso excessivo pode provocar diarreia e vômitos.

418. Rabanete
Nome científico: *Raphanus sativus* L.
Outros nomes: rábano.
Família: Brassicaceae.
Origem: Ásia e Europa.
Partes usadas: raiz e folhas.
Características: hortaliça de pequeno porte, com folhas que produzem uma raiz tuberosa com formato arredondado ou alongado, com casca avermelhada e polpa branca.
Efeitos terapêuticos: alcalinizante, aperiente, calmante, digestivo, diurético, expectorante, laxante e mineralizante.
Usos: a raiz é comumente consumida crua ou cozida em saladas. Indicada nos tratamentos de artrite, bronquite, cálculo biliar, cansaço dos pés, catarro, constipação, edema, erupção cutânea, escorbuto, garganta, gota, obstrução do fígado, resfriado, reumatismo, tosse, urticária e verme. É muito rica em vitamina C.
Vale saber! Proibido o uso sem orientação profissional – médico ou fitoterapeuta. Em algumas pessoas pode causar flatulência e indigestão. As pessoas com úlceras gástricas ou gastrite devem limitar seu consumo.

419. Raiz-de-São-João
Nome científico: *Berberis laurina* Thunb.
Outros nomes: bérberis, uvinha-azul, sirijuba e espina-amarilla.
Família: Berberidaceae.
Origem: Brasil.
Partes usadas: fruto e casca da raiz.
Características: arbusto perene medindo até 2,5 m de altura, com ramos tortuosos, folhas simples, inflorescências pendentes com 3, 5 ou até 15 flores. Os frutos são pequenos com polpa azulada e sementes duras.
Efeitos terapêuticos: antirreumático, antidispéptico, anti-infeccioso, antilítico, antimicrobiano, depurativo, hepático e sedativo.
Usos: para tratar infecção do aparelho urinário, distúrbio do fígado, dispepsia e queimadura leve.
Vale saber! Proibido o uso sem orientação profissional – médico ou fitoterapeuta. O consumo excessivo pode provocar vômitos e diarreia.

420. Rapôntico
Nome científico: *Rheum rhaponticum* L.
Outros nomes: rapôncio, ruibarbo-palmado e ruibarbo-do-campo.
Família: Polygonaceae.
Origem: Grécia.
Partes usadas: raízes.
Características: herbácea com até 1 m de altura, com folhas abundantes e rugosas,

semelhantes às da couve. Seu nome é derivado da palavra grega Rha, que significa Rio Volga, localizado na Rússia.
Efeitos terapêuticos: tônico e purgativo.
Usos: o consumo alivia os sintomas da menopausa.
Vale saber! Proibido o uso sem orientação profissional - médico ou fitoterapeuta. As folhas não devem ser consumidas em grandes doses devido à concentração de ácido oxálico, que pode causar intoxicação séria.

421. Raiz-forte

Nome científico: *Armoracia rusticana* P. Gaertn., B.Mey. & Scherb.
Outros nomes: raiz-picante, rábano-bastardo, rábano-picante, rábano-rústico, rábano-silvestre, rabiça-brava e saramago-maior.
Família: Brassicaceae.
Origem: Rússia, Polônia, Finlândia e sudoeste da Ásia.
Partes usadas: raízes e folhas.
Características: planta com até 1 metro de altura. Possui folhas radicais junto à raiz.
Efeitos terapêuticos: antisséptico, antiescorbútico, digestivo, estimulante, estomáquico, laxante, vermífugo e diurético.
Usos: nos tratamentos de gripe, febre, infecção urinária, reumatismo, dor muscular, bronquite e rouquidão. Como condimento é um estimulante gastrointestinal.
Vale saber! Proibido o uso sem orientação profissional - médico ou fitoterapeuta. Não pode ser usada durante a gravidez e a lactação. A ingestão de grandes quantidades pode causar vômito e diarreia sanguinolentas; e o consumo prolongado pode deprimir a função da tireoide.

422. Repolho

Nome científico: *Brassica oleracea* var. capitata L.
Outros nomes: repolho-comum, repolho-verde e repolho-de-horta.
Família: Brassicaceae.
Origem: Europa Central.
Partes usadas: folhas.
Características: hortaliça com até 80 cm, com folhas superiores do caule encaixadas umas às outras, formando o que é designado como a "cabeça do repolho".
Efeito terapêutico: cicatrizante.
Usos: como alimento, auxilia na cicatrização de abscessos, dores de cabeça e reumáticas, combate anemia, enfermidades do estômago, úlceras internas, hemorroidas, alcoolismo e osteoporose.
Vale saber! Proibido o uso sem orientação profissional - médico ou fitoterapeuta. O consumo do repolho, como alimento, não é indicado aos portadores de perturbações gastrointestinais agudas ou crônicas. Pode provocar flatulência.

423. Radiola

Nome científico: *Rhodiola rosea* L.
Outros nomes: raiz-de-ouro e raiz-do-ártico.
Família: Crassulaceae.
Origem: Ártico da Sibéria.
Partes usadas: raiz.
Características: planta perene, com até 35 cm de altura, de raiz grossa e pequenas folhas suculentas e flores de cor amarela ou vermelha.
Efeitos terapêuticos: adaptógeno (permite que o corpo adapte-se à ação do estresse).
Usos: estimula a memória e o aprendizado, melhora a fadiga e a qualidade do sono, protege do sistema cardíaco, revigora o sistema imunológico, melhora o desempenho cognitivo, regula o cortisol no organismo (hormônio responsável por fazer o organismo a responder a situações estressantes), reduz o estresse e proporciona sensação de bem-estar.
Vale saber! Proibido o uso sem orientação profissional - médico ou fitoterapeuta. Não deve ser usado na gestação e na lactação. Em pacientes que sofrem de ansiedade, pode provocar estados de excitação, sintomas de agitação, insônia e irritabilidade.

424. Romã

Nome científico: *Punica granatum* L.
Outros nomes: romeira e romeira-da-granada.
Família: Lythraceae.
Origem: África e Ásia Ocidental.
Partes usadas: cascas da raiz, do caule e do fruto.
Características: arbusto ereto e bastante ramoso, com até 5 m de altura. Os frutos constituem-se em bagas de casca dura e amarela com manchas verdes cuja extremidade superior é coroada pelo cá-

lice persistente das flores, com sementes carnosas de cor vermelha.
Efeitos terapêuticos: diurético, vermífugo, antisséptico e anti-inflamatório.
Usos: para tratar inflamações na garganta e gengiva, cólica, diarreia, tênia e sintomas de Alzheimer.
Vale saber! Proibido o uso sem orientação profissional – médico ou fitoterapeuta. O uso em doses elevadas pode provocar náuseas, vômitos, distúrbios visuais, irritação gástrica, enjoo, calafrios e tontura.

425. Rorela
Nome científico: *Drosera rotundifolia* L.
Outros nomes: drosera e orvalho-do-sol.
Família: Droseraceae.
Origem: Ásia.
Partes usadas: toda a planta.
Características: planta carnívora de beleza exótica, com até 40 cm de altura. A flor tem colorações vermelha, amarela, verde e pequenos pontos pretos.
Efeitos terapêuticos: calmante, diurético e expectorante.
Usos: em tratamentos de asma, bronquite, coqueluche, espasmo, gastrite, gripe, laringite, tosse aguda e seca, úlcera gástrica e para aliviar dor de garganta.
Vale saber! Proibido o uso sem orientação profissional – médico ou fitoterapeuta. Não pode ser consumida durante a gravidez e a lactação. Pode provocar irritações alérgicas.

426. Rosa-mosqueta
Nome científico: *Rosa canina* L.
Outros nomes: rosa-canina, rosa-mosqueta, rosa-selvagem, rosa-de-cão e rosa-primitiva.
Família: Rosaceae.
Origem: Ásia.
Partes usadas: frutos, casca do fruto e óleo das sementes.
Características: arbusto ramoso de 1 a 3 m de altura, de talos armados de aguilhões curvos, possui flores sempre rosadas e de poucas pétalas, sustentadas por estacas individuais. O fruto é escarlate, inodoro e de sabor ácido.
Efeitos terapêuticos: diurético, laxante e adstringente.
Usos: aumenta a imunidade na convalescença e infecções respiratórias de repetição, protege a pele submetida a radioterapia, trata desordens metabólicas como a gota, afecções urinárias e da bexiga e litíase renal.
Vale saber! Proibido o uso sem orientação profissional – médico ou fitoterapeuta. O óleo pode causar fotossensibilidade em peles sensíveis e reações alérgicas.

427. Rosa-vermelha
Nome científico: *Rosa gallica* L.
Outros nomes: rosa-francesa, rosa-rubra e rosa-do-boticário.
Família: Rosaceae.
Origem: Europa e Ásia.
Partes usadas: pétalas.
Características: planta arbustiva ou trepadeira de pequeno porte, podendo atingir 2 m de altura. Possui flores grandes e solitárias de tom vermelho-vivo.
Efeitos terapêuticos: cardiotônico, adstringente, afrodisíaco, refrescante, laxativo, calmante e digestivo.
Usos: as pétalas são usadas para tratar afecções da garganta, boca e atonia digestiva, diarreia, queimaduras, urticária e picadas de inseto. Na aromaterapia, o óleo essencial das flores é usado no combate à depressão, ansiedade e sentimentos negativos.
Vale saber! Proibido o uso sem orientação profissional – médico ou fitoterapeuta. O óleo pode causar fotossensibilidade em peles sensíveis e pode provocar reações alérgicas.

428. Rubim
Nome científico: *Leonotis nepetifolia* (L.) R.Br.
Outros nomes: cordão-de-frade, cordão-de-são-francisco, catinga-de-mulata, emenda-nervos, pau-de-praga, ribim e rubim-de-bola.
Família: Lamiaceae.
Origem: África.
Partes usadas: planta inteira em floração.
Características: possui folhas simples e opostas de cor verde-esbranquiçada, flores alaranjadas com pontas agudas e ásperas, reunidas em inflorescências distribuídas ao longo da haste, lembrando um cordão com nós usados por frades.
Efeitos terapêuticos: tônico, estimulante, diurético, febrífugo, sudorífico, carminativo e antiespasmódico.
Usos: em tratamentos de bronquite crônica, tosses, asma brônquica, elefantíase, hemorragias uterinas, dores reumáticas, contusões, inflamação urinária e na eliminação de ácido úrico.
Vale saber! Proibido o uso sem orientação profissional – médico ou fitoterapeuta. Não pode ser consumido por gestantes.

429. Rúcula
Nome científico: *Eruca vesicaria* (L.) Cav.
Outros nomes: mostarda-presa.
Família: Brassicaceae.
Origem: Mediterrâneo.

Partes usadas: folhas e talo.
Características: planta com até 60 cm de altura. Suas folhas são de cor verde-escura, muito aromáticas e de sabor intenso, o fruto é uma pequena cápsula, onde se alojam numerosas sementes.
Efeitos terapêuticos: afrodisíaco, depurativo, anti-inflamatório, digestivo e estimulante.
Usos: para tratamentos de gengivite, afecções pulmonares, bronquite, tosse, laringite e faringite.
Vale saber! Proibido o uso sem orientação profissional - médico ou fitoterapeuta. Consumida em excesso pode provocar náuseas e induzir o vômito.

430. Ruibarbo

Nome científico: *Rheum palmatum* L.
Outros nomes: ruibarbo-palmado e ruibarbo-da-china.
Família: Polygonaceae.
Origem: Ásia Central e Oriental.
Parte usada: rizoma.
Características: planta herbácea perene, de até 2 m de altura. Suas flores possuem tonalidades que variam entre o vermelho-amarelado e o verde-esbranquiçado, agrupadas ao longo de um talo alto.
Efeitos terapêuticos: aperiente, anti-inflamatório e laxante.
Usos: em tratamentos de gengivite, estomatite, constipação, infecções do aparelho urinário, faringites e diarreia.
Vale saber! Proibido o uso sem orientação profissional - médico ou fitoterapeuta. Não pode ser consumido por gestantes, lactantes e crianças ou em casos de hemorroidas. Além disso, as folhas não podem ser consumidas por pessoas com cálculo renal ou com problemas urinários e gota. O consumo pode interferir na absorção de ferro e de outros minerais.

431. Sabal

Nome científico: *Serenoa repens* (W.Bartram) Small.
Outros nomes: palmeira-anã, serenoa, silver-palm e saw palmetto
Família: Arecaceae.
Origem: Flórida.
Partes usadas: frutos e óleo dos frutos.
Características: planta perene, semelhante a outras palmeiras ornamentais. Possui hastes espinhosas e serreadas, que pendem da base de cada folha. As inflorescências se parecem com espigas compostas e o fruto é uma drupa fibrosa.
Efeitos terapêuticos: afrodisíaco, antisseborreico, antiestrogênico, diurético, inibidor das células prostáticas e rejuvenescedor sexual.
Usos: a principal indicação do extrato é auxiliar no controle da Hiperplasia Benigna da próstata (HBP). Também atua no combate de inflamações, rupturas, entupimento de vias e demais desordens dos sistemas genital e urinário. É usada, também, em tratamentos para combater a impotência sexual e a perda da libido.
Vale saber! Proibido o uso sem orientação profissional – médico ou fitoterapeuta. Não pode ser consumido por gestantes, lactantes e mulheres na menopausa. Seu consumo pode ocasionar distúrbios estomacais.

432. Sabina

Nome científico: *Juniperus sabina* L.
Outros nomes: sabina-rasteira, sivina e junipero-verdadeiro.
Família: Cupressaceae.
Origem: Centro e Sul da Europa, Turquia e Argélia.
Partes usadas: óleo essencial do fruto.
Características: arbusto perene, com até 1 m de altura, geralmente prostrado, com folhas simples e inteiras, ramos estendidos e casca cinza-avermelhada, que se desprende em placas. Possui o tronco curto e o fruto é uma gálbula com 4 a 6 escamas carnudas, globoso e comprimido.
Efeitos terapêuticos: analgésico, estimulante uterino, emenagogo, carminativo e anti-hemorroidal.
Usos: externamente, alivia contusões, dores articulares da artrite, gota e reumatismo.
Vale saber! Proibido o uso sem orientação profissional – médico ou fitoterapeuta. Não pode ser ingerida, apenas manipulada por fitoterapeuta ou outro profissional da saúde. Não pode ser usada por grávidas e lactantes. Seu consumo produz irritação gastrointestinal, congestão dos órgãos digestivos, vômitos, diarreia, cólicas e congestão uterina.

433. Saboeiro

Nome científico: *Sapindus saponaria* L.

Outros nomes: saponária, árvore-do-sabão, fruta-de-sabão, ibaró, jequiri, jequiriti, jequitiguaçu, pau-de-sabão e sabão-de-soldado.
Família: Sapindaceae.
Origem: América Tropical.
Partes usadas: casca da raiz e fruto.
Características: árvore de médio porte, com até 9 m de altura. Possui flores pequenas na ponta dos ramos e frutos que são uma drupa globosa, com uma única semente grande de cor preta.
Efeitos terapêuticos: detergente e emenagogo.
Usos: a casca da raiz é empregada contra clorose e leucorreia e o fruto, se esfregado na água, produz muita espuma e substitui o sabão.
Vale saber! Proibido o uso sem orientação profissional – médico ou fitoterapeuta. Em uso interno, doses altas demais podem provocar intoxicações.

434. Sabugueiro
Nome científico: *Sambucus nigra* L.
Outros nomes: ébulo, sabugueiro-negro e sabugueiro-europeu.
Família: Adoxaceae.
Origem: Europa, Ásia e norte da África.
Partes usadas: folha, raiz, casca, baga e flor.
Características: arbusto com até 6 m de altura, com frutos de cores negra e violeta. Floresce em buquês, formando por pequenas flores brancas ou rosadas.
Efeitos terapêuticos: depurativo e diaforético.
Usos: no combate de gripe, ácido úrico, diarreia e cálculos renais. Também funciona como depurador do sangue.
Vale saber! Proibido o uso sem orientação profissional – médico ou fitoterapeuta. O uso prolongado e excessivo da casca, raízes e folhas provoca vômitos.

435. Saião
Nome científico: *Kalanchoe laciniata* (L.) DC.
Outros nomes: coirama, folha-da-fortuna, folha-da-costa, folha-grossa e orelha-de-monge.
Família: Crassulaceae.
Origem: Brasil, México, África, Yemen e Índia.
Partes usadas: folhas.
Características: arbusto robusto, com até 1,2 m de altura, com caule suculento. As folhas são numerosas, grandes e suculentas.
Efeitos terapêuticos: hemostático, adstringente, diurético, cicatrizante, antisséptico e antitussígeno.
Usos: como calmante da tosse e em inflamações no ouvido. O suco ou xarope da planta é utilizado contra catarros crônicos, tosse e tuberculose pulmonar. Também é indicado contra aftas, calos, erisipelas, feridas, frieiras, picadas de insetos, queimaduras e verrugas.
Vale saber! Proibido o uso sem orientação profissional – médico ou fitoterapeuta. Não deve ser usado por pessoas com hipotireoidismo ou hipotensão.

436. Salgueiro-branco
Nome científico: *Salix alba* L.
Outros nomes: salgueiro, salgueiro-triste, salgueiro-chorão e sincero.
Família: Salicaceae.
Origem: Europa.
Partes usadas: casca, folhas e tronco.
Características: pequenas árvores ou arbustos que podem atingir até 25 m de altura, com folhas lisas e lustrosas na parte superior e glaucas na inferior. O tronco tende a ser ereto com alguns ramos tortuosos, que dão à composição final um ar compacto e a madeira que o compõe.
Efeitos terapêuticos: sudorífero, antipirético, antiflogístico, analgésico, antirreumático e antiagregante.
Usos: para combater inflamação, rigidez articulares, dores de cabeça, dentes, costas, lesões esportivas e gota. Também é usado para controlar febres e aliviar o mal-estar e desconforto que acompanham uma infecção aguda.
Vale saber! Proibido o uso sem orientação profissional – médico ou fitoterapeuta. Não pode ser usado durante a gravidez e a lactação. Aumenta o risco de sangramentos em pacientes que fazem uso de anticoagulantes.

437. Salsa
Nome científico: *Petroselinum crispum* (Mill.) Nyman ex A.W. Hill.
Outros nomes: salsinha, salsa-comum, salsa-vulgar e salsa-de-cheiro.
Família: Apiaceae.
Origem: Europa.
Partes usadas: folhas, caule e sementes.
Características: planta herbácea, que alcança até 50 cm de altura. Suas folhas têm a forma levemente triangular, de cor verde brilhante.
Efeitos terapêuticos: aperiente, estimulante, diurético e carminativo.
Usos: para deter hemorragia nasal, nas afecções do estômago, como acidez, flatulência e gastralgia, do fígado e em tratamentos de cólica, icterícia e intoxicação.
Vale saber! Proibido o uso sem orientação profissional – médico ou fitoterapeuta.

438. Salsaparrilha

Nome científico: *Smilax aspera* L.
Outros nomes: salsaparrilha.
Família: Smilacaceae.
Origem: América Equatorial.
Partes usadas: rizoma e raiz.
Características: trepadeira com raízes carnosas, caule cilíndrico, lenhoso e armado de pequenos espinhos. Suas folhas se reúnem em rosetas espaçadas e as flores são pequenas. O fruto é uma baga, com numerosas sementes.
Efeitos terapêuticos: diurético, sudorífico, depurativo, aperitivo e tonificante.
Usos: a raiz é indicada para combater o reumatismo e a artrite, além de sintomas da menopausa. É usada também em tratamentos de infecções crônicas e eczemas. É um poderoso digestivo estomacal, hepático e intestinal.
Vale saber! Proibido o uso sem orientação profissional – médico ou fitoterapeuta. Doses elevadas podem causar náuseas, salivação, vômitos e queda acentuada da pulsação.

439. Sálvia

Nome científico: *Salvia officinalis* L.
Outros nomes: salva e chá-da-grécia.
Família: Lamiaceae.
Origem: Mediterrâneo.
Partes usadas: sumidades floridas.
Características: subarbusto com hastes quadradas e ramificadas, com até 50 cm de altura. As flores são quase sempre violetas (há algumas brancas) agrupadas de 3 em 3.
Efeitos terapêuticos: antiespasmódico, antioxidante, anti-inflamatório, antisséptico e antidispéptico.
Usos: na higiene bucal e vaginal, e para tratar distúrbios estomacais, astenia. Além disso, diminui a transpiração e regula a menstruação.
Vale saber! Proibido o uso sem orientação profissional – médico ou fitoterapeuta. Não pode ser usada por gestantes, lactantes e pessoas com insuficiência renal, hipertensão arterial e tumores mamários estrógeno dependentes.

440. Sálvia-de-jardim

Nome científico: *Salvia sclarea* L.
Outros nomes: sálvia-sclareia, alegria-dos-jardins e sangue-de-adão.
Família: Lamiaceae.
Origem: Sul da Europa.
Partes usadas: folhas, flores e óleo essencial.
Características: planta herbácea perene, de porte arbustivo, com até 50 cm de altura, possui folhas verdes e flores de cor lilás.
Efeitos terapêuticos: adstringente, antisséptico, aromático, tônico e regenerador celular.
Usos: em tratamentos de ansiedade, artrite, asma, depressão, estresse, indigestão, falta de memória e para regular menstruação ausente ou escassa, pressão alta e sintomas da TPM. Na aromaterapia é usada como sedativa.
Vale saber! Proibido o uso sem orientação profissional – médico ou fitoterapeuta. Não pode ser usada por gestantes e lactantes.

441. Samambaia

Nome científico: *Dryopteris filix-mas* (L.) Schott.
Outros nomes: samambaia-chorona.
Família: Dryopteridaceae.
Origem: Europa, Ásia e América do Norte.
Partes usadas: rizoma e a raiz.
Características: planta com até 1,5 m de altura, com folhas lanceoladas que nascem diretamente do rizoma, caule fino, esverdeado, revestido de pelos, com folhagem abundante de tamanho variável. Não possui flores nem sementes.
Efeitos terapêuticos: vermífugo e antirreumático.
Usos: para combater tênia e afecções do fígado.
Vale saber! Proibido o uso sem orientação profissional – médico ou fitoterapeuta. Não deve ser usada por quem sofre de anemia, gastrite, úlcera duodenal ou cardiopatias.

442. Samaúma

Nome científico: *Ceiba pentandra* (L.) Gaertn.
Outros nomes: barriguda, samaúma-da-várzea e mafumeira.
Família: Malvaceae.
Origem: México, América Central e África Ocidental.
Partes usadas: seiva, casca do tronco e casca da raiz.
Características: planta perene, de até 70 m

de altura, com tronco de até 3 m de diâmetro, margeado de contrafortes e espinhos robustos. As folhas são grandes e o fruto contém uma fibra macia que abriga as sementes.
Efeitos terapêuticos: diurético, anti-inflamatório, afrodisíaco e hipoglicemiante.
Usos: para tratar hidropsia do abdome, malária, conjuntivite, diabetes do tipo 2, dores de cabeça e reumática, disenteria, gota e inflamações cutâneas.
Vale saber! Proibido o uso sem orientação profissional – médico ou fitoterapeuta. Não deve ser consumida por hipoglicêmicos.

443. Sândalo
Nome científico: *Santalum album* L.
Outros nomes: sândalo-branco e pau-de-sândalo.
Família: Santalaceae.
Origem: Sudeste Asiático.
Partes usadas: casca e óleo essencial.
Características: com até os 20 m de altura, tem flores pequenas e sem aroma. O fruto é uma drupa bem pequena, que abriga uma única semente.
Efeitos terapêuticos: adstringente suave, antisséptico, antimicrobiano, aromático, calmante, desinfetante, fixador, umectante e vulnerário.
Usos: no combate de acne, ressecamento de pele, para escurecer cabelos castanhos e limpar ferimentos superficiais. Na aromaterapia é usada como calmante.
Vale saber! Proibido o uso sem orientação profissional – médico ou fitoterapeuta. Só pode ser usada externamente. O óleo essencial é tóxico e não pode ser ingerido.

444. Sanguinária
Nome científico: *Sanguinaria canadensis* L.
Outros nomes: raiz-vermelha.
Família: Papaveraceae.
Origem: Canadá.
Partes usadas: toda a planta.
Características: herbácea rizomatosa com até 35 cm de altura, possui folhas brilhantes de cor verde, flores solitárias de tom branco e tamanho médio. O fruto é uma cápsula e o rizoma e as raízes contêm um látex de cor vermelha-alaranjada.
Efeitos terapêuticos: antibacteriano, catártico, diurético, emético, expectorante, febrífugo, sedativo e tônico estimulante.
Usos: em formulações fitoterápicas e na homeopatia, em geral para tratar enxaquecas. Auxilia também no alívio das dores de dente e ouvido, calores da menopausa e tosse seca.
Vale saber! Proibido o uso sem orientação profissional – médico ou fitoterapeu-

ta. Não pode ser utilizada durante a gravidez, a lactação e por pessoas que sofrem de glaucoma. Doses grandes podem provocar vômito. Além disso, como é tóxica, só pode ser manipulada por profissionais da saúde.

445. Santolina

Nome científico: *Santolina chamaecyparissus* L.
Outros nomes: camomila-de-mahón, guarda-roupa e rosmaninho.
Família: Asteraceae.
Origem: Mediterrâneo.
Partes usadas: folhas e flores.
Características: com até 40 cm de altura, é fortemente aromática e possui folhagem cinza, finamente recortada e pontiaguda. As flores são delicadas e assemelham-se a pequenos pompons de cor amarela.
Efeitos terapêuticos: estomacal e vermífugo.
Usos: Em tratamentos de distúrbios estomacais, verminose e como repelente de insetos.
Vale saber! Proibido o uso sem orientação profissional – médico ou fitoterapeuta. Consumida em altas doses pode provocar vômitos e dores de cabeça.

446. Santônico
Nome científico: *Artemisia Maritima* L.
Outros nomes: artemísia, sementes-de-alexandria e babotina.
Família: Compositae.
Origem: Europa.
Partes usadas: sumidades florais.
Características: com até 60 cm de altura, tem capítulos florais pequenos e aromáticos.
Efeito terapêutico: vermífugo.
Usos: para eliminar os vermes Ascaris Lumbricoides.
Vale saber! Proibido o uso sem orientação profissional – médico ou fitoterapeuta. Não pode ser administrado em crianças. Seu uso excessivo pode provocar excitação nervosa.

447. Saponária

Nome científico: *Saponaria officinalis* L.
Outros nomes: saponária-das-boticas e erva-saboeira.
Família: Caryophyllaceae.
Origem: Mediterrâneo.
Partes usadas: folhas e raiz.
Características: com até 60 cm de altura, possui folhas verde-claras, ovais ou lanceoladas de sabor amargo e caule ereto e robusto. Suas flores são cor-de-rosa e brancas reunidas em uma espiga apical, com aroma agradável.
Efeitos terapêuticos: depurativo, diurético, sudorífero, expectorante, colerético, antiflogístico, antibiótico e hipocolesterolêmico.
Usos: para aliviar dores da artrite, gota e reumatismo e como expectorante em casos de bronquite. Externamente pode ser usada para lavar eczemas e diversas afecções cutâneas e no tratamento de lepra.
Vale saber! Proibido o uso sem orientação profissional – médico ou fitoterapeuta. O uso interno deve ser feito com cautela, devido à presença de saponinas que, em grande quantidade, irritam a mucosa gástrica, são citotóxicas e eméticas.

448. Sapoti

Nome científico: *Manilkara zapota* (L.) P.Royen.
Outros nomes: zapote e sapota.
Família: Zapotaceae.
Origem: América Central.
Partes usadas: fruto e casca do fruto.
Características: árvore de grande porte, de folhagem perene, com galhos e copa compactos. Cresce até 8 m de altura, possui flores róseas, tronco de casca acinzentada que propaga látex branco se ferido.
Efeitos terapêuticos: adstringente, refrigerante e tônico.
Usos: a casca do fruto diminui a febre, o fruto possui propriedades diuréticas e auxilia no tratamento de infecções renais.
Vale saber! Proibido o uso sem orientação profissional – médico ou fitoterapeuta. O consumo excessivo pode provocar diarreia.

449. Sassafrás-americano

Nome científico: *Sassafras albidum* (Nutt.) Nees.
Outros nomes: canela-de-sassafrás.
Família: Lauraceae.
Origem: América do Norte.
Partes usadas: folhas secas, cascas e raízes.
Características: pode crescer até 25 m de altura, produz ramos em andares horizontais e as folhas são caducas e apresentam uma grande variedade de formas. Os frutos são pequenas drupas.
Efeitos terapêuticos: sudorífero, antirreumático, antiespasmódico, anti-inflamatório, antisséptico, anódino, aromático, carminativo, diaforético, diurético, vasodilatador e tônico.
Usos: na purificação do sangue, em tratamentos gastrointestinais, resfriados e de doenças renais e do fígado.
Vale saber! Proibido o uso sem orientação profissional – médico ou fitoterapeuta. Não pode ser usado durante a gravidez e a lactação. Em doses elevadas, pode ter efeito narcótico.

450. Satureia

Nome científico: *Satureja hortensis* L.
Outros nomes: alfavaca-do-campo, remédio-do-vaqueiro, segurelha, segurelha-anual e segurelha-das-hortas.
Família: Lamiaceae.
Origem: Sul e Leste da Europa e Ásia Ocidental.
Partes usadas: toda a planta.
Características: possui raiz ramificada e espessa, coberta de pelos, atingindo até 40 cm de altura e tornando-se roxa conforme amadurece. Possui folhas opostas, pequenas, oblongas e lineares em hastes muito ramificadas. Suas pequenas flores são cor-de-rosa ou brancas.
Efeitos terapêuticos: antiespasmódico, afrodisíaco, adstringente, carminativo, diaforético, emenagogo, expectorante, estimulante e estomacal.
Usos: no combate de cólica, náusea e diarreia. Atua no alívio da dor de garganta, resfriados, asma e falta de apetite. Pode ser usada também como condimento, com sabor semelhante ao orégano e à manjerona.
Vale saber! Proibido o uso sem orientação profissional – médico ou fitoterapeuta. Não é recomendado o uso durante a gravidez e a lactação.

451. Segurelha

Nome científico: *Satureja montana* L.
Outros nomes: alfavaca-do-campo.
Família: Lamiaceae.
Origem: Europa Meridional.
Partes usadas: sumidades floridas e folhas.
Características: com até 70 cm de altura, tem folhas brilhantes, lisas, estreitas e pontiagudas e flores brancas ou levemente rosadas.
Efeitos terapêuticos: estomáquico, carminativo, expectorante, antiespasmódico, antisséptico, tônico, apriente e antidiarreico.

Usos: para auxiliar o processo de digestão, em tratamentos broncopulmonares, alivia dor e irritação provenientes de picada de marimbondo e no combate da diarreia.
Vale saber! Proibido o uso sem orientação profissional – médico ou fitoterapeuta. Não pode ser usada durante a gravidez e a lactação.

452. Sempre-noiva

Nome científico: *Polygonum aviculare* L.
Outros nomes: sempre-verde, encalhada e noivinha-do-campo.
Família: Polygonaceae.
Origem: Regiões temperadas do mundo.
Partes usadas: folhas, raiz e flor.
Características: com até 1,5 m de altura, tem caules nodosos e pouco ramificados. As folhas são lanceoladas, elípticas e pecioladas, as flores são pequenas e os frutos são aquênios negros.
Efeitos terapêuticos: adstringente, coagulante, diurético e expectorante.
Usos: para regular diabetes e combater diarreia e catarros sanguíneos.
Vale saber! Proibido o uso sem orientação profissional – médico ou fitoterapeuta. Como é levemente sedativa, pode provocar sonolência.

453. Sempre-viva

Nome científico: *Helichrysum bracteatum* (Venten.) Willd.
Outros nomes: imortal, flor-de-papel e perpétua.
Família: Asteraceae.
Origem: Austrália.
Partes usadas: flores secas e óleo essencial.
Características: planta herbácea anual, que chega a medir 1,2 m de altura, possui folhas delicadas e flores pequenas, de cores amarela e vermelha.
Efeito terapêutico: adstringente.
Usos: fortalece o coração, atua contra a diarreia, erisipela, hemorroida, inflamação dos olhos, queimadura e reumatismo. Também acelera a cicatrização de feridas na pele.

Vale saber! Proibido o uso sem orientação profissional – médico ou fitoterapeuta. O óleo essencial deve ser usado apenas topicamente.

454. Sene

Nome científico: *Senna alexandrina* Mill.
Outros nomes: sene-da-Índia.
Família: Leguminosae.
Origem: Índia e Somália.
Partes usadas: fruto e folhas.
Características: tem talos e ramos eretos e de cor pálida. As folhas são amarela-esverdeadas, as flores são pequenas, agrupadas em cachos e o fruto é membranoso e deiscente.
Efeitos terapêuticos: laxante e purgante.
Usos: combate a prisão de ventre.
Vale saber! Proibido o uso sem orientação profissional – médico ou fitoterapeuta. Pode causar cólicas intestinais. O uso prolongado leva à perda de potássio e diminui a quantidade de globulinas no sangue.

455. Seriguela

Nome científico: *Spondias purpurea* L.
Outros nomes: ameixa-da-espanha, cajá-vermelho e ciroela.
Família: Anacardiaceae.
Origem: América do Sul e América Central.
Partes usadas: fruto, goma-resina, folha e casca.
Características: árvore de médio porte, que atinge geralmente 8 m de altura. As folhas são compostas, lisas e de coloração verde bem intenso. As flores são pequenas, de cor branca e o fruto é do tipo drupa, alongado, vermelho, roxo, às vezes amarelo e comestível, com qualidade nutritiva, aroma e sabor agradáveis.
Efeitos terapêuticos: antibacteriano, diurético, antiespasmódico e febrífugo.
Usos: alivia dores de cabeça e garganta, constipação, disenteria e diarreia. Acelera a cicatrização de cortes, feridas e queimaduras. Ajuda a combater sarna, úlceras, estomatite e icterícia.
Vale saber! Proibido o uso sem orientação profissional – médico ou fitoterapeuta. Como o fruto é bastante calórico e doce, se consumido em excesso, pode provocar ganho de peso.

456. Serpilho

Nome científico: *Thymus serpyllum* L.
Outros nomes: erva-ursa, planta-ursa, serpão, serpil, serpol, timo-silvestre e falso-tomilho.
Família: Lamiaceae.
Origem: África.

Partes usadas: sumidades floridas e folhas.
Características: planta perene, aromática e que não ultrapassa 20 cm de altura. Suas folhas são pequenas e as flores são de cor rosa ou púrpura.
Efeitos terapêuticos: antibiótico, antiespasmódico, antisséptico, balsâmico, carminativo, cicatrizante, digestivo, diurético, espasmolítico, estimulante, estimulante do apetite, expectorante, hemostático, parasiticida, tônico vascular, vasoprotetor, vermífugo e vulnerário.
Usos: em tratamentos de artrite, asma, astenia, bronquite, câimbras do estômago, constipação, coqueluche, diarreia, distúrbios gástricos, dores reumáticas, epilepsia, fadiga, feridas supuradas, queda de cabelo e sarna.
Vale saber! Proibido o uso sem orientação profissional – médico ou fitoterapeuta. Não pode ser consumido por gestantes e lactantes.

457. Serralinha
Nome científico: *Temilia sonchifolia* (L.) DC. ex DC.
Outros nomes: bela-emília, falsa-serralha e flor-pincel.
Família: Compositae.
Origem: África, Ásia tropical e Polinésia.
Partes usadas: raízes, folhas e flores.
Características: planta anual, de pequeno porte e pouco ramificada. Possui folhas alternas e sésseis, as inflorescências são terminais, em capítulos isolados de flores de cor vermelha. O fruto-semente é um aquênio de papilho sedoso.
Efeitos terapêuticos: antioxidante, bactericida, hepatoprotetor, adstringente, tônico, expectorante, diaforético, depurativo, diurético e sudorífero.
Usos: em tratamentos de tosse, inflamações, ferimentos, reumatismo, febre, disenteria, inflamações nos olhos, cegueira noturna, dores musculares e de ouvido, tonsilite e convulsões. Também ajudar a prevenir cáries.
Vale saber! Proibido o uso sem orientação profissional – médico ou fitoterapeuta. Por se tratar de uma planta invasora, deve-se ter muita atenção em não consumi-la junto com outras plantas que a cercam. As folhas e flores devem ser bem lavadas e separadas antes do consumo.

458. Silva
Nome científico: *Rubus vestitus* Weihe.
Outros nomes: amora-silvestre.
Família: Rosaceae.
Origem: Europa.
Partes usadas: toda a planta.
Características: arbusto ramoso, de caules sarmentosos, e altura de até 5 m. Possui folhas compostas, ovais e lisas. Suas flores são rosadas ou brancas e bem grandes. O fruto, formado por pequenas bagas pretas, é subgloboso e comestível.
Efeitos terapêuticos: hemostático e hipoglicemiante.
Usos: o extrato da planta é indicado para tratar diabetes.
Vale saber! Proibido o uso sem orientação profissional – médico ou fitoterapeuta. Pode causar diarreia caso o consumo dos frutos seja exagerado.

459. Sófora-do-japão
Nome científico: *Sophora japonica* L.
Outros nomes: acácia-do-japão.
Família: Leguminosae.
Origem: China e Coreia.
Partes usadas: botões florais.
Características: árvore de médio porte, com até 15 m de altura. Produz muita sombra e madeira dura e compacta. Suas flores são amarelas, dispostas em grandes panículas eretas. Possui vagens pendentes e compridas, com várias sementes, alternadamente com saliências subglobosas e estrangulamentos.
Efeitos terapêuticos: anti-inflamatório e antisséptico.
Usos: indicada no tratamento de doenças nervosas, infecções das vias respiratórias, inflamações e perturbações circulatórias.
Vale saber! Proibido o uso sem orientação profissional – médico ou fitoterapeuta. O consumo pode provocar sonolência.

460. Soja
Nome científico: *Glycine max* (L.) Merr.
Outros nomes: fava-da-manchúria, feijão-chinês, feijão-da-china e feijão-soja.
Família: Leguminosae.
Origem: Sudoeste Asiático.
Partes usadas: brotos, caule, flores, folhas, raízes e sementes.
Características: com até 1,5 m de altura, assemelha-se ao feijão. Sua vagem é coberta de pelos finos e curtos, assim como os caules e as folhas, e abrigam até 4 sementes ovais de cor amarela ou marrom.
Efeitos terapêuticos: adstringente, antigripal, antiofídico, antirreumático, calmante, dissolvente, emoliente, estomáquico, fungicida, emulsificante, hipocolesterolêmico (reduz o colesterol ruim, o LDL, sem alterar o bom, o HDL), laxante, nutritivo, remineralizante, sudorífero e tônico.
Usos: na alimentação, em forma de extrato fitoterápico, suplemento alimentar ou em produtos cosméticos. É recomendada para combater afecções da bexiga, coração, intestinos e vesícula biliar, arte-

riosclerose, cegueira, doença da córnea, debilidade, doenças de pele, dores de cabeça e reumática, edema, problemas do estômago, febre, fungo, gripe, colesterol alto, insônia, osteoporose, reumatismo e para aliviar os sintomas da menopausa.
Vale saber! Proibido o uso sem orientação profissional - médico ou fitoterapeuta. Crianças alimentadas com fórmulas baseadas em soja têm um risco maior de ter disfunção da tireoide.

461. Solidéu-da-virgínia

Nome científico: *Scutellaria lateriflora* L.
Outros nomes: flor-capacete, skullcap e esculetária.
Família: Lamiaceae.
Origem: EUA.
Partes usadas: folhas, flores e caule.
Características: planta herbácea, perene, com até 60 cm. Possui caule quadrangular, folhas alternadas e lanceoladas. Suas flores são azuis e rosas.
Efeitos terapêuticos: antiespasmódico, calmante, revigorante, sedativo e tônico.
Usos: em tratamentos de ansiedade, esgotamento nervoso, sono agitado, tristeza e dores de cabeça. Age no organismo relaxando os nervos e é considerada mística nos rituais indígenas e pagãos.
Vale saber! Proibido o uso sem orientação profissional - médico ou fitoterapeuta. Não deve ser misturada com medicamentos ou tranquilizantes. Não pode ser usada na gravidez, na lactação e por crianças e idosos.

462. Sumaré-do-mato

Nome científico: *Cyrtopodium punctatum* (L.) Lindl.
Outros nomes: bisturi-do-mato, bisturi-vegetal, cola-de-sapateiro, lanceta-milagrosa, rabo-de-tatu, sumaré-da-pedra e sumaré-do-pau.
Família: Orchidaceae.
Origem: Brasil e EUA.
Parte usada: bulbo.
Características: tipo de orquídea, com caule de até 1 m de altura. Apresenta de 6 a 8 folhas alternas, fortemente curvadas e lanceoladas com até 60 cm de comprimento. As flores têm sépalas oblongo ovadas, ondulosas, amarelas com riscas transversais de tom castanho e pétalas amarelas, onduladas e com manchas vermelhas no centro e na base.
Efeitos terapêuticos: cicatrizante, anti-inflamatório e béquico.
Usos: para drenar furúnculos, abscessos, acne, epiteliomas, coqueluche, tratar tosses, catarro e sintomas da tuberculose.
Vale saber! Proibido o uso sem orientação profissional - médico ou fitoterapeuta. Não pode ser usado por gestantes, lactantes e crianças.

463. Tabaco

Nome científico: *Nicotiana tabacum* L.
Outros nomes: erva-santa e fumo.
Família: Solanaceae.
Origem: América tropical.
Partes usadas: folhas.
Características: pode atingir dois metros de altura e é coberta de pelos viscosos. Os caules apresentam-se eretos, robustos, cilíndricos e ramosos. As folhas são alternas, ovais ou lanceoladas, inteiras e pegajosas. Têm aroma suave e sabor levemente picante, amargo e nauseoso. As flores são grandes e de cor rosada. O fruto forma uma cápsula ovoide, com várias sementes bem pequenas, rugosas e irregularmente arredondadas.
Efeitos terapêuticos: anti-inflamatório, antiparasitário, hipertensor, narcótico, sedativo, vermífugo e inseticida.
Usos: em tratamentos de angina peitoral, diarreia, distúrbios biliares, dor de dente, hérnia, hipotensão, inflamações, parasitas da pele, picadas de mosquitos e abelhas, problemas circulatórios e vermes intestinais.
Vale saber! Proibido o uso sem orientação profissional - médico ou fitoterapeuta. Não pode ser usado por gestantes, lactantes e crianças. Em altas doses pode reduzir a pressão arterial, causar salivação, diminuição do tônus muscular, tremores nas mãos, cefaleia, tontura, fraqueza nas pernas, perda de apetite, insônia, náusea, diarreia, vômitos, dores no peito, problemas na digestão, espasmos, inconsciência, falência respiratória e cardíaca. O consumo na forma de cigarro pode causar doenças como câncer, pneumonia, enfisema pulmonar e infecção das vias respiratórias.

464. Taboa

Nome científico: *Typha domingensis* Pers.
Outros nomes: bucha, capim-de-esteira, erva-de-esteira, espadana, landim, pai-

na, paina-de-flecha, paineira-de-flecha, paineira-do-brejo, paneira-de-brejo, paneira-do-brejo, partasana, pau-de-lagoa, tabebuia, taboinha, tabu, tabua, tabuca, tabuba, tifa e totora.
Família: Thyphaceae.
Origem: América do Sul.
Partes usadas: rizoma e pólen seco.
Características: planta aquática, que mede cerca de dois metros, com folhas grossas e esponjosas e pequenas flores cilíndricas e compactas. Tem fibra durável e resistente, que pode ser utilizada como matéria-prima para papel, envelopes, cestas, bolsas e outros itens. É uma depuradora de águas poluídas, absorvendo metais pesados.
Efeitos terapêuticos: astringente, diurético, antidiarreico, antidisentérico, anti-inflamatório, antianêmico, emoliente e tônico.
Usos: externamente, combate aftas e inflamações dérmicas. Alivia dores abdominais, durante o puerpério, e estomacais. Ajuda a combater sangramento nasal, hemorragia uterina funcional e doenças das vias urinárias.
Vale saber! Proibido o uso sem orientação profissional – médico ou fitoterapeuta.

465. Taioba
Nome científico: *Colocasia antiquorum* Schott.
Outros nomes: taro, taioba-de-São-Tomé, inhame coco, coco, inhame preto, inhame-branco, taioba, orelha-de-elefante e inhame selvagem.
Família: Arasceas.
Origem: Ásia tropical.
Partes usadas: folhas, flores, talos e rizomas.
Características: com folhas grandes e comestíveis, apresenta cores que variam do verde ao roxo-escuro, quase preto. É uma planta com rizoma tuberoso que forma casca escamosa, fibrosa e de cor castanha.
Efeitos terapêuticos: depurativo, emoliente e cicatrizante.
Usos: remove cicatrização de úlceras e a raiz serve, conforme alguns autores e pesquisadores, para atenuar casos de lepra.
Vale saber! Proibido o uso sem orientação profissional – médico ou fitoterapeuta. A ingestão e o contato podem causar sensação de queimação, edema (inchaço) de lábios, boca e língua, náuseas, vômitos, diarreia, salivação abundante, dificuldade de engolir e asfixia. O contato com os olhos pode provocar irritação e lesão da córnea. É tóxico, se for consumido cru, e não é recomendado para pessoas com gota, artrite ou cálculo renal.

466. Tâmara
Nome científico: *Phoenix dactylifera* L.
Outros nomes: tamareira, datileira, fênix-de-tâmara e palmeira-de-tâmara
Família: Arecaceae.
Origem: África.
Partes usadas: polpa.
Características: árvore ou arbusto com flores grandes em espigas amareladas. O fruto é uma vagem comprida, de até 12 cm, e traz no centro da polpa três ou quatro sementes vermelhas.
Efeitos terapêuticos: laxativo.
Usos: no combate de febres e congestões hemorroidariais.
Vale saber! Proibido o uso sem orientação profissional – médico ou fitoterapeuta. Pessoas que ingerem inibidores de monoamina oxidase (MAO), para tratamento de depressão ou pressão alta, devem evitar o consumo das tâmaras, porque a tiramina pode interagir com estas substâncias e elevar de forma perigosa a pressão arterial.

467. Tamarindo
Nome científico: *Tamarindus indica* L.
Outros nomes: tamarinho, jataí, jabão e cedro mimoso.
Família: Leguminosas.
Origem: Índia e África.
Partes usadas: folhas.
Características: planta de grande porte, que atinge de 20 a 30 metros de altura, bem copada, com ramificação muito perto do solo, impedindo a entrada de luz solar. As folhas de cor amarela-esverdeada e rajadas de vermelho são persistentes, sem pelos, com 7 a 17 pares de folíolos opostos. Surgem em cachos laterais ou terminais e são irregulares. O fruto é uma vagem de 6 a 16 cm, de tom castanho-escuro, apresentando estrangulamentos regularmente dispostos e que delimitam as sementes. A casca do fruto é delgada e frágil, separando-se facilmente pelo atrito. A parte comestível do fruto tem sabor doce e ácido.
Efeitos terapêuticos: laxante, refrescante, tonificante, anti-helmíntico e vermífugo.
Usos: em tratamentos para combater problemas hepáticos e em casos de febre.
Vale saber! Proibido o uso sem orientação profissional – médico ou fitoterapeuta. Não foram registradas contraindicações.

468. Tangerina

Nome científico: *Citrus reticulata* Blanco.
Outros nomes: mandarim.
Família: Ruthaceas.
Origem: Ásia.
Parte usada: casca.
Características: como outros cítricos, é uma árvore pequena, de tronco e galhos finos e casca acinzentada, provida de espinhos longos. Tem folhas alternas, miúdas, de cor verde-escura, com flores de coloração branca e solitárias reunidas nas extremidades dos ramos. Os frutos são bagas globosas e um pouco rugosas. Sob a casca encontram-se glândulas amarelas repletas de óleo essencial e uma grande bainha de pectina que envolve gomos de celulose que contém o que chamamos de fruta propriamente dita, repleta de suco.
Efeitos terapêuticos: aperitivo, digestivo, diurético, expectorante, febrífugo e sedativo.
Usos: para eliminar o muco dos pulmões e no auxílio da digestão. Estimula o apetite, alivia náuseas, gases e febres intermitentes e resfriados. Também estimula o fluxo da bile e acalma as dores no peito, na mama, no hipocôndrio e inguinal causada pela estagnação energética do fígado.
Vale saber! Proibido o uso sem orientação profissional – médico ou fitoterapeuta. Não há relatos de contraindicações do uso durante a gestação e lactação.

469. Tansagem

Nome científico: *Plantago major* L.
Outros nomes: tanchagem maior, plantagem e sete nervos.
Família: Plantagináceas.
Origem: Europa.
Partes usadas: raiz, folhas e sementes.
Características: planta que cresce pouco, atingindo 30 centímetros de altura, sem caule, com folhas ovais arredondadas, carnosas e moles. As folhas nascem em torno de um eixo, ao nível do solo, formando um tufo circular, e ficam distendidas sobre o chão. As flores, de cor branca, rosada ou esverdeada, nascem ao longo desse eixo e formam espigas eretas e alongadas, entre as folhas.
Efeitos terapêuticos: depurativo, hemostático, emoliente, expectorante, antitussígeno, tônico, cicatrizante, diurético, anti-inflamatório e antisséptico.
Usos: para aliviar amigdalite, faringite, traqueíte, tosse, catarro, bronquite, otite, gengivite, estomatite, febres intermitentes, diarreias, dermatoses, anemia, debilidade e constipação intestinal.
Vale saber! Proibido o uso sem orientação profissional – médico ou fitoterapeuta. Altas doses podem causar mal-estar.

470. Tília cordata

Nome científico: *Tilia cordata* Mill.
Outros nomes: teja, tejo, tella, texa, tilha e tillera.
Família: Tiliaceae.
Origem: Europa e Balcãs.
Partes usadas: cascas e inflorescências.
Características: árvore de grande porte, tronco liso, mas com zonas repletas de raminhos e rebentos jovens. As folhas de 3 a 6 cm de comprimento são pontiagudas e em forma de coração, e as flores são reunidas em pequenos grupos.
Efeitos terapêuticos: anticatarral, antiespasmódico, calmante, digestivo, emoliente, estomáquico, expectorante, sedativo, sudorífico e tônico.
Usos: para combater bronquite, cansaço, catarros, má digestão, dor de cabeça, enxaqueca, epilepsia, escarlatina, esgotamento nervoso, espasmo, gripes, resfriados, histeria, males do estômago, sarampo, tensão nervosa e para suavizar e regenerar a pele.
Vale saber! Proibido o uso sem orientação profissional – médico ou fitoterapeuta. O uso na gestação e na amamentação é seguro, desde que utilizada nas doses terapêuticas indicadas. Não há informações da sua farmacocinética ou sobre seu uso nestas condições. É contraindicada para portadores de insuficiência cardíaca. A superdosagem pode causar náusea, vômito e diarreia.

471. Tinhorão

Nome científico: *Caladium bicolor* (Aiton) Vent.
Outros nomes: tajá, taiá, caládio e papagaio.
Família: Aráceas.
Origem: Brasil e outros países da América tropical.
Partes usadas: folhas e flores.
Características: erva com folhas em

forma de coração, grandes, rajadas ou pintalgadas, com duas ou mais cores e tonalidades de branco, verde, rosa ou vermelho. É cultivada em vasos como planta ornamental. Elas apresentam folhas e inflorescências de grande importância ornamental. As flores são muito parecidas com as do lírio-da-paz.
Efeitos terapêuticos: analgésico, antiespasmódico, anti-histamínico e antisséptico.
Usos: como purgante e para combater a febre.
Vale saber! Proibido o uso sem orientação profissional - médico ou fitoterapeuta. Como essa planta é venenosa, só pode ser manipulada apenas em laboratório. A ingestão ou o contato podem causar sensação de queimação, edema (inchaço) de lábios, boca e língua, náuseas, vômitos, diarreia, salivação abundante, dificuldade de engolir e asfixia. O contato com os olhos pode provocar irritação e lesão da córnea.

472. Tiririca do Brejo

Nome científico: Cyperus rotundus L.
Outros nomes: junça, hamassuguê, capim-dandá, cebolinha, junça-aromática e tiririca-comum.
Família: Cyperaceae.
Origem: Índia.
Partes usadas: rizomas (sem as raízes filamentosas).
Características: é uma erva daninha de difícil controle no campo. Poder ter até 50 cm de altura e produz pequenos tubérculos de alto poder regenerativo, ricos em fitormônios, que normalmente são usados na produção de mudas de outras plantas por estaqueamento.
Efeitos terapêuticos: balsâmico, estimulante, adstringente, vermífugo, anti-inflamatório, fortificante, antidiarreico e afrodisíaco.
Usos: em casos de infecção urinária, inflamação, dores abdominais, náusea e vômitos.
Vale saber! Proibido o uso sem orientação profissional - médico ou fitoterapeuta. Não pode ser usada na gravidez e na lactação.

473. Tomate

Nome científico: Lycopersicon esculentum Mill.
Outros nomes: desconhecidos.
Família: Solanaceae.
Origem: América do Sul e Itália.
Partes usadas: frutos.
Características: viscosa, de porte ereto e ramos lenhosos, delgados e flexíveis, que necessitam de suporte, obrigando os agricultores a amarrá-la em tutores. As folhas, de intensa cor verde, são bastante divididas, grandes e dentadas. As flores são de coloração amarelada. De acordo com as variedades cultivadas, elas diferem entre si pelo porte e pelo desenvolvimento da planta. O fruto é uma baga vermelha ou amarelada, com muitas sementes, e, conforme sua peculiaridade, tem formatos e cores diferentes.
Efeitos terapêuticos: adstringente, antisséptico, bactericida, cicatrizante, desintoxicante, emoliente, refrescante e regenerador celular.
Usos: indicado para evitar queda de cabelos, calos e verrugas. Atua no combate à caspa e à acne. Também é usado para tratar inflamações na garganta, cálculo renal, disfunção e insuficiência do fígado e inflamação da bexiga.
Vale saber! Proibido o uso sem orientação profissional - médico ou fitoterapeuta. O fruto verde é contraindicado para quem teve ou tem predisposição à câncer, artrite, reumatismo, gota ou cálculo. Internamente, o fruto do tomate verde e cru não deve ser usado, devido à presença de um glicoalcaloide esteroidal, a solanina. Pessoas sensíveis ao ácido oxálico também não devem ingerir tomate. Enquanto se estiver ingerindo quantidades grandes de tomate (fruto), deve-se evitar a exposição, demorada, ao sol, devido à ação fotossensibilizante, que pode causar queimaduras na pele. As folhas não devem ser usadas, pois podem causar diarreia, cólicas e vômitos.

474. Tomilho

Nome científico: Thymus vulgaris L.
Outros nomes: arçã, arçanha, erva-urso, poejo, segurelha, timo, tomilho-de-inverno, tomilho-de-jardim, tomilho-ordinário e tomilho-vulgar.
Família: Lamiaceae.
Origem: costas europeias do Mediterrâneo.
Partes usadas: sementes, flores, folhas e óleo essencial.
Características: planta perene que atinge até 30 cm de altura, sempre verde, de caule tortuoso, lenhoso e rasteiro, do qual partem os numerosos ramos eretos compactos, formando touceiras. As folhas são opostas, pequenas, de cor verde na parte superior e verde-acinzentada na inferior. As flores são pequenas, de coloração rosada ou branca, às vezes de tons avermelhados, e nascem em forma de espigas nas axilas das folhas superiores, apresentando um cálice tubuloso, bilabiado. A planta toda possui um odor

aromático e sabor picante e levemente amargo.
Efeitos terapêuticos: antiespasmódico, antisséptico, anti-helmíntico e antitérmico.
Usos: para combater constipações, catarro, congestão dos seios nasais, garganta inflamada e amigdalite, tosse e infecção brônquica.
Vale saber! Proibido o uso sem orientação profissional – médico ou fitoterapeuta. Não pode ser usado por gestantes, crianças e pacientes com quadro de enterocolites e insuficiência cardíaca. O óleo essencial por via interna deve ser evitado nos períodos de menstruação e lactação, e para pacientes com gastrite, úlcera gastroduodenal, síndrome de intestino irritável, colite ulcerosa, enfermidade de Crohn, hepatopatia, epilepsia, Mal de Parkinson, com alergias respiratórias ou hipersensibilidade a qualquer óleo essencial. Doses elevadas podem causar convulsões e toxicidade hepática.

475. Trevo D'água
Nome científico: *Menyanthes trifoliata* L.
Outros nomes: fava-de-água, fava-dos-pântanos, faveira-de-água, menianto, trevo-de-água, trevo-dos-charcos e trifólio-fibrino.
Família: Menyanthaceae.
Origem: América do Norte.
Partes usadas: folhas.
Características: com o caule subterrâneo, por vezes completamente coberto por 2 ou 3 m de água, tem ramos florais extremamente elegantes e é desprovida de folhas, ostentando uma bráctea sob cada uma das flores.
Efeitos terapêuticos: antiescorbútico, aperitivo, depurativo, emenagogo, estomáquico, febrífugo e tônico.
Usos: para combater falta de apetite, asma, má digestão, enjoo e febre.
Vale saber! Proibido o uso sem orientação profissional – médico ou fitoterapeuta. Não deve ser usado na gravidez e na lactação.

476. Trigo
Nome científico: *Triticum vulgare* Vill.
Outros nomes: trigo comum, trigo vulgar e trigo farinheiro.
Família: Poaceae.
Origem: Síria, Jordânia, Turquia e Iraque.
Partes usadas: frutos, gérmen e farelo.
Características: utilizado principalmente como base de farinhas para fabricar pães, pode atingir até 1,5 m de altura, tem raízes em forma de cabeleira, caule oco e reto, seis a nove folhas estreitas e compridas, flores em grupo de três a cinco, formando espigas que se agrupam em número de 15 a 20. O fruto, uma cariopse, é seco e pequeno, chamado de grão.
Efeitos terapêuticos: antioxidante, calmante, emoliente, neurotônico, nutritivo, reconstituinte e vitaminizante.
Usos: em tratamentos de doenças cardíaca, de pele, anemia, desnutrição, hipotensão e intestino preso.
Vale saber! Proibido o uso sem orientação profissional – médico ou fitoterapeuta. O trigo, assim como o malte, a cevada, a aveia e o centeio, tem glúten em sua composição, não devendo ser consumido por portadores da doença celíaca.

477. Trombeteira
Nome científico: *Brugmansia suaveolens* (Humb. & Bonpl. ex Willd.) Bercht. & J.Presl.
Outros nomes: babado, cartucheira, cartucho, copo-de-leite, saia-branca, sete-saias, trombeta-de-anjo, trombeteiro e zabumba-branca.
Família: Solanaceae.
Origem: América Central e América do Sul.
Partes usadas: folhas, flores e sementes.
Características: arbusto utilizado como planta ornamental, devido às suas grandes flores em forma de trombeta. Grande e ereto, atinge facilmente três metros de altura, com folhas grandes, ovais e alternas. As flores são pêndulas, simples, perfumadas e podem ter cerca de 30 cm de comprimento. São em geral de coloração branca ou amarela, mas ocorrem variedades e híbridos de flores róseas e dobradas.
Efeitos terapêuticos: antiasmático, anticonvulsivante, cardiotônico, dilatador e emético.
Usos: com alguns compostos da flor fabricam-se remédios para combater o mal de Parkinson, infecções urinárias, problemas cardíacos e síndrome pré-menstrual.
Vale saber! Proibido o uso sem orientação profissional – médico ou fitoterapeuta. Não pode ser utilizada por gestantes, lactantes

e crianças. Pode ocorrer náusea, vômito, rubor facial, ressecamento de mucosas, principalmente ocular e bucal, taquicardia, convulsão mental, mudanças repentinas de comportamento, alucinações com visão de formas e cores variadas, vertigem, delírio acompanhado de convulsões, aumento da pulsação, dilatação da pupila, lentidão de reflexos, retenção urinária e paralisia dos músculos estriados.

478. Tuia

Nome científico: *Thuja occidentalis* L.
Outros nomes: pinheiro de cemitério, árvore-da-vida, cedrinho, ciprestes e tuia americana.
Família: Cupressaceae.
Origem: América do Norte.
Partes usadas: ramos.
Características: árvore frondosa, de ramos folhosos mais ou menos horizontais, com copa no formato de pirâmide. Seu crescimento é lento e pode atingir até 20 metros de altura. As folhas, tipicamente escamadas, são sempre de cor verde ou raiadas de amarelo, possuindo uma glândula saliente. Produz cones masculinos e femininos no mesmo pé, de formato levemente globoso, que se abrem quando maduros, apresentando várias sementes.
Efeitos terapêuticos: adstringente, anti-helmíntico, anti-hemorroidal, antirreumático, antiasmático, antiverrugoso, emenagogo e expectorante.
Usos: para combater dor de cabeça, febre, reumatismo, sinusite, bronquite, cistite e infecções fúngicas.
Vale saber! Proibido o uso sem orientação profissional – médico ou fitoterapeuta. Não pode ser utilizada por gestantes, lactantes e crianças. Além disso, como é uma planta tóxica, pode causar crises em usuários de anticonvulsivantes. Não deve ser usada concomitantemente com artemísia, sálvia, tanchagem, tuya oriental e musgos, pois estes contêm tuiona, o que causa intoxicação.

479. Uchi-amarelo

Nome científico: *Endopleura uchi* (Huber) Cuatrec.
Outros nomes: uxi-amarelo, axuá, cumatê, pururu, uxi, uxi-liso, uxi-ordinário, uxi-pucu e uxi-verdadeiro.
Família: Humiriaceae.
Origem: Brasil.
Parte usada: casca.
Características: árvore que pode atingir até 30 m de altura, se cultivada em áreas fechadas. O tronco é ereto, com casca grossa e copa ampla. As folhas, simples e alternas, medem de 12 a 20 cm, e as inflorescências são dispostas em pequenos racemos com flores pequenas e cheirosas, de cor esbranquiçada e esverdeada. O fruto é uma drupa elipsoide, de cor amarela-escura, com até 7 cm e 70 g.
Efeitos terapêuticos: antimutagênico, antioxidante, antitumoral, antiviral, depurativo, diurético, hipotensor, imunoestimulante, regenerador celular e vermífugo.
Usos: em tratamentos de doenças intestinais, epidêmicas e urinárias, artrite, asma, bursite, candidíase, cárie, cirrose, diabetes, gastrite, gonorreia, gripe, hemorragias, herpes, hipertensão, infecção dos ossos, inflamação no útero, irregularidade menstrual, reumatismo, rinite, sinusite e viroses.
Vale saber! Proibido o uso sem orientação profissional – médico ou fitoterapeuta. Não pode ser usado por grávidas ou lactantes.

480. Unha-de-gato

Nome científico: *Uncaria tomentosa* (Willd. ex Schult.) DC.
Outros nomes: desconhecidos.
Família: Rubiaceae.
Origem: Peru.
Partes usadas: raízes.
Características: trepadeira lenhosa, podendo crescer até 30 m. Seus espinhos são curvados, com aparência similar às unhas dos gatos, dando origem ao nome popular.
Efeitos terapêuticos: analgésico, anti-inflamatório, antioxidante, anticancerígeno, antitumoral, antiviral, depurativo e diurético.
Usos: tonifica o sistema imunológico, sendo ótima para infecções crônicas e doenças degenerativas. Combate fadiga crônica, fibromialgia, febre glandular e infecções causadas por herpes.
Vale saber! Proibido o uso sem orientação profissional – médico ou fitoterapeuta. Não pode ser usada durante a gestação, a lactação e por pacientes transplantados, com esclerose múltipla e tuberculose.

481. Urtiga

Nome científico: *Urtica dioica* L.
Outros nomes: urtiga-brava e urtigão.
Família: Urticaceae.
Origem: Europa.
Partes usadas: folhas e raízes.
Características: planta perene, ereta, herbácea, urticante, ramificada, com até 70 cm de altura. Possui flores pequenas de coloração branca ou amarelada. Apresenta grande variação morfológica.
Efeitos terapêuticos: diurético, depu-

rativo, alcalinizante, adstringente, hipoglicemiante, digestivo, emoliente e antianêmico.
Usos: em tratamentos de psoríase, urticária, para aliviar a dor proporcionada por picadas de inseto e como adstringente e hemostático.
Vale saber! Proibido o uso sem orientação profissional – médico ou fitoterapeuta. Não pode ser usada durante a gestação, a lactação ou por pacientes com problemas cardíacos e renais, devido à excreção inadequada de sais urinários.

482. Urtiga-branca
Nome científico: *Lamium album* L.
Outros nomes: urtiga morta e lamio branco.
Família: Lamiaceae.
Origem: Europa.
Partes usadas: folhas e flores.
Características: considerada uma erva daninha, sua flor é de cor branca e grande, em forma de uma boca totalmente aberta. As hastes quadrangulares são aveludadas, eretas, de cor verde, com suave aroma de mel e sabor adocicado. As folhas são completas, ovaladas e opostas.
Efeitos terapêuticos: adstringente, emoliente e expectorante.
Usos: no combate de diarreia, esclerose do útero, hemoptise, hemorragia, inflamação das vias urinárias e leucorreia.
Vale saber! Proibido o uso sem orientação profissional – médico ou fitoterapeuta. É contraindicada para pacientes com distúrbios de coagulação sanguínea.

483. Urtiga miúda

Nome científico: *Urtica urens* L.
Outros nomes: urtiga-anã, urtiga-da-miúda e urtiga vermelha.
Família: Urticaceae.
Origem: Europa.
Partes usadas: toda a planta.
Características: herbácea perene com 60 cm a 1,5 m, com um rizoma duro e caule ereto. As folhas grandes, opostas e ovais, são fortemente denteadas. Toda a planta é recoberta por pelos extremamente picantes, em formato de garrafas, saturadas de ácido fórmico, que é o responsável pela dor provocada ao menor contato com a pele. Suas flores são pequenas, axilares e pendentes, de coloração esbranquiçada ou amarelada. O fruto tem apenas uma semente.
Efeitos terapêuticos: anti-hemorrágico, antisseborreico, depurativo, hemostático, hipoglicemiante, diurético, digestivo e tônico.
Usos: para tratamentos de anemia, asma, diabetes, má digestão, gota, hemorragia uterina, queda de cabelo, reumatismo, tuberculose e para estimular o leite materno.
Vale saber! Proibido o uso sem orientação profissional – médico ou fitoterapeuta. Não pode ser usada durante a gravidez.

484. Urucum
Nome científico: *Bixa orellana* L.
Outros nomes: colorau, urucuba, uru-uva, alçafroeira da terra e bixa.
Família: Bixáceas.
Origem: América dos Sul.
Partes usadas: frutos, sementes e raiz.
Características: planta de porte médio com folhas alternadas e persistentes. As flores são pequenas e aparecem nas pontas dos galhos. Os frutos são pequenas cápsulas espinhosas, também denominadas de cachopa, com 30 a 50 sementes. A polpa da semente fornece dois corantes naturais: a bixina, que é vermelha; e a oerina, que é amarela e solúvel na água.
Efeitos terapêuticos: adstringente, cicatrizante, emoliente e anti-inflamatório.
Usos: combate aftas, faringites e amigdalites. Para uso externo, em forma de lavagens e compressas, combate infecções cutâneas, erupções, queimaduras leves e celulite.
Vale saber! Proibido o uso sem orientação profissional – médico ou fitoterapeuta. Não pode ser usado por gestantes e lactentes. A raiz é abortiva. A casca da semente tem efeito tóxico ao pâncreas e ao fígado. Doses erradas podem causar variações na taxa de glicose.

485. Uva-do-mato
Nome científico: *Cissus rhombifolia* Vahl.
Outros nomes: cipó-uva, uva-selvagem, anil-trepador, uva-brava, cisso e cissus.
Família: Vitaceae.
Origem: América do Sul.
Partes usadas: folhas.
Características: trepadeira perene, de textura semi-herbácea, própria para a decoração de ambientes internos. Apre-

senta caule ramificado, com ramos delgados, de cor castanha, recobertos de pelos e dotados de gavinhas para fixação. As folhas são compostas, com margens denteadas. Algumas variedades possuem margens quase inteiras enquanto outras têm margens profundamente denteadas, praticamente lobadas.
Efeitos terapêuticos: sudorífico, hipotensor, anti-inflamatório, antirreumático, estomáquico, anti-hemorroidário e antidiabético.
Usos: no combate de cólica, moléstias hepáticas, renais e uterinas.
Vale saber! Proibido o uso sem orientação profissional - médico ou fitoterapeuta. Não pode ser usado por gestantes e lactentes.

486. Uva
Nome cientifico: *Vitis vinifera* L.
Outros nomes: videira.
Família: Vitáceas.
Origem: Ásia e Mediterrâneo.
Partes usadas: folhas e frutos.
Características: trepadeira, com tronco marrom-acinzentado, lenhoso, retorcido, com ramos flexíveis e folhas grandes e repartidas. As flores são cachos esverdeados que crescem ao longo dos ramos. Os frutos podem ser de pretos, azuis, acobreados, verdes, vermelhos, brancos e roxos.
Efeitos terapêuticos: anti-inflamatório, tonificante, descongestionante, regulador e estimulante das glândulas de secreções.
Usos: em tratamentos de gota, hipertensão, excesso de colesterol, doenças renais, obesidade, hemorroidas, doenças do fígado, anemia, esgotamento físico e estresse.
Vale saber! Proibido o uso sem orientação profissional - médico ou fitoterapeuta.

487. Uva ursina
Nome cientifico: *Arctostaphylos uva-ursi* (L.) Spreng.
Outros nomes: buxilo, buxulo, medronheiro, ursina, uva de urso e uva dos ursos.
Família: Ericáceas.
Origem: regiões montanhosas da Europa.
Partes usadas: folhas.
Características: trata-se de um pequeno arbusto de crescimento muito lento, que atinge no máximo 30 cm de altura e espalha-se relativamente bastante, o que o torna um bom cobertor de solo. Seus caules são longos e rasteiros, de folhas perenes, carnosas, pequenas e de cor verde-escura. O nome "uva-ursi" é a expressão latina de uva-de-urso, adaptado não só porque os ursos comem as bagas da planta, mas porque o sabor desagradável as tornam impróprias para o consumo humano.
Efeitos terapêuticos: adstringente, diurético, antisséptico e anti-inflamatório.
Usos: em tratamentos de cistite, uretrite, prostatite e cálculos renais.
Vale saber! Proibido o uso sem orientação profissional - médico ou fitoterapeuta. Não pode ser usada durannte a gravidez, a lactação, por crianças e por pacientes com sensibilidade estomacal, úlcera estomacal ou duodenal. O uso excessivo pode provocar náusea, vômito, convulsão e colapso. Além disso, o uso prolongado pode causar danos crônicos ao fígado.

488. Valeriana

Nome cientifico: *Valeriana officinalis* L.
Outros nomes: erva-de-amassar, erva-dos-gatos, erva-de-são-Jorge, erva-de-gato, valeriana-menor, valeriana-selvagem e valeriana-silvestri.
Família: Valerianáceas.
Origem: Europa e Ásia Temperada.
Partes usadas: raízes e flores.
Características: vivaz, o arbusto pode crescer até 2 m de altura e atinge uma largura de 80 cm, com rizomas curtos e cônicos. Sua haste é completamente oca, roliça e com estrias, além de seis a dez pares de folhas opostas, divididas em segmentos dentados profundos, com sabor amargo e intenso. As flores são numerosas, de cor branca ou rosada, e se reúnem em cachos ou ramalhetes opostos, em forma de guarda-chuva, na extremidade das hastes. As raízes e rizomas possuem inicialmente um sabor picante, que logo desaparece, tornando-se um pouco amargo. Quando secas, desprendem um odor forte e desagradável, semelhante ao da urina dos gatos.
Efeitos terapêuticos: tranquilizante, sedativo, sonífero, analgésico, antiespasmódico e anticonvulsivante.
Usos: em tratamentos de epilepsia e neurastenia.

Vale saber! Proibido o uso sem orientação profissional – médico ou fitoterapeuta. Não pode ser usada na gravidez e na lactação. Doses abusivas ou uso prolongado podem resultar em agitação, cefaleia, dispepsias, vertigem, alterações na visão e audição, excitação mental, delírio, reações alérgicas cutâneas, alucinações, torpor, convulsões e morte por parada respiratória. O uso contínuo pode induzir ao chamado "valerianismo", um estado emocional instável. A essência é eliminada pelos rins, podendo a urina adquirir o cheiro característico da planta.

489. Vara de ouro

Nome científico: *Solidago virga* Dulac.
Outros nomes: vira aurea, solidago e erva dos judeus.
Família: Asteraceae.
Origem: Oriente Médio.
Partes usadas: flores e folhas.
Características: Ereta, com até 1,20 m de altura, tem flores amarelas, pequenas e delicadas, reunidas em numerosos capítulos dispostos em grandes inflorescências ramificadas. As folhas são afiladas e longas, em forma de lança.
Efeitos terapêuticos: adstringente, anti-inflamatório, diurético, expectorante.
Usos: em tratamentos de próstata e para amenizar sequelas de escarlatina.
Vale saber! Proibido o uso sem orientação profissional – médico ou fitoterapeuta – e para pacientes com edemas e consequências de insuficiências cardíaca e renal.

490. Veratru

Nome científico: *Veratrum album* L.
Outros nomes: heléboro-branco, veratro-branco e flor-da-verdade.
Família: Liliaceae.
Origem: Europa e norte da Ásia.
Partes usadas: rizoma com uma parte das raízes.
Características: Planta bulbosa perene, dotada de um curto rizoma, raízes poderosas e caule robusto, apresentando folhas elípticas de disposição alterna. O caule termina em panícula composta de flores de cor amarela-esverdeada.
Efeitos terapêuticos: febrífugo, sudorífico, vasodilatador e hipotensor.
Usos: para evitar cãibras, crises de asma e tosse convulsiva.
Vale saber! Proibido o uso sem orientação profissional – médico ou fitoterapeuta. A toxicidade do rizoma faz com que ele não seja empregado na medicina popular, apenas na indústria farmacêutica. Não pode ser usado na gravidez e na lactação.

491. Verbasco

Nome científico: *Verbascum densiflorum* Bertol.
Outros nomes: verbasco-densifloro.
Família: Scrophulariaceae.
Origem: Mediterrâneo.
Partes usadas: a corola com os estames, sem cálice.
Características: possui caule alto, ereto, com folhas alongadas de disposição alterna e limbo séssil ou sustentado por pecíolo muito curto. As folhas da roseta morrem no inverno. As flores amarelas, grandes, formam uma espiga terminal. Os frutos são cápsulas que encerram pequenas sementes venenosas.
Efeitos terapêuticos: expectorante, diurético, peitoral, emoliente, espasmolítico e sedativo.
Usos: para combater espasmo, hemorroida, úlcera externa, tosse, bronquite e asma.
Vale saber! Proibido o uso sem orientação profissional – médico ou fitoterapeuta. A toxicidade do rizoma faz com que ele não seja empregado na medicina popular, apenas na indústria farmacêutica. Não pode ser usado na gravidez e na lactação.

492. Verbena

Nome científico: *Verbena officinalis* L.
Outros nomes: urgebão, ulgebrão, gervão, gerivão, erva-de-ferro, planta-da-sorte e erva-de-fígado.
Família: Verbenaceae.
Origem: Europa e Ásia.
Partes usadas: folhas, raízes e sumidades floridas.
Características: herbácea vivaz e rústica que chega a formar um arbusto de até 90 cm de altura. Possui pequenas folhas denteadas e pequenas flores cor-de-malva.
Efeitos terapêuticos: adstringente, afrodisíaco, analgésico local, antilítico vesicular, anti-inflamatório, antirreumático, calmante, depurativo, digestivo, diurético, estimulante do apetite, febrífugo, hepato-protetor, redutor da frequência cardíaca, sedante e sudorífero.
Usos: em tratamentos de asma, bronquite, calculos renais, celulite, dispepsia, distúrbios hepatobiliares, efisema, espasmos gastrointestinais, falta de apetite, febre, faringite, sinusite, gastrite, insônia, má digestão, reumatismo, úlcera e taquicardia. Em uso tópico: ferida, queimadura, furúnculo e conjuntivite.
Vale saber! Proibido o uso sem orientação profissional – médico ou fitoterapeuta. Não deve ser utilizada por grávidas, pois pode provocar parto prematuro.

493. Verônica

Nome científico: *Veronica officinalis* L.
Outros nomes: verônica-das-isoticas, verônica-da-alemanha, perônica-macho e chá-da-europa.
Família: Scrophulabiaceae.
Origem: Europa.
Partes usadas: aéreas.
Características: caule rasteiro, que chega a medir até 40 cm de altura, de sabor amargo e pequenas flores de tom branco ou azul-claro.
Efeitos terapêuticos: diurético, sedativo, anti-inflamatório, expectorante, antisséptico, antiulceroso, adstringente, antimicrobiano, antialérgico, laxante e anti-inflamatório das vias urinárias.
Usos: em tratamentos de asma, bronquite, traqueíte, rouquidão peitoral, reumatismo, contusões acompanhadas de dores e artrite.
Vale saber! Proibido o uso sem orientação profissional – médico ou fitoterapeuta. A toxicidade do rizoma faz com que ele não seja empregado na medicina popular, apenas na indústria farmacêutica. Não pode ser usado na gravidez e na lactação.

494. Vidoeiro Branco

Nome científico: *Betula alba* L.
Outros nomes: bétula branca e vidoeiro-prateado.
Família: Betulaceae.
Origem: Hemisfério Norte.
Partes usadas: casca e folhas.
Características: árvores de folha caduca, que podem atingir até 15 m de altura. O tronco tem casca lisa e de cor branca ou acinzentada, que se desprende facilmente em lâminas. Os ramos erguidos formam uma copa arredondada, mais ou menos irregular.
Efeitos terapêuticos: anti-inflamatório, adstringente, diurético, analgésico e diaforético (estimula a transpiração).
Usos: em tratamentos de doenças de pele crônicas, distúrbios renais e reumáticos e como tônico reparador e depurativo.
Vale saber! Proibido o uso sem orientação profissional – médico ou fitoterapeuta. Não deve ser usado por pacientes sensíveis à Aspirina.

495. Vinagreira

Nome científico: *Hibiscus sabdariffa* L.
Outros nomes: agrião-de-guiné, azedinha, caruru-da-guiné, graxa-de-estudante, groselha-flor-roxa, groselheira, hibisco, hibiscus, pampola, pampulha, papoula, quiabo-azedo, quiabo-de-angola, quiabo-róseo, quiabo-roxo, rosela e rosele.
Família: Malvaceae.
Origem: África oriental e tropical.
Partes usadas: flores e frutos.
Características: arbusto que atinge até 3 m de altura, de caule pouco ramificado e de tonalidade vermelha. As folhas são alternas, simples, sendo as inferiores internas e ovadas e as superiores com três a quatro lobadas, dentadas e de coloração arroxeada. Essas folhas são suculentas e de sabor ácido, ligeiramente adstringente. As flores possuem coloração rósea ou purpúrea. O conjunto de cálice e da corola formam a parte mais importante da planta, que popularmente é chamada de fruto, que é uma cápsula oval, com cinco lóbulos, revestida de pelos finos e picantes, com inúmeras sementes.
Efeitos terapêuticos: anestésico, aromatizante, corante, digestivo, diurético, emoliente, estomático, laxante suave e vasodilatador periférico.
Usos: para combater queda de cabelos, espasmo gastrintestinal, cólica, má digestão, hipertensão, constipação intestinal, falta de apetite, infecções da pele, varizes, hemorroidas e para ativar a excreção da urina.
Vale saber! Proibido o uso sem orientação profissional – médico ou fitoterapeuta. Pessoas em tratamento de desintoxicação etílica não devem utilizar a tintura alcoólica.

496. Vinca-menor

Nome científico: *Vinca minor* L.
Outros nomes: mandrake, pervinca e vincapervinca.
Família: Apocynaceae.
Origem: Cosmopolita Tropical, ou seja, pode ser encontrado praticamente em qualquer lugar do mundo.
Partes usadas: toda a planta.
Características: subarbusto perene, de até 60 cm de altura, com ramos não florescentes prostrados, ramos florescentes eretos e folhas ovadas. As flores de cor lilás têm cinco pétalas irregulares, que surgem na axila das folhas superiores. O fruto é um folículo com duas ou três sementes.

Efeitos terapêuticos: adstringente, analgésico, probiótico, bactericida, vermífuga, diotônico, digestivo, laxativo, estomáquico e febrífugo.
Usos: em tratamentos de fluxo menstrual excessivo – menorragias (durante o período menstrual) e metrorragias (sangramento entre as menstruações) – doenças urinárias, otite, diarreia, sangramento das gengivas, úlceras da boca, abscessos e eczemas.
Vale saber! Proibido o uso sem orientação profissional – médico ou fitoterapeuta. Não pode ser usado na gravidez e na lactação.

497. Violeta

Nome científico: *Viola odorata* L.
Outros nomes: violeta-de-cheiro, viola e viola-roxa.
Família: Violaceae.
Origem: Europa e Ásia Ocidental.
Partes usadas: pétalas, rizomas e sementes.
Características: planta herbácea sem caule, que atinge até 20 cm de altura. O rizoma é espesso, nodoso, esbranquiçado, com inúmeras radículas fibrosas, com 10 a 20 cm de comprimento. A planta tem o formato de uma roseta e as folhas radiais são ovais, com bordas crenadas e de cor verde-escura. As flores, solitárias, são belíssimas, frágeis e de fragrância inconfundível, com coloração roxa-azulada e cinco pétalas e estigmas em formato de esporão. O fruto é uma cápsula arredondada, de cor violeta.
Efeitos terapêuticos: purgativo, béquico, sudorífero e cicatrizante de uso externo.
Usos: para combater prisão de ventre, tosse, bronquite, dor de garganta e para provocar o suor.
Vale saber! Proibido o uso sem orientação profissional – médico ou fitoterapeuta. Altas doses de rizomas e sementes causam severas gastrites, nervosismo e depressão circulatória e respiratória.

498. Visco-branco

Nome científico: *Viscum album* L.
Outros nomes: agárico, azevinho, pica-folhas, visqueiro e iscador.
Família: Loranthaceae.
Origem: Europa.
Partes usadas: ramos.
Características: arbusto semiparasita, que cresce em troncos de outras árvores. Tem hastes de 3 a 10 centímetros de comprimento com ramificação. As folhas são em pares opostos, em forma de cinta, com até 8 centímetros de comprimento e de cor verde-amarelada. As flores são imperceptíveis e o fruto tem coloração branca ou amarela e baga contendo sementes embutidas na pegajosa polpa.
Efeitos terapêuticos: antiespasmódico, diurético, hipotensor e purgativo.
Usos: em tratamentos de arteriosclerose, má circulação, edema, epilepsia, frieira, hipertensão, leucorreia, menopausa, tosse, pressão sanguínea alta, alterações hormonais e palpitações cardíacas.
Vale saber! Proibido o uso sem orientação profissional – médico ou fitoterapeuta. É contraindicada para crianças, grávidas, lactantes e para pacientes com insuficiência renal, supersensibilidade proteica, infecções crônica progressivas – como febre alta e tuberculose –, cardiopatas, usuários de cardiotônicos ou antidepressivos e hipertensos.

499. Yacon

Nome científico: *Polymnia sonchifolia* Poepp.
Outros nomes: aricoma, jicama, batata-diet e polínia.
Família: Compositae.
Origem: Cordilheira dos Andes.
Partes usadas: folhas e raízes.
Características: os caules são cilíndricos, de coloração esverdeada, apresentam pilosidades em toda superfície e chegam a medir até 2,5 m de altura. As folhas são opostas e delgadas, e o sistema subterrâneo é constituído de três partes distintas: os tubérculos, as raízes de absorção e fixação e as raízes tuberosas, que chegam até 2 kg.
Efeitos terapêuticos: anti-inflamatório, antidiabético, hipocolesterolêmico, hipoglicêmico e regulador intestinal.
Usos: as folhas de yacon são usadas popularmente no tratamento de diabetes, altas taxas de colesterol e exercem efeito favorável na flora intestinal.
Vale saber! Proibido o uso sem orientação profissional – médico ou fitoterapeuta. Pacientes diabéticos, que fazem uso de plantas medicinais, devem ter o nível de glicose sob constante monitoramento e ter acompanhamento médico. A batata yacon parece interferir nos níveis de glicose no sangue, mas não se conhece o mecanismo, nem sua interferência na insulina.

500. Ylang-ylang

Nome científico: *Cananga odorata* (Lam.) Hook.f. & Thomson.
Outros nomes: árvore-perfume e cananga.
Família: Annonaceae.
Origem: Malásia, Indonésia e Madagascar.
Partes usadas: flores e óleo essencial.
Características: árvore tropical de gran-

de porte e visual peculiar, chegando até 20 m de altura. Nos ramos pendentes, a folhagem macia divide o espaço com grandes cachos de flores caracterizadas pelas pétalas retorcidas de cor amarela e intensamente perfumadas.
Efeitos terapêuticos: analgésico, antioxidante, aromático, calmante, emoliente, estimulante do sistema linfático, regulador das glândulas sebáceas, relaxante e umectante.
Usos: o óleo essencial é usado na aromaterapia para tratar sintomas de estresse, tensão nervosa, depressão, irritabilidade, frigidez e impotência. É relaxante muscular e alivia dores articulares.
Vale saber! Proibido o uso sem orientação profissional - médico ou fitoterapeuta. O óleo essencial é tóxico e não pode ser ingerido. Os extratos da planta devem apenas ser manipulados por fitoterapeuta ou profissional da saúde.

501. Zedoária

Nome científico: *Curcuma zedoaria* (Christm.) Roscoe.
Outros nomes: zédoaire, zedoary e cúrcuma.
Família: Zingiberaceae.
Origem: Índia Oriental.
Partes usadas: rizomas.
Características: planta perene, com rizoma alongado, de coloração azulada e com ramificações laterais mais finas, semelhante às do gengibre. Do rizoma saem folhas e hastes florais. As folhas são bem alongadas e esverdeadas, e as flores se agrupam em formato de espiga.

Efeitos terapêuticos: antisséptico, antifúngico, aromático, carminativo, digestivo, estimulante, estomáquico, hepatoprotetor, antiasmático, febrífugo, vermífugo e antirreumático.
Usos: para combater bronquite, cálculos renais, úlcera gástrica e duodenais, insônia, micose, hepatite, resfriado, afecções urinárias, cólica, vômito e tosse. Ajuda a regular o colesterol, melhorar a circulação sanguínea e aumentar a eficácia da quimioterapia e da radioterapia.
Vale saber! Proibido o uso sem orientação profissional - médico ou fitoterapeuta. Não pode ser usado por gestantes e lactantes. Deve-se evitar o uso externo com exposição solar, pois tanto o rizoma quanto o produto processado são fotossensíveis. Superdosagens podem provocar irritação da mucosa estomacal e úlceras.

502. Zimbo

Nome científico: *Juniperus communis* L.
Outros nomes: cedro, genebreiro, junípero, zimbrão, zimbro-anão, zimbro-rasteiro e zimbro-vulgar.
Família: Cupressaceae.
Origem: América do Norte, México, Europa, Ásia, Argélia, Marrocos, Nepal e Paquistão.
Partes usadas: folhas, frutos e cascas.
Características: arbusto com até 2 m de altura, com espessa ramificação, folhas em forma de agulhas longas e lineares. As flores são pálidas, os frutos são bagas e, quando maduros, apresentam colorações violeta e azul-escura, tornando-se carnudos e consistentes, com sabor adocicado, resinoso, semelhante ao da canela.
Efeitos terapêuticos: antisséptico, hipoglicêmico, antifúngico, antirreumático, diurético e tônico.
Usos: combate edemas, ácido úrico, infecções broncopulmonares e acalma dores reumáticas causadas pela artrose.
Vale saber! Proibido o uso sem orientação profissional - médico ou fitoterapeuta. Não pode ser utilizado na gravidez, na lactação, por crianças e pacientes com problemas renais.

Bibliografia

E-Referências
CONSELHO REGIONAL DE FARMÁCIA DO ESTADO DE SÃO PAULO. *Plantas Medicinais e Fitoterápicos*. Disponível em: www.crfsp.org.br. Acesso em 01/02/2021.

GRANDI, Telma Sueli Mesquita. *Tratado das Plantas Medicinais Mineiras, Nativas e Cultivadas*. Disponível em: https://drive.google.com/file/d/0Bz_AcmCaAL9eTmxjVS1rNllSekE/view?pref=2&pli=1. Acesso em 01/02/2021.

HAWKES, Graham. *The Plant List*. Disponível em: www.theplantlist.org. Acesso em 01/02/2021.

PATRO, Raquel. *Jardineiro.net*. Disponível em: www.jardineiro.net. Acesso em 01/02/2021.

PORTO, Anderson C. *Banco de Plantas Notáveis*. Disponível em www.tudosobreplantas.com.br/asp/pesquisas/default.asp. Acesso em 01/02/2021.

SIGRIST, Sérgio R. *Plantas Medicinais - Aromáticas - Condimentares*. Disponível em: www.ppmac.org. Acesso em 01/02/2021.

STASI, Luiz Claudio di; HIRUMA-LIMA, Clélia Akiko. *Plantas Medicinais na Amazônia e na Mata Atlântica*. Disponível em: www.academia.edu/3612479/Plantas_Medicinais_na_Amazonia_e_na_Mata_Atl%C3%A2ntica. Acesso em 01/02/2021.

Referências Bibliográficas
ALMEIDA, Mara Zélia de. *Plantas Medicinais*. 3. ed. Salvador: EDUFBA, 2011.

**CONFIRA NOSSOS
LANÇAMENTOS AQUI!**

Camelot
EDITORA

CamelotEditora